Merch Ar-lein

ZOE SUGG

Addasiad EIRY MILES

RILY

ISBN 978-1-84967-020-3

Cyhoeddwyd gan Rily Publications Ltd
Rily Publications, Blwch Post 257, Caerffili CF83 9FL

Mae'r cyhoeddwyr yn cydnabod cefnogaeth ariannol Cyngor Llyfrau Cymru.

Argraffwyd a rhwymwyd ym Mhrydain
gan CPI Group (UK) Ltd, Croydon, CR0 4YY

www.rily.co.uk

Merch Ar-lein

ZOE SUGG

Blogiwr ar-lein o Brighton yn Lloegr yw Zoe Sugg, sydd hefyd yn cael ei hadnabod fel Zoella. Wrth sôn am harddwch, ffasiwn a steil, mae'r blogiau y mae'n eu creu a'u darlledu ar YouTube wedi sicrhau miliynau o ddilynwyr iddi ar hyd a lled y byd, a'r nifer yn cynyddu'n fisol. Enillodd Zoe y Teen Choice Award for Fashion and Beauty yn 2014 a 2015 yn ogystal ag ennill gwobr y Nickelodeon Kids' Choice fel hoff flogiwr Prydain a gwobr Radio 1 Teen Award ddwywaith yr un. Yn ystod haf 2016, lawnsiodd Zoe ei chlwb llyfrau hynod lwyddiannus gyda WHSmith.

Dilynwch Zoe ar Twitter, Facebook,
Instagram a Snapchat
@zoella
www.zoella.co.uk
www.girlonlinebooks.com

Hoffwn gyflwyno'r llyfr hwn i bawb a wnaeth hyn yn bosib. Y rhai hynny sydd wedi tanysgrifio i fy sianel, sydd wedi gwylio'r fideos ac wedi darllen fy mlog, boed hynny yn 2009 neu ddoe. Mae eich cefnogaeth yn werth y byd i mi. Does gen i ddim geiriau i fynegi cymaint o gariad dwi'n ei deimlo at bob yr un ohonoch hеb hynny, fyddai'r llyfr hwn ddim yn eich dwylo nawr.

Blwyddyn yn ôl ...

22 Tachwedd

Helô i Bawb yn y Byd!

Dwi wedi penderfynu dechrau blog.

Y blog yma.

Pam, rwyt ti'n gofyn?

Ti'n gwybod beth sy'n digwydd pan wyt ti'n shiglo can o Coke a'i agor e ac mae'n ffrwydro dros bob man? Wel dyna sut dwi'n teimlo ar hyn o bryd. Mae gyda fi gymaint o bethau dwi'n moyn 'u dweud yn corddi y tu mewn i fi, ond does gyda fi ddim hyder i'w dweud nhw'n uchel.

Dwedodd Dad wrtha i rywbryd am ddechrau sgrifennu dyddiadur. Dwedodd e fod cadw dyddiadur yn ffordd wych o fynegi ein teimladau dyfnaf. Dwedodd e hefyd y byddai'n grêt edrych yn ôl arno fe pan fydda i'n hen, ac yn gwneud i fi wir werthfawrogi blynyddoedd f'arddegau. Hmm, yn amlwg mae cymaint o amser ers iddo fe fod yn 'i arddegau nes 'i fod e wedi anghofio sut beth yw e. Ond fe driais i. Sgrifennu dyddiadur, hynny yw. Sgrifennais i dri darn bach cyn rhoi lan.

Roedd y rhan fwya ohonyn nhw'n debyg i hyn:

Bwrw glaw heddiw; cafodd fy sgidie newydd i 'u strywo. Roedd Jenny'n meddwl am beidio mynd i'r wers Fathemateg. Aeth hi yn y diwedd. Roedd trwyn John Barry'n gwaedu yn y wers Wyddoniaeth ar ôl iddo fe sticio pensil ynddo fe. Chwerthin wnes i. Doedd e ddim yn hapus. Lletchwith. Nos da!

Ddim cweit yn Bridget Jones. Doedd e ddim yn arbennig o ddiddorol.

Mae'r syniad o sgrifennu pethe i fi fy hunan mewn dyddiadur yn ymddangos yn ddibwrpas, braidd.

Dwi isie teimlo fel tase rhywun, rhywle, yn gallu darllen beth sy gyda fi i'w ddweud.

Dyna pam dwi am roi cynnig ar y blog 'ma – fel bod rhywle gyda fi i ddweud beth dwi eisiau, pryd dwi eisiau a sut dwi eisiau – wrth *rywun*. Heb boeni bod beth dwi'n 'i ddweud ddim yn swnio'n cŵl neu'n gwneud i fi edrych yn dwp neu'n gwneud i fi golli ffrindiau.

Dyna pam mae'r blog yma'n ddienw.

Fel 'mod i'n gallu bod yn fi, a neb arall.

I fy ffrind gorau Wici (*dim dyna'i enw go iawn, gyda llaw – alla i ddim rhoi'i enw go iawn neu fyddai'r blog yma ddim yn ddienw*) mae'r ffaith bod angen i fi fod yn ddienw er mwyn bod yn fi fy hunan yn 'drasiedi epig'. Ond beth mae e'n 'i wybod? Dyw e ddim yn ferch yn 'i harddegau sy'n dioddef o orbryder ofnadwy. (*A dweud y gwir mae e'n fachgen yn 'i arddegau sydd â rhieni ofnadwy, ond stori arall yw honno.*)

Weithiau dwi'n meddwl tybed ai'r ffaith 'mod i'n ferch yn f'araddegau sy'n achosi'r gorbryder? Meddylia am y peth – mae llawer o bethau i bryderu amdanyn nhw.

2

Rhesymau am Orbryder Merched yn 'u Harddegau: Y Deg Uchaf:

1. Mae disgwyl i ti edrych yn berffaith drwy'r amser.

2. Mae'n cyd-fynd â'r adeg mae'r hormonau'n mynd yn wallgo.

3. Sy'n arwain at y cyfnod mwya sbotlyd yn dy fywyd i gyd (sy'n gwneud rhif 1 yn hollol amhosib!)

4. Sy hefyd yn cyd-fynd â'r tro cynta mae 'da ti'r rhyddid i brynu siocled pryd bynnag wyt ti'n moyn (gan wneud rhif 3 hyd yn oed yn waeth!)

5. Cyn hir mae pawb yn pocni beth wyt ti'n wisgo.

6. Ac mae'n rhaid i beth wyt ti'n wisgo edrych yn berffaith hefyd.

7. Wedyn rwyt ti i fod i wybod sut i sefyll fel siwpermodel.

8. Er mwyn i ti dynnu hunlun yn dy ddillad trawiadol ...

9. ... sy wedyn yn cael 'i roi ar y cyfryngau cymdeithasol i dy ffrindiau i gyd 'i weld

10. Mae disgwyl i ti fod yn ddeniadol dros ben i fechgyn (*tra wyt ti'n delio â'r holl bethau uchod!*)

Ceisia feddwl amdana i'n ochneidio'n drist ac yn ddramatig wrth ddweud hyn.

Ond nid fi yw'r unig ferch yn 'i harddegau sy'n teimlo fel hyn, nage?

Dwi'n meddwl falle bod pob merch yn 'i harddegau'n teimlo'n union fel fi.

A falle, rhyw ddydd, pan fyddwn ni'n sylweddoli ein bod ni i gyd yn teimlo'r un peth, gallwn ni stopio esgus ein bod ni'n rhywbeth gwahanol i'r hyn ydyn ni.

Byddai hynny'n anhygoel.

Ond tan y diwrnod hwnnw dwi'n mynd i roi'r byd yn 'i le ar y blog yma. A'i gadw'n gyfrinachol yn y byd 'go iawn'.

Dwi'n mynd i ddweud beth dwi eisiau'i ddweud, a byddai'n cŵl taset ti (*pwy bynnag wyt ti*) yn ymuno â fi.

Gall fan hyn fod yn gornel fach i ni ar y we, lle gallwn ni siarad go iawn am sut brofiad yw bod yn ferch yn 'i harddegau – heb orfod esgus bod yn rhywbeth gwahanol i ni'n hunain.

Dwi hefyd yn dwlu ar dynnu lluniau gyda 'nghamera bach (on'd wyt ti'n dwlu ar y ffordd mae lluniau'n rhewi eiliadau arbennig am byth? Machlud haul prydferth, partïon pen blwydd, cacennau caramel ag eisin trwchus ...) felly bydda i'n postio llawer o'r rheiny hefyd. Ond fydd 'na ddim hunluniau, yn amlwg, fel bod neb yn gwybod pwy ydw i.

 Dyna ni am nawr. Diolch i ti am ddarllen (os oes rhywun wedi bod yn darllen!). A gad i fi wybod beth wyt ti'n 'i feddwl yn y sylwadau isod.

Merch ar-lein, yn mynd oddi ar-lein xxx

Pennod Un

Heddiw...

Dwi'n edrych ar y neges gan Elliot ac yn ochneidio. Wrth i fi wylio ymarfer *Romeo and Juliet* (tair awr o 'mywyd chaf i *byth* 'mohonyn nhw'n ôl), mae Elliot yn hala llwyth o negeseuon hollol random am Shakespeare ata i. Trio lleddfu'r diflastod mae e, ond wir, oes angen i unrhyw un wybod i Shakespeare gael 'i fedyddio yn 1564? Neu fod ganddo fe saith o frodyr a chwiorydd?

'Penny, wnei di dynnu llun o Juliet yn pwyso allan o'r trelar?' Bant â fi â 'nghamera gan nodio ar Mr Beaconsfield.

Mr Beaconsfield yw athro drama Blwyddyn Un ar ddeg. Mae'n un o'r athrawon hynny sy'n hoffi bod yn ffrindiau gyda'r plant – fe a'i wallt yn llawn gel a'i 'galwch-fi'n-Jeff'. Fe

5

yw'r rheswm bod ein fersiwn ni o Romeo and Juliet wedi'i lleoli mewn ghetto yn Brooklyn a Juliet yn pwyso allan o drelar yn lle balconi. Mae Megan, fy FfYG (Ffrind Ysgol Gorau), yn dwlu ar Mr Beaconsfield, ond wedyn mae e wastad yn rhoi'r prif rannau iddi hi. Yn bersonol, mae'n gwneud i mi deimlo'n anghysurus. Ddylai athrawon ddim bod eisiau bod yn ffrindiau gyda phobl yn 'u harddegau. Ddylen nhw ganolbwyntio ar farcio llyfrau a phryderu am arolwg yr ysgol a beth bynnag maen nhw'n 'i wneud yn y stafell athrawon.

Dwi'n mynd lan y grisiau wrth ochr y llwyfan a lawr ar 'y nghwrcwd ar bwys Megan. Mae hi'n gwisgo cap pêl-fasged a SWAG ar y blaen a chadwyn aur (ffug) a symbol doler mawr yn hongian o'i gwddf. Fyddai hi byth yn fodlon cael 'i gweld mewn gwisg fel hyn yn unrhyw le arall; dyna faint mae hi'n dwlu ar Mr Beaconsfield. Wrth i fi baratoi i dynnu'r llun, mae Megan yn hisian arna i: 'Gwna'n siŵr fod y sbot ddim yn y llun.'

'Beth?' medde fi, yn sibrwd.

'Y sbotyn ar ochr 'y nhrwyn. Paid â meiddio'i gael e yn y llun.'

'O. Iawn.' Dwi'n symud i un ochr ac yn symud i mewn gyda'r *zoom*. Dyw'r golau ddim yn dda iawn ar yr ochr yma, ond o leiaf dyw'r sbotyn ddim yn y golwg. Dwi'n tynnu'r llun ac yn troi i adael y llwyfan, gan edrych allan ar yr awditoriwm. Heblaw am Mr Beaconsfield a'r ddau gyfarwyddwr cynorthwyol, mae'r seddau i gyd yn wag. Dyna ryddhad. Dwi ddim yn dda iawn o flaen cynulleidfa, a dweud y gwir. Yn yr un ffordd â dyw Justin Bieber ddim yn dda iawn gyda'r paparazzi. Dwi ddim yn deall sut mae pobl yn gallu perfformio ar lwyfan. Dwi'n teimlo'n sâl dim ond wrth sefyll yno am eiliad neu ddwy i dynnu llun.

'Diolch, Pen,' medd Mr Beaconsfield wrth i mi fynd i lawr y grisiau. Dyna un peth arall amdano fe sy'n gwneud i fi fod isie chwydu – y ffordd mae'n rhoi llysenw i ni i gyd. Wir i chi! Mae'n

iawn i aelod o'r teulu wneud hynny, ond nid un o'r athrawon!
Wrth i mi fynd yn ôl i ochr y llwyfan mae'r ffôn yn bipian eto.

> O'r mawredd! Dyn oedd yn actio
> rhan Juliet yn nyddiau Shakespeare!
> Mae'n rhaid i ti ddweud wrth Ollie –
> dwlen i weld 'i wyneb e! ☺

Edrychaf lan ar Ollie, sy'n syllu'n hir ar Megan.
'*But, soft! What light through yonder window breaks?*' medd, yn yr acen Efrog Newydd waethaf erioed.

Alla i wneud dim ond ochneidio. Er bod Ollie'n gwisgo gwisg hyd yn oed yn waeth nag un Megan – sy'n gwneud iddo fe edrych fel cyfuniad o westai ar *Jeremy Kyle* a Snoop Dogg – mae'n llwyddo i edrych yn ciwt.

Mae Elliot yn casáu Ollie. Mae e'n credu bod Ollie'n fên ac yn 'i alw'n 'Hunlun ar Goesau', ond, a bod yn deg, dyw e ddim *wir* yn 'i nabod e. Mae Elliot yn mynd i ysgol breifat yn Hove; dyw e ond wedi gweld Ollie wrth daro arno fe ar y traeth neu yn y dref.

'Ddylai Penny dynnu llun ohona i yn yr olygfa yma hefyd?' gofynna Ollie wrth iddo fe gyrraedd diwedd 'i araith o'r diwedd. Mae e'n dal i siarad yn 'i acen Americanaidd ffug – mae e wedi bod yn gwneud hynny fyth ers iddo gael y rhan. Yn ôl y sôn, mae'r actorion gorau i gyd yn 'i neud e. '*Method acting*' maen nhw'n 'i alw e.

'Wrth gwrs, Olz,' medd Galwch-fi'n-Jeff. 'Pen?'
Dyma roi'r ffôn i lawr, cyn rhedeg 'nôl lan y grisiau.

'Alli di neud yn siŵr dy fod ti'n dal f'ochr orau i?' sibryda Ollie, o dan 'i gap. Mae'r gair STUD ar flaen 'i gap, mewn diamwntau ffug.

'Wrth gwrs,' atebaf. 'Ym, pa ochr yw honna eto?'

Mae Ollie'n edrych arna i fel tasen i'n wallgo.

'Mae hi jyst mor anodd gwybod,' medde fi wedyn yn dawel bach, gan deimlo'r gwrid yn codi.

Mae Ollie'n gwgu.

'Maen nhw i gyd yn edrych yn dda i mi,' atebaf, â thinc despret yn y'n llais. O Dduw Mawr! Be sy'n bod arna i?! Alla i ddychmygu Elliot yn sgrechian mewn braw. Diolch byth, mae Ollie'n dechrau gwenu nawr. Mae hynny'n gwneud iddo fe edrych yn fachgennaidd iawn, ac yn llawer mwy caredig.

'Fy ochr dde,' medd, gan droi 'nôl i wynebu'r garafán.

'Ai dy ... ym ... dde di neu f'un i?' holaf, er mwyn bod yn hollol siŵr.

'Dere 'mlaen Penny, allwn ni ddim aros drwy'r dydd!' medd Mr Beaconsfield yn ddig.

'Y dde i fi, wrth gwrs,' yw ateb crac Ollie, yn edrych arna i fel tasen i'n wallgo eto.

Mae hyd yn oed Megan yn gwgu arna i nawr. Tynnaf y llun, gan deimlo 'mochau i'n llosgi. Dwi ddim yn gwneud y pethau arferol, fel tsiecio'r golau neu'r ongl neu unrhyw beth arall – dim ond pwyso'r botwm a'i baglu hi o 'na.

Ar ôl i'r ymarfer orffen – a dwi wedi dysgu wrth Elliot mai dim ond deunaw oed oedd Shakespeare pan briododd e, a'i fod e wedi sgrifennu tri deg wyth o ddramâu i gyd – dyma griw ohonom ni'n mynd draw i JB's Diner i gael milcshêcs a sglodion.

Wrth i ni gyrraedd glan y môr, daw Ollie i gerdded gyda fi. 'Sut mae pethau?' hola, yn 'i acen Efrog Newydd ffug.

'Ym, iawn, diolch,' yw f'ateb, â 'nhafod yn glymau i gyd. Mae

8

e wedi tynnu'i ddillad Romeo nawr, ac yn edrych hyd yn oed yn well. Mae'i wallt melyn syrffiwr yn hyfryd o anniben, a'i lygaid glas yn ddisglair fel y môr yn heulwen y gaeaf. A bod yn onest, dwi ddim yn siŵr ai fe yw 'nheip i – falle'i fod e'n gyfuniad rhy berffaith o ganwr *boyband* ac athletwr – ond mae'n beth mor anarferol i fi gael holl sylw *heart-throb* yr ysgol fel na alla i beidio â theimlo tipyn o embaras.

'O'n i jyst yn meddwl ...' mentra, gan wenu i lawr arna i.

Yn syth, mae fy llais mewnol yn dechrau gorffen 'i frawddeg: *Beth wyt ti'n hoffi'i neud yn dy amser hamdden? Pam 'mod i heb sylwi arnat ti o'r blaen? Licet ti ddod mas gyda fi?*

'... ga i olwg ar y llun 'na dynnest ti ohona i? Jyst i wneud yn siŵr 'mod i'n edrych yn iawn?'

'O ... ym ... iawn. Wrth gwrs. Wna i 'i ddangos e i ti pan fyddwn ni yn JB's.' Ac ar y foment yma'n union, dwi'n cwympo mewn i dwll. Ocê, dyw e ddim yn dwll mawr a dwi ddim yn diflannu i mewn iddo fe'n llwyr, ond dwi'n dal 'y nhroed arno fe ac yn baglu 'mlaen – gan edrych mor ddeniadol a soffistigedig â meddwyn ar nos Sadwrn. Dyna un peth dwi'n 'i gasáu ynglŷn a Brighton, lle dwi'n byw. Mae fel tase 'na lwyth o dyllau sy'n bodoli jyst er mwyn i fi gwympo i mewn iddyn nhw! Ond dwi'n trio gwneud i'r cyfan edrych fel rhyw ddawns ddiddorol, ac yn ffodus, dyw Ollie ddim fel tase fe wedi sylwi.

Wedi cyrraedd JB's, daw Ollie i eistedd wrth f'ochr yn syth. Galla i weld Megan yn codi'i haeliau a dwi'n teimlo'n syth fel tasen i wedi gwneud rhywbeth o'i le. Mae Megan wastad yn llwyddo i wneud i fi deimlo fel hyn. Dwi'n troi i ffwrdd oddi wrthi, a chanolbwyntio ar yr addurniadau Nadolig o gwmpas y caffi yn lle hynny – y tinsel coch a gwyrdd disglair a'r Siôn Corn mecanyddol sy'n gweiddi 'Ho, ho, ho!' bob tro y bydd rhywun yn cerdded heibio. Y Nadolig, yn bendant, yw fy hoff adeg o'r flwyddyn. Mae rhywbeth am y Nadolig sy wastad yn gwneud i fi deimlo'n hapus 'y myd. Ar ôl munud neu ddwy, dwi'n troi 'nôl at y ford. Yn ffodus, mae ffôn Megan yn mynd â'i holl sylw.

Mae 'mysedd yn crynu wrth i syniad ar gyfer blogbost dasgu i 'mhen. Weithiau, mae'n teimlo fel tase'r ysgol yn un ddrama fawr a bod angen i ni actio rôl arbennig bob amser. Yn nrama ein bywydau go iawn, dyw Ollie ddim i fod i eistedd wrth f'ochr i; dylai e eistedd ar bwys Megan. Dydyn nhw ddim yn mynd mas gyda'i gilydd, ond maen nhw'n bendant ar yr un ris ar yr ysgol gymdeithasol. A dyw Megan byth yn cwympo mewn i dyllau. Mae hi jyst fel tase hi'n hwylio trwy fywyd, a'i gwallt sgleiniog hardd a'i gwefusau pwdlyd yn swyno pawb. Daw'r efeilliaid i'r seddi ar bwys Megan. Kira ac Amara yw 'u henwau nhw. Rhannau heb siarad sy gyda nhw yn y ddrama, ac fel ecstras i'w phrif rhan hi y mae Megan yn 'u trin nhw go iawn hefyd.

'Beth licech chi, bois? Diod?' medd y weinyddes serchus, a'i phad yn barod i gymryd ein harcheb.

'Basai hynny'n ôôôsym,' medd Ollie yn 'i acen Americanaidd ffug. Alla i ddim peidio â theimlo cywilydd drosto fe.

Mae pawb yn dewis milcshêc – heblaw am Megan, sy'n archebu dŵr – ac yna mae Ollie'n troi ata i. 'Felly, ga i weld?'

'Beth? O, ie.' Dwi'n chwilio trwy 'mag am 'y nghamera, ac yn dechrau edrych drwy'r lluniau. Wrth ddod at yr un o Ollie, dwi'n 'i basio iddo fe. Yna, dal f'anadl wrth aros am 'i ymateb.

'Cŵl,' medd. 'Dwi'n edrych yn dda.'

'O, gad i fi weld f'un i,' medd Megan, gan dynnu'r camera oddi wrtho fe a gwasgu'r botymau i gyd yn wyllt. Galla i deimlo 'nghorff yn tynhau. Fel arfer, does dim ots gyda fi rannu pethau – wnes i hyd yn oed roi hanner fy siocledi calendr adfent i Tom, 'y mrawd – ond mae 'nghamera i'n wahanol. Mae'n drysor gwerthfawr. Mae'n 'y nghadw i'n ddiogel.

'O'r mawredd, Penny!' ebycha Megan yn ddramatig. 'Beth ddiawl wyt ti wedi'i wneud? Mae'n edrych fel tase mwstash 'da fi!' Mae hi'n plannu'r camera'n galed ar y ford.

'Gofalus!' yw f'ymateb i.

Mae Megan yn syllu arna i'n gandryll, cyn codi'r camera a photsian â'r botymau. 'Sut alla i gael gwared ar y llun 'ma ohona i?'

Cipiaf y camera oddi wrthi, braidd yn rhy ffyrnig, gan ddal un o'i hewinedd ffug ar strap y camera.

'Ow! Ti wedi torri f'ewin i!'

'Gallet ti fod wedi torri 'nghamera i!'

'Ai dyna'r cyfan wyt ti'n becso amdano?' Mae llygaid Megan yn llawn casineb. 'Nid 'y mai i yw e bod dy lun di mor ofnadwy.'

Yn 'y mhen, mae ateb yn ffurfio: *Nid 'y mai i oedd hynny. Roedd rhaid i fi 'i dynnu e fel 'na achos y sbotyn ar dy wyneb di.* Ond dwi'n stopio'n hunan rhag dweud hynny.

'Gad i fi weld,' medd Ollie, gan dynnu'r camera oddi wrtha i.

Wrth iddo fe ddechrau chwerthin ac wrth i Megan syllu'n arna i, galla i deimlo tyndra cyfarwydd yn gwasgu 'ngwddf. Ceisiaf lyncu 'mhoer, ond mae'n amhosib. Dwi'n gaeth yn fy sedd. *Plis paid â gadael i hyn ddigwydd eto*, plediaf yn dawel fach. Ond mae'n digwydd. Gwres tanbaid yn rhuthro trwy 'nghorff, fel na alla i anadlu. Yn sydyn, mae'r lluniau o wynebau enwogion fel tasen nhw'n chwerthin ar 'y mhen i. Mae'r gerddoriaeth yn y cefndir yn rhy swnllyd. Y cadeiriau coch yn rhy lachar. Does dim ots beth wna i, alla i ddim rheoli 'nghorff fy hun. Mae cledrau 'nwylo'n wlyb diferol a 'nghalon i'n curo fel drwm bâs.

'Ho, ho, ho!' bloeddia'r robot Siôn Corn wrth y drws. Ond dyw e ddim yn swnio'n serchog nawr. Mae'n swnio'n fygythiol.

'Mae'n rhaid i fi fynd,' sibrydaf.

'Ond beth am y llun?' medd Megan mewn llais cwynfanllyd, gan daflu'i gwallt gloyw dros 'i sgwyddau.

'Fe wna i 'i ddileu e.'

'Beth am dy ddiod di?' hola Kira.

Tynnaf arian o 'mhwrs a'i roi ar y bwrdd, gan obeithio na wnân nhw sylwi ar y cryndod yn 'y mysedd. 'Gall un ohonoch chi yfed 'y niod i. Dwi newydd gofio fod angen i fi helpu Mam i wneud rhywbeth. Mae'n rhaid i fi fynd adref.'

Mae Ollie'n edrych arna i, ac am eiliad, dwi'n siŵr 'i fod e'n edrych yn siomedig. 'Fyddi di yn y dre fory?' gofynna.

Mae Megan yn syllu'n grac arno o ochr arall y ford.

'Siŵr o fod.' Dwi'n teimlo mor dwym nawr nes bod popeth yn edrych yn aneglur. Mae'n rhaid i fi adael, nawr. Os bydda i'n sownd fan hyn am funud arall, llewygu wna i. Dwi bron â gweiddi ar Ollie i symud o'r ffordd.

'Cŵl.' Llithra Ollie allan o'i sedd, a rhoi'r camera i fi. 'Falle wela i di o gwmpas, 'te.'

'Iawn.'

Mae un o'r efeilliaid – alla i ddim dweud pa un – yn dechrau gofyn a ydw i'n iawn, ond dwi ddim yn aros i'w hateb hi. Rywsut, dwi'n llwyddo i adael y caffi a chyrraedd glan y môr. Clywaf sgrech gwylanod a rhywun yn sgrechian chwerthin. Mae grŵp o fenywod yn symud yn sigledig tuag ataf i ar 'u sodlau uchel – pob un â lliw haul oren ar 'u coesau. Maen nhw'n gwisgo crysau-T pinc llachar, er mai canol Rhagfyr yw hi, ac mae sticeri dysgu gyrru o gwmpas gwddf un ohonyn nhw. Dwi'n ochneidio. Dyna un peth dwi'n 'i gasáu am fyw yn Brighton – mae partïon plu a phartïon 'stag' yn llenwi'r lle bob nos Wener. Gwibiaf ar draws yr heol gan anelu at y môr. Mae'r gwynt yn rhewllyd ac yn ffres, ond dyna sydd 'i angen arna i. Wrth sefyll ar y cerrig gwlyb a syllu ar y môr, teimlaf y tonnau, a'u rhythm cyson, cysurlon, yn arafu curiad 'y nghalon.

Pennod Dau

I'r rhan fwyaf o ferched, byddai dod adref i weld 'u mam yn sefyll ar y grisiau mewn ffrog briodas yn brofiad rhyfedd ofnadwy. I fi, mae'n digwydd bron bob dydd.

'Helô, cariad,' medd Mam, wrth i fi ddod trwy'r drws. 'Beth wyt ti'n feddwl?' Mae hi'n pwyso ar y canllaw ac yn taflu'i braich allan, a'i chyrls browngoch yn dawnsio dros 'i hwyneb. Lliw ifori yw'r ffrog. Mae'r wasg yn uchel a border o flodau lês o gwmpas y gwddf. Mae'n brydferth iawn, ond alla i wneud dim ond nodio 'mhen, gan 'mod i'n dal i deimlo'n sigledig.

'Ar gyfer priodas â thema Glastonbury mae hon,' esbonia Mam, wrth ddod i lawr y grisiau i roi cusan i fi. Mae'n gwisgo'i phersawr arferol – olew rhosyn a patchouli. 'On'd yw hi'n fendigedig? On'd yw hi'n hollol berffaith i fynd i Glastonbury?'

'Mmmm,' atebaf innau. 'Mae hi'n neis.'

'Neis?' mae Mam yn edrych arna i fel tasen i'n wallgo. 'Neis? Mae'r ffrog yma'n fwy na "neis" – mae hi'n ... mae hi'n ... fawreddog! Yn ysblennydd!'

'Dim ond ffrog yw hi, blodyn,' medd Dad, wrth ddod allan i'r cyntedd. Mae'n gwenu arna i, ac yn codi'i aeliau. Codaf f'aeliau'n ôl. Falle 'mod i'n debyg i Mam o ran pryd a gwedd, ond mae 'mhersonoliaeth i'n debycach i Dad – llawer callach! 'Diwrnod da?' hola wedyn, wrth roi cwtsh i fi.

'Iawn,' yw f'ateb i, gan ddymuno, yn sydyn iawn, 'mod i'n bump oed eto, yn eistedd fel pelen fach ar 'i gôl yn gwrando arno'n darllen stori.

'Iawn?' hola Dad gan gymryd cam yn ôl. 'Ife 'iawn da' neu 'iawn ofnadwy' yw hynny?'

'Da.' Dwi ddim eisiau creu mwy o ddrama.

'Da iawn,' medd Dad, gan wenu'n gynnes.

'Alli di helpu yn y siop fory, Penny?' gofynna Mam, gan edrych arni'i hun yn y drych yn y cyntedd.

'Wrth gwrs. Faint o'r gloch?'

'Dim ond ychydig o oriau yn y prynhawn, tra bydda i yn y briodas.'

Mae gan Mam a Dad fusnes trefnu priodasau o'r enw *To Have and to Hold*, sy'n cael 'i redeg mewn siop yn y dref. Dechreuodd Mam y busnes ar ôl iddi roi'r gorau i fod yn actores i gael plant, sef Tom 'y mrawd a finnau, wrth gwrs. Mae hi'n arbenigo mewn themâu bach gwahanol. Mae hi hefyd wrth 'i bodd yn gwisgo lan yn y ffrogiau sy'n rhan o'r stoc – dwi'n credu'i bod hi'n gweld eisiau'r gwisgoedd llwyfan ers 'i dyddiau actio.

'Faint o'r gloch fyddwn ni'n cael bwyd?'

'Ymhen rhyw awr,' medd Dad. 'Dwi'n gwneud pastai'r bugail.'

'Lysh.' Dwi'n gwenu arno fe, gan ddechrau teimlo fel fi fy hunan eto. Mae pastai'r bugail Dad yn anhygoel. 'Dwi jyst yn mynd lan lofft am funud fach.'

'Iawn,' ateba Mam a Dad, yn unsain.

'Ha! *Jinx*!' chwardda Mam, gan gusanu Dad ar 'i foch.

Rwy'n mynd lan y rhes gyntaf o risiau, heibio stafell Mam a Dad. Wrth gyrraedd stafell Tom, galla i glywed curiad trwm hip hop. Ro'n i'n arfer casáu clywed 'i gerddoriaeth o hyd, ond nawr 'i fod e yn y brifysgol, dwi'n 'i hoffi, gan 'i bod hi'n braf 'i gael e gartref dros y gwyliau. Dwi wedi gweld 'i eisiau e'n ofnadwy ers iddo fe fynd bant.

'Hei, Tomi-Tom,' galwaf wrth fynd heibio'r drws.

'Hei, Pen-Pen,' galwa 'nôl.

Af i ben draw'r cyntedd a dechrau dringo rhes arall o risiau. Mae fy stafell ar lawr uchaf un y tŷ. Er 'i bod hi'n stafell lawer llai na'r lleill, dwi'n dwlu arni hi. Gyda'i nenfwd isel a'i thrawstiau pren, mae'n glyd ac yn gwtshlyd, ac mae hi mor uchel lan nes 'mod i'n gallu gweld llinell las y môr ar y gorwel. Hyd yn oed pan fydd hi'n dywyll tu fas, mae gwybod bod y môr yno'n gwneud i fi deimlo'n dawel fy meddwl. Goleuaf y gadwyn o oleuadau bychain ar ddrych 'y mwrdd gwisgo ac ychydig o ganhwyllau fanila. Yna, eisteddaf ar 'y ngwely ac yn anadlu'n ddwfn.

Nawr 'mod i gartref, galla i ddechrau meddwl am beth ddigwyddodd yn y caffi. Dyma'r trydydd tro i rywbeth fel 'na ddigwydd i fi nawr, a galla i deimlo pelen o bryder yn tyfu yn 'y mola. Y tro cyntaf y digwyddodd y peth, ro'n i'n gobeithio taw jyst un digwyddiad bach rhyfedd oedd e. Yr ail dro, ro'n i'n gobeithio taw lwc ddrwg oedd e. Ond nawr 'i fod e wedi digwydd eto ... rhaid i fi gwtsho o dan 'y nghwilt i stopio'n hunan rhag crynu. Wrth deimlo 'nghorff yn cynhesu, daw atgof i'm meddwl o'r adeg pan o'n i'n blentyn, pan fyddai Mam yn gwneud pabell o flancedi i fi gael chwarae ynddi hi. Byddwn i'n gorwedd yn y babell gyda phentwr o lyfrau a thortsh, a darllen am oriau. Ro'n i'n dwlu ar 'y nghuddfan fach. Dwi ar fin cau fy llygaid a chwtsho'n ddyfnach dan y cwilt pan glywaf dair cnoc swnllyd ar wal fy stafell wely. Elliot. Taflaf y cwilt i lawr, a churo ddwywaith yn ôl.

Mae Elliot a finnau wedi bod yn gymdogion drws nesaf erioed. Ac nid yn unig ein bod ni'n gymdogion drws nesaf –

– ry'n ni hefyd yn gymdogion-stafell-drws-nesaf, sy'n beth arbennig tu hwnt. Gwnaethon ni ddyfeisio'r cod curo waliau flynyddoedd yn ôl. Mae tair cnoc yn golygu *Gaf i ddod draw?* Dwy gnoc yn golygu *Cei, dere draw nawr.*

Codaf yn gyflym a newid yn frysiog mas o 'ngwisg ysgol ac i mewn i fy onesie print llewpart yr eira. Mae'n gas 'da Elliot onesies. Mae e'n dweud y dylai'r person wnaeth 'u dyfeisio nhw gael 'i grogi o bier Brighton, ond un fel 'na yw Elliot. Mae tipyn o steil ganddo fe. Nid mewn ffordd ddiflas, ddiddychymyg; mae ganddo fe'r ddawn o roi pethau rhyfedd at 'i gilydd a gwneud iddyn nhw edrych yn dda. Dwi'n dwlu tynnu lluniau o'i steil e.

Wrth i mi glywed 'i ddrws ffrynt yn cau'n glep, edrychaf yn y drych gan ochneidio. Dwi'n ochneidio bron bob tro y bydda i'n *edrych yn y drych.* Mae'n digwydd yn awtomatig. *Edrych yn y drych* – ochenaid. Edrych yn y drych – ochenaid. Y tro yma, dwi ddim yn ochneidio wrth weld 'y mrychni haul a'r ffordd maen nhw'n gorchuddio fy wyneb fel smotiau ar mini egg – alla i ddim 'u gweld nhw yng ngolau'r canhwyllau. Y tro hwn, dwi'n ochneidio wrth weld 'y ngwallt. Pan fydd awel y môr yn gwneud annibendod o wallt Ollie, mae'n edrych yn ciwt, ond dyw'r effaith ar 'y ngwallt i ddim yr un peth. Dwi'n edrych fel tasen i wedi cael sioc drydan. Tynnaf frwsh drwy 'nghyrls, ond mae hyn yn gwaethygu pethau. Mae'n ddigon drwg bod 'y ngwallt i'n goch – mae Elliot yn mynnu taw *strawberry blonde* yw e (mae'n bendant yn debyg i fefusen) – ond o leia tase 'ngwallt i'n sgleiniog fel gwallt Megan bob amser, byddai gobaith i fi edrych yn dda. Beth yw'r pwynt brwsio nawr? Fydd dim ots gan Elliot. Mae e wedi 'ngweld i pan oedd y ffliw arna i, a siampŵ heb fod ar gyfyl 'y ngwallt ers wythnos.

Clywaf gloch y drws yn canu, a Mam ac Elliot yn siarad. Bydd Elliot yn dwlu ar y ffrog briodas. Mae Elliot yn dwlu ar

Mam. Ac mae Mam yn dwlu ar Elliot – mae'r teulu i gyd yn 'i garu e. Mae e fwy neu lai wedi cael 'i fabwysiadu gyda ni. Cyfreithwyr yw rhieni Elliot. Mae'r ddau'n gweithio'n ofnadwy o galed a hyd yn oed pan fyddan nhw gartre, maen nhw fel arfer yn ymchwilio i ryw achos neuei gilydd. Mae Elliot yn siŵr 'i fod e wedi cael 'i gyfnewid pan oedd e'n fabi, a'i anfon adref gyda'r rhieni anghywir. Dy'n nhw ddim yn 'i ddeall e o gwbl. Pan ddywedodd e wrthyn nhw 'i fod e'n hoyw, ateb 'i dad oedd: 'Paid poeni, grwt. Dim ond *phase* yw e.' Fel tase bod yn hoyw yn rhywbeth gallech chi dyfu mas ohono fe!

Galla i glywed traed Elliot yn taro'r grisiau'n drwm, a'r drws yn cael 'i hyrddio'n agored. 'F'arglwyddes!' ebycha. Mae e'n gwisgo siwt streipiog *vintage* a bresys, a phâr coch llachar o Converse – dyma'i ddillad-bob-dydd.

'F'arglwydd!' yw f'ateb i. (Ry'n ni wedi siarad gormod am *Romeo and Juliet* yn ddiweddar.)

Mae Elliot yn syllu arna i drwy 'i sbectol ffrâm ddu. 'Iawn, be sy'n bod?'

Siglaf 'y mhen gan chwerthin. Weithiau dwi'n siŵr 'i fod e'n gallu darllen 'y meddwl. 'Pam wyt ti'n gofyn?'

'Ti'n edrych yn welw iawn. A ti'n gwisgo'r *onesie* erchyll 'na. Dim ond pan wyt ti'n teimlo'n isel ti'n gwisgo hwnna. Neu pan wyt ti'n gwneud gwaith cartref ffiseg.'

'Ti'n iawn,' atebaf, gan chwerthin. Af i eistedd ar y gwely, a daw Elliot i eistedd wrth f'ochr, a golwg bryderus ar 'i wyneb.

'Ces i un o'r pyliau panig ofnadwy 'na eto.'

Mae Elliot yn gosod 'i fraich denau o gwmpas 'y ngwddf. 'O na. Pryd? Ble?'

'Yn JB's.'

Mae Elliot yn pesychu'n sarcastig. 'Hy! Dwi ddim yn synnu. Mae golwg y lle 'na'n ddigon i wneud unrhyw un yn dost! Ond o ddifri ... be ddigwyddodd?'

Dechreuaf esbonio, gan deimlo mwy o embaras gyda phob gair. Mae'r cyfan yn swnio mor hurt a dibwys nawr.

'Dwi ddim yn gwybod pam wyt ti'n gwastraffu d'amser gyda Megan a Ollie,' medd, ar ôl i fi gyrraedd diwedd y stori dorcalonnus.

'Dy'n nhw ddim cynddrwg â hynny,' atebaf yn dawel. 'Fi yw e. Pam 'mod i'n teimlo'n bryderus am y pethau 'ma o hyd? Galla i ddeall pam ddigwyddodd e'r tro cynta, ond heddiw ...'

Mae Elliot yn troi'i ben i'r ochr. Dyna mae e'n 'i wneud o hyd wrth feddwl am rywbeth. 'Falle ddylet ti sgrifennu blog am hyn?'

Elliot yw'r unig berson sy'n gwybod am y blog. Dywedais i wrtho fe o'r dechrau achos a) alla i ymddiried ynddo fe bob amser, a b) fe yw'r unig berson y galla i fod yn fi fy hun gydag e, felly does dim byd ar y blog nad yw e'n wybod amdano.

Dwi'n gwgu. 'Ti'n credu? Fyddai hynny ddim yn rhy ... drwm?'

Mae Elliot yn siglo'i ben. 'Ddim o gwbl. Falle byddi di'n teimlo'n well ar ôl sgrifennu amdano fe. Falle bydd e'n help i wneud synnwyr o'r cyfan. A dwyt ti byth yn gwybod – falle byddai rhai o dy ddilynwyr di wedi bod trwy'r un peth. Ti'n cofio pan wnest ti sgrifennu am fod yn lletchwith?'

Dwi'n nodio 'mhen. Tua chwe mis yn ôl, dyma fi'n sgrifennu blog am gwympo ar 'y mhen i mewn i fin sbwriel ac aeth nifer 'y nilynwyr lan o 202 i ychydig llai na 1,000 mewn wythnos. Dwi erioed wedi cael cymaint o bobl yn rhannu'r blog. Mae'n amlwg felly nad fi yw'r unig ferch ifanc drwsgl yn y byd 'ma. 'Falle ...'

Mae Elliot yn troi i edrych arna i gan wenu. 'F'arglwyddes, nid efallai, ond heb os nac oni bai!'

15 Rhagfyr

Help!!

Helô, bawb!

Diolch o galon i chi am eich sylwadau hyfryd am fy lluniau o Snooper's Paradise. Dwi'n falch eich bod chi'n hoffi steil wahanol y lle cymaint â fi.

Mae blog yr wythnos hon yn anodd iawn i'w sgrifennu am 'i fod yn sôn am rywbeth brawychus iawn sydd wedi digwydd i fi – sydd *yn* digwydd i fi. Pan ddechreuais i'r blog yma, dywedais i y byddwn i'n hollol onest, ond bryd hynny doedd gen i ddim syniad y byddai **Merch Ar-lein** yn llwyddo fel hyn. Alla i ddim credu nawr fod gen i 5,432 i ddilynwyr – diolch o galon! Er bod y syniad o siarad am hyn i gyd yn codi ofn arna i, mae Wici'n credu y bydd e'n gwneud i fi deimlo'n well, felly bant â ni.

Sbel fach yn ôl, ro'n i mewn damwain car. Mae'n iawn – chafodd neb 'i ladd na dim byd fel 'na. Ond roedd e'n dal yn un o brofiadau gwaethaf 'mywyd.

Ro'n i yn y car gyda fy rhieni, yn teithio adref ar un o'r nosweithiau glawog hynny pan fydd y glaw yn dod yn syth amdanat ti, fel tonnau. Er bod Dad wedi rhoi'r weipars i fynd tua chan milltir yr awr, doedd e ddim yn gwneud gwahaniaeth. Roedd e fel gyrru trwy swnami. Ro'n ni newydd gyrraedd y ffordd ddeuol pan dorrodd car i mewn reit o'n blaenau ni. Dwi ddim yn siŵr yn union beth ddigwyddodd wedyn – triodd Dad symud o'r ffordd a gwasgu'r brêc, dwi'n meddwl – ond roedd yr heol mor wlyb a llithrig nes i ni sglefrio i'r ynys yng nghanol yr heol. Ac yna, trodd ein car ben i waered!

Wn i ddim amdanoch chi, ond dim ond mewn ffilmiau dwi wedi gweld hyn yn digwydd. Ac yn y ffilmiau, yn syth ar ôl i'r car droi drosodd, mae e fel arfer yn ffrwydro neu mae lorri'n gyrru i mewn iddo neu rywbeth, felly allwn i ddim meddwl am unrhyw beth ond: *ry'n ni'n mynd i farw.* Ro'n i'n galw'n ddi-baid am Mam a Dad, ddim yn gwybod a oedden nhw'n iawn, ac ro'n nhw'n galw arna i, ond allwn i ddim cyrraedd atyn nhw. Ro'n i'n sownd, ar 'y mhen fy hun, ben i waered, yn y cefn.

Diolch byth, wnaethon ni ddim marw. Roedd dyn neis wedi gweld y ddamwain. Stopiodd 'i gar i'n helpu ni. Yna, pan ddaeth y gwasanaethau brys, ro'n nhw'n hyfryd iawn hefyd. Aethon ni adref mewn car heddlu, ac arhoson ni ar ein traed tan y wawr, yn cwtsho dan gwiltiau ar y soffa, yn yfed te melys. A nawr, mae popeth 'nôl yn normal. Dyw fy rhieni ddim yn siarad am y ddamwain rhagor ac mae gyda ni gar newydd sbon, sydd ddim yn rhacs jibidêrs, yn eistedd ar y dreif. Mae pawb yn dweud wrtha i o hyd, 'Ti mor lwcus na chest ti ddolur.' Ac mae hynny'n wir. Dwi'n gwybod hynny. Ond y peth yw, er na ches i unrhyw gleisiau na chlwyfau ar y tu fas, mae'n teimlo fel tase rhywbeth tu fewn wedi torri.

Dw i ddim yn gwybod os mai'r ddamwain sydd ar fai, ond dwi'n cael pyliau rhyfedd o banig o hyd. Os ydw i'n teimlo dan bwysau, fel 'mod i'n methu dianc, dwi'n dechrau teimlo fel ro'n i pan o'n i'n sownd yn y car. Yn boeth ac yn oer yr un pryd, ac yn methu anadlu. Mae wedi digwydd dair gwaith nawr – felly dwi'n poeni'n ofnadwy y bydd e'n digwydd o hyd. A dwi ddim yn gwybod beth i'w wneud.

Gobeithio nad oes ots gyda chi 'mod i'n sgrifennu am hyn. Dwi'n addo y bydda i'n ôl ar y trac iawn yr wythnos nesaf. Dwi'n addo y bydd 'na lwyth o luniau bendigedig o hufen iâ Choccywoccydoodah! Ond os oes unrhyw un ohonoch chi wedi bod trwy rywbeth tebyg i'r hyn dwi newydd 'i ddisgrifio, a bod unrhyw syniadau gyda chi sut i'w stopio fe, os gwelwch yn dda, rhowch eich sylwadau yn y blwch isod. Mae bod yn Berson Mwyaf Lletchwith y Bydysawd yn ddigon drwg. Dwi ddim eisiau bod yn Berson Mwyaf Pryderus y Bydysawd hefyd!

Diolch!

Merch Ar-lein, yn mynd oddi ar-lein xxx

Pennod Tri

Fore trannoeth, dyma fi'n dihuno i'r corws arferol o wylanod sgrechlyd. Mae golau gwelw'r gaeaf yn byseddu trwy'r bylchau yn y llenni. Mae hyn yn dda. Yn ddiweddar, dwi wedi bod yn dihuno mor gynnar, mae'n dal yn dywyll tu fas.

Roedd Elliot yn iawn – roedd sgrifennu'r blog yn help mawr. Sgrifennais y blog ar ôl iddo fe fynd adref neithiwr. I ddechrau, ro'n i'n teimlo'n lletchwith ac yn anghyfforddus, ond ar ôl ychydig o frawddegau, dechreuodd popeth lifo mas – yr holl feddyliau a theimladau am y ddamwain dwi wedi bod yn 'u cadw tu fewn am amser hir. Ar ôl postio'r blog, wnes i ddim gwneud y peth arferol, sef aros i weld a oedd 'na unrhyw un yn rhoi sylwadau neu'n rhannu'r blog. Ro'n i'n teimlo'n gysglyd dros ben, felly dyma fi'n cau'r gliniadur ac yn mynd i'r gwely.

Wrth i 'nghorff ddechrau sylweddoli bod rhaid iddo ddihuno a wynebu diwrnod newydd arall, dwi'n rhwbio fy llygaid ac yn edrych o gwmpas fy stafell wely. Mae Mam a Dad wastad yn dweud mai gwastraff amser oedd papuro'r stafell am fod lluniau'n cuddio bron pob modfedd o'r wal. Does dim lle i ragor o luniau ar y wal nawr, felly dwi wedi dechrau rhoi rhai'n sownd ar gortyn a'u hongian nhw fel byntin uwchben 'y ngwely. Lluniau o Elliot yn chwarae o gwmpas ar y traeth neu'n gwisgo lan yn 'i ddillad ail-law yw'r rhan fwyaf ohonyn nhw. Hefyd mae fy hoff lun o Mam, Dad a Tom, yn eistedd o gwmpas y goeden fore Nadolig diwethaf, a mygs o goffi twym yn 'u dwylo. Dwi wrth 'y modd yn dala eiliadau arbennig fel hyn gyda 'nghamera. Mae'r llun yma hefyd yn f'atgoffa o'r foment yn syth wedyn, pan welodd Mam fi'n cwato gyda 'nghamera. Galwodd fi draw atyn nhw, i eistedd ar y soffa i ganu fersiwn ddwl iawn o 'Dymunwn Nadolig Llawen'. Dyna un o'r pethau dwi'n 'u caru fwyaf am ffotograffau: y ffordd y gallan nhw cich helpu chi i gadw ac ail-fyw eiliadau arbennig o hapusrwydd am byth.

Dwi'n estyn am fy ffôn ar y bwrdd wrth 'y ngwely, ac yn 'i droi ymlaen. Mae eiliad fach o dawelwch, cyn iddo ddechrau mynd yn hurt wrth lwytho'r holl e-byst newydd. Af i mewn i'r blwch negeseuon a gweld 'i fod yn llawn hysbysiadau am y blog. Mae llwythi o sylwadau wedi'u rhoi dros nos. Codaf 'y ngliniadur o'r llawr a'i agor, a 'nghalon yn curo'n drwm. Er 'mod i'n gwneud Merch Ar-lein ers blwyddyn nawr, ac er bod 'y nilynwyr yn hyfryd a wastad yn dweud pethau positif, dwi wastad yn ofni y gallai popeth fynd o chwith un diwrnod. Beth tasen nhw'n credu bod blog neithiwr yn ormod – yn rhy drwm?

Ond mae'n iawn – a dweud y gwir, mae'n well na 'iawn'. Wrth i fi lithro drwy'r sylwadau, galla i weld geiriau fel 'diolch', 'dewr', 'gonestrwydd' a 'chariad' yn ymddangos eto ac eto. Anadlaf yn ddwfn a dechrau 'u darllen yn iawn. A daw dagrau i'm llygaid wrth ddarllen.

Diolch am rannu hwn ...

Mae'n swnio fel taset ti'n dioddef pyliau o banig. Paid â phoeni, dwi'n 'u
cael nhw hefyd ...

Ro'n i'n credu taw fi oedd yr unig un ...

Nawr dwi'n gwybod 'mod i ddim ar 'y mhen 'y'n hunan ...

Rwyt ti'n siŵr o fod yn sigledig ar ôl y ddamwain ...

Diolch am dy onestrwydd ...

Bydd pethau'n gwella ...

Wyt ti wedi rhoi cynnig ar dechnegau ymlacio?

Rwyt ti mor ddewr yn rhannu hyn ...

Ymlaen ac ymlaen tan 'mod i'n teimlo fel tasen i wedi cael fy
lapio mewn blanced dwym o gariad. Mewn ffordd, mae'n braf
gwybod bod 'pyliau o banig' yn anhwylder go iawn, a 'mod
i ddim yn mynd yn hollol wallgo. Mae 'na bethau y galla i 'u
gwneud i gadw pethau dan reolaeth. Gwnaf nodyn i fi fy hun i
chwilio am enghreifftiau wedyn.

Lawr stâr, galla i glywed drws stafell wely fy rhieni'n agor a
sŵn traed ysgafn ar y landin. Gwenaf wrth feddwl am Dad ar
'i ffordd i wneud 'Brecwast Bore Sadwrn'. Mae Elliot a finne
wastad yn rhoi priflythrennau a dyfynodau i 'Frecwast Bore
Sadwrn' Dad achos 'i fod yn ddigwyddiad o bwys. Dwi ddim
yn credu bod padell ffrio yn y tŷ heb 'i defnyddio wrth iddo
baratoi'r bacwn, tri math o selsig, hash browns a phob math o
wyau, tomatos wedi'u grilio gyda pherlysiau, ynghyd â phentwr
o'r crempogau mwyaf fflwfflyd erioed. Mae 'mola i'n rwmblan

wrth wneud dim ond meddwl am y peth.

Curaf ar y wal bum gwaith. Dyma'r cod am *'Wyt ti ar ddi-hun?'* Yn syth, daw tair cnoc 'nôl gan Elliot – *'Ga i ddod draw?'* Dwi'n curo ddwywaith i ddweud *'Iawn'*. Nawr mae fel tase pob rhan ohona i'n gwenu. Bydd popeth yn iawn. Bydd y pyliau o banig yn dod i ben pan fydd sioc y ddamwain wedi pylu. Bydda i'n teimlo'n normal eto cyn hir. Ac yn y cyfamser, mae'n amser 'Brecwast Bore Sadwrn'!

'Wedi'u potsio neu wedi'u sgramblo, Elliot?' Edrycha Dad ar Elliot yn ddisgwylgar. Mae'n gwisgo'i ddillad coginio bore Sadwrn arferol: tracwisg lwyd a ffedog las a gwyn, streipiog.

'Sut y'ch chi'n 'u sgramblo nhw?' hola Elliot. Mewn cyd-destun arall byddai hwn yn gwestiwn dwl, ond dyw e ddim yn gwestiwn dwl i Dad. Mae'n gallu sgramblo wyau mewn rhyw ddau gant o wahanol ffyrdd.

'Gyda winwns wedi'u torri'n fân a mymryn o genhinen syfi,' medd Dad, mewn acen Ffrengig ffug. Dyma sut mae e'n siarad wrth goginio – mae'n meddwl bod hynny'n gwneud iddo fe swnio'n fwy fel *chef* go iawn.

'Pump uchel!' bloeddia Elliot, gan ddal 'i law lan. Mae Dad yn ymateb â llwy bren. 'Wedi'u sgramblo, os gwelwch yn dda.'

Mae Elliot yn gwisgo'i byjamas a chot nos. Mae hi'n got nos sidanaidd, a phatrwm *lliw gwin* porffor a gwyrdd tywyll drosti. Mae'n edrych fel tase wedi camu allan o hen ffilm ddu a gwyn. Yr unig beth sydd ar goll yw pib. Dwi'n arllwys gwydraid o sudd i fi fy hunan wrth i Tom lusgo'i draed i mewn i'r stafell. Os oes eisiau rhagor o dystiolaeth fod 'Brecwast Bore Sadwrn' Dad yn ôsym – mae Tom yn codi mas o'r gwely cyn 9 a.m. ar y penwythnos. P'un ai yw e ar ddi-hun neu beidio, mae hynny'n fater arall.

'Bore da,' meddai Elliot, tamed bach yn rhy uchel, i ddihuno Tom.

'Hmmm,' ochneidia Tom, wrth suddo i mewn i'w gadair a gorffwys 'i ben ar y ford.

'Caffein i Mister Tom,' medd Elliot, gan arllwys mwg o goffi dudew o'r cafetière.

Coda Tom 'i ben yn ddigon uchel i sipian ychydig ohono. 'Hmmm,' cwyna eto, gan gau 'i lygaid yn dynn.

Daw arogl nefolaidd y cig moch yn ffrio i'm ffroenau. Dechreuaf roi menyn ar dafell o fara. Rhaid cadw'n brysur i anghofio am 'y mola gwag. Mae'r arogl, yn llythrennol, yn tynnu dŵr i'm dannedd.

'Helô! Helô!' medd Mam, wrth lithro'n osgeiddig i mewn i'r stafell.

Hi yw'r unig un ohonom ni sydd wedi gwisgo, gan 'i bod hi'n mynd i agor y siop ar ôl gorffen 'i bwyd. Mae hi'n edrych yn ardderchog, fel mae hi bob amser. Mae hi'n gwisgo ffrog shifft liw emrallt, sy'n cyd-fynd yn berffaith â'i chyrls browngoch. Pryd bynnag y bydda i'n gwisgo gwyrdd, dwi'n siŵr 'mod i'n edrych fel addurn Nadolig ar goesau, ond mae gan Mam steil unigryw ac arbennig. Mae hi'n cerdded o gwmpas y bwrdd, gan roi cusan ar ben pob un ohonom ni. 'A sut mae pawb ar y bore bendigedig hwn o Ragfyr?'

'Mae pawb yn ansbaridigaethus, diolch,' ateba Elliot, mewn llais crand.

'Campus!' medd Mam, mewn llais hyd yn oed yn fwy crand. Aiff hi draw wedyn at Dad, i roi cusan ar gefn 'i wddf. 'Mae'n arogli'n anhygoel, cariad.'

Mae Dad yn troi i'w hwynebu ac yn taflu'i freichiau o'i chwmpas. Rhaid i ni i gyd droi i ffwrdd. Mae'n beth da, wrth gwrs, bod fy rhieni mor hoff o'i gilydd – d'yn nhw ddim yn eistedd am oriau yn corddi mewn tawelwch fel rhieni Elliot – ond weithiau mae 'u holl gusanu a chwtsho'n mynd dros ben llestri.

'Wyt ti'n dal yn iawn i helpu Andrea yn y siop y prynhawn 'ma?' hola Mam, gan ddod i eistedd ar f'ymyl.

'Wrth gwrs.' Dwi'n troi i edrych ar Elliot. 'Ti'n ffansïo siopa yn y Lanes p'nawn 'ma?'

Mae Tom yn ochneidio. Mae'n casáu unrhyw beth i'w wneud â dillad a siopa – a dyna pam, siŵr o fod, 'i fod e'n gwisgo top pêl-droed oren ffiaidd a throwsus pyjamas coch.

'Wrth gwrs,' yw ateb Elliot. Mae Elliot a finnau'n deall ein gilydd i'r dim.

'A thrip i chwarae'r peiriannau dwy geiniog ar y pier?' holaf yn obeithiol.

'Wrth gwrs *na*,' medd gyda gwg. Dwi'n taflu 'mhapur cegin ato. Wrth i Mam godi i estyn surop masarn o'r cwpwrdd, mae Elliot yn symud tuag ataf ac yn sibrwd, 'OMB, roedd dy flog di neithiwr yn anhygoel. Welaist ti'r holl sylwadau?'

Nodiaf gyda gwên, yn teimlo'n falch iawn ohona i fy hun.

'Ddwedais i y byddet ti'n cael ymateb da,' medd Elliot, gan wenu'n fodlon.

'Beth gafodd ymateb da?' hola Mam, wrth ddod yn ôl at y bwrdd.

'Dim byd,' atebaf.

Mae Elliot a finnau'n gwenu'n gyfrinachol ar ein gilydd.

Ddwyawr yn ddiweddarach, mae Elliot a finnau ar ben draw'r pier yn chwarae'r gêm dwy geiniog.

'Mae'n flin 'da fi, Penny,' medd Elliot, gan godi'i lais dros stŵr y peiriannau chwarae, 'ond dwi ddim yn gweld pwynt y gêm ddwl yma. O. Gwbl.'

Rhof geiniog arall i mewn a gwasgu 'nwylo gyda'i gilydd wrth wylio'r hambwrdd ceiniogau'n llithro ymlaen. Mae'r ceiniogau ar ymyl yr hambwrdd yn crynu – ond yn aros yn yr unfan. Ochneidiaf.

'Mae hi jyst fel Myspace, on'd yw hi? Neu uwd? Beth yw'r pwynt?'

Rhoddaf ddwy geiniog arall i mewn a dechrau canu *la, la, la* yn 'y mhen er mwyn boddi cwyno Elliot. Mewn gwirionedd, mae'n dwlu cwyno am y gêm dwy geiniog cymaint ag ydw i'n dwlu'i chwarae hi. Mae'r hambwrdd yn llithro 'mlaen ac i ddechrau mae'n edrych fel tasen i wedi colli eto. Ond yna, mae un o'r ceiniogau sy'n hongian dros yr ymyl yn cwympo i lawr, gan ddechrau *avalanche*. Curaf 'y nwylo mewn llawenydd wrth weld llwyth o geiniogau'n clindarddach i mewn i'r hambwrdd.

'Hwrê!' bloeddiaf, gan wasgu Elliot yn dynn, er mwyn 'i weld e'n gwingo.

Mae e'n gwgu arna i ond galla i weld disgleirdeb yn 'i lygaid. Mae e'n trio'n galed iawn i beidio â gwenu.

'Dwi wedi ennill!' Cipiaf y ceiniogau o'r hambwrdd.

'Wyt, wir,' medd Elliot, gan edrych yn ddirmygus ar y ceiniogau yn fy llaw. 'Cyfanswm o ugain ceiniog. Sut ar wyneb y ddaear wyt ti am wario swm mor anferthol?'

Gwenaf yn ddrygionus. 'Wel, i ddechrau, fe wna i'n siŵr bod digon o arian i gadw 'nheulu'n gysurus. Wedyn, dwi am brynu Mini *convertible* i fi fy hunan. Ac yna, dwi am brynu *synnwyr digrifwch* i'm ffrind da, Elliot!' chwarddaf yn braf wrth osgoi'i ddwrn chwareus. 'Dere. Awn ni draw i'r siopau cyn i fi orfod mynd i'r gwaith.'

Y Lanes yw fy hoff le yn Brighton – heblaw am y môr, wrth gwrs. Mae'r ddrysfa o strydoedd cobls a siopau bach hynafol, llawn cymeriad, yn gwneud i chi deimlo fel tasech chi wedi teithio'n ôl mewn amser rhyw ddau gan mlynedd.

'Oeddet ti'n gwybod mai The Laste and Fishcart oedd enw'r Cricketers' Arms o'r blaen?' hola Elliot, wrth i ni gerdded heibio'r hen dafarn.

'The Last Fishcart,' meddaf i, yn freuddwydiol, wrth wylio merch yn cerdded tuag atom ni. Mae hi'n gwisgo het **drilbi** felen, a siwt un-darn, print llewpard. Mae'n edrych yn anhygoel. Dwi eisiau tynnu llun yn syth, ond diflanna rownd y gornel cyn i fi gael cyfle.

'Na, nid The Last Fishcart ond The Laste and Fishcart,' medd Elliot. 'Mesur ar gyfer deng mil o benwaig oedd y *laste* – yn y dyddiau hynny pan oedd Brighton yn bentref pysgota.'

'O'r gorau, Wici,' meddaf, gyda gwên.

Wir i chi: mae Elliot yn Wicipedia ar goesau! Dwi ddim yn gwybod sut mae e'n llwyddo storio cymaint o ffeithiau dibwys yn 'i ben. Mae'n rhaid bod 'i ymennydd fel caledwedd chwe terabeit (caledwedd chwe terabeit yw'r caledwedd mwyaf yn y byd – ffaith ddibwys arall ddysgais i gan Elliot).

Teimlaf fy ffôn yn dirgrynu yn 'y mhoced. Tecst gan Megan. Cofiaf yn syth am y pwl o banig yn y caffi ddoe, ac mae 'ngheg yn sych. Ond mae'i neges yn syndod o gyfeillgar.

Hei, ydyn ni'n dal yn cwrdd heno? Xoxo

Ro'n i wedi anghofio'n llwyr am heno. Ddechrau'r wythnos, awgrymais i y gallai hi ddod draw i aros, fel roedd hi'n arfer 'i wneud. Do'n i ddim o ddifri, a dweud y gwir. Eisiau adfer ein cyfeillgarwch ni o'n i. Eisiau mynd 'nôl i'r gorffennol, pan oedd pethau'n llawer llai cymhleth.

'Pwy sy 'na?' hola Elliot, wrth i ni fynd heibio un o siopau gemwaith niferus Brighton. Mae'r ffenest fawr gron yn orlawn o fwclis, breichledi a modrwyon arian.

'Megan', mwmialaf, gan obeithio na fydd Elliot yn clywed – neu na fydd ots ganddo.

'Beth mae *hi* isie?' hola.

Mae 'nghalon yn suddo. 'O, dim ond isie gweld os yw popeth yn iawn ar gyfer heno.'

Sylla Elliot arnaf. 'Beth sy'n digwydd heno?'

Edrychaf i lawr ar y pafin. 'Fi oedd wedi gofyn iddi ddod draw am *sleepover.*'

'*Sleepover?* Ym, helô – ry'n ni ym Mlwyddyn Un ar ddeg nawr.'

Edrychaf arno, a 'mochau i'n goch i gyd. 'Dwi'n gwybod. Do'n i ddim yn meddwl y byddai hi isie dod, a dweud y gwir.'

'Felly pam ofynnest ti iddi hi?'

'Ro'n i'n credu y byddai fe'n sbort,' atebaf gan godi f'ysgwyddau.

'Hmm,' medd Elliot. 'Yn gymaint o sbort â noson 'da fy rhieni, sef beth sydd ar y gweill 'da fi.'

'Sori.' Rhof fy mraich ym mraich Elliot. Mae e'n gwisgo cot wlân o'r chwedegau. Mae'n teimlo'n dwym ac yn gwtshlyd.

'Sdim ots,' ochneidia Elliot. 'Mae 'da fi brosiect Hanes anferth i'w orffen cyn dydd Llun felly byddai'n well i mi aros adre. Hei, oeddet ti'n gwybod taw'r Sussex and Brighton Infirmary for Eye Diseases oedd y tŷ 'na yn fanna?'

Dyna un o fy hoff bethau am Elliot. Dyw e ddim yn gallu aros yn grac am fwy na rhyw ddeg eiliad. Dyna drueni na fyddai pob ffrind yr un peth!

Cerddwn heibio Choccywoccydoodah, wrth i gwpwl

gerdded allan, ag arogl bisgedi ffres i'w canlyn.

'Beth am i ni alw yn Tic Toc am siocled poeth?' holaf. Mae gen i hanner awr ar ôl cyn dechrau gweithio yn y siop.

'Ym, fydd y lleuad yn codi heno?' yw ateb dramatig Elliot, wrth agor y drws yn foneddigaidd.

Mae'n gynnes yn y caffi, ac ager dros y ffenesti. Does dim modd gwadu'r peth. Fan hyn, yn Tic Toc, y cewch chi'r siocled poeth gorau yn Brighton. Ac fe ddylwn i ac Elliot wybod; ry'n ni wedi cynnal archwiliad gwyddonol. Tra bod Elliot yn cael golwg ar y cacennau ar y cownter, eisteddaf wrth ford ac ateb neges Megan.

Wi tli ywrs. Dere draw tua 8 M X

'OMB!' medd Elliot wrth ddod yn ôl at y ford. 'Mae gyda nhw deisennod bach newydd. Mafon a *mocha*!'

'O, waw.'

'Wyt ti'n moyn un?'

Nodiaf. Er 'mod i'n eithaf llawn ar ôl ein brecwast, mae 'na wastad le i deisen.

'Iawn. Archeba i.'

Wrth i Elliot fynd 'nôl at y cownter, pwysaf 'nôl yn 'y nghadair, gan adael i gynhesrwydd y caffi dreiddio trwof. Yna, mae'r drws yn agor a daw bachgen i mewn. Dwi'n 'i adnabod yn syth. Brawd mawr Ollie yw e – Sebastian. Daw Ollie i mewn ar 'i ôl. Cydiaf yng ngherdyn y fwydlen ac esgus 'i ddarllen, gan obeithio na wnaiff e 'ngweld i ac y byddan nhw'n mynd i eistedd yn y gornel bellaf. Ond yna clywaf y gadair wrth y bwrdd nesaf ataf yn cael 'i chrafu'n ôl ar y llawr pren.

'Penny!'

Edrychaf i fyny a gweld Ollie'n gwenu i lawr arnaf. Sdim modd ddim gwadu'r peth – mae'i wên mor giwt ag un ci bach. Daw i eistedd yn y gadair wrth f'ymyl. Gyferbyn ag e, mae Sebastian yn syllu'n oeraidd arna i. Mae Sebastian ddwy flynedd yn hŷn na ni ac mae'n un o ddisgyblion mwyaf poblogaidd – ac anghwrtais – y chweched. Fe hefyd yw pencampwr tennis de Lloegr dan ddeunaw. Mae sôn 'i fod e wedi dweud wrth Andy Murray fod angen iddo fe weithio ar 'i ergyd wrthlaw. Galla i gredu hynny.

'Beth wyt ti'n moyn?' hola Sebastian 'i frawd yn bigog.

'Ga i filcshêc siocled?'

Mae Sebastian yn gwgu arno fel tase fe newydd ofyn am gwpanaid o chwd. 'Wir? Plis, paid â dweud wrtha i dy fod ti eisiau sbrincls siocled a fflêc?'

Nodia Ollie, a dyma'r tro cyntaf i mi weld golwg o embaras ar 'i wyneb.

Sigla Sebastian 'i ben gan ochneidio. 'Ti fel plentyn bach.'

'Iawn, iawn. Caf i goffi 'te.' Mae bochau Ollie'n goch llachar nawr. Mae'n rhyfedd 'i weld e mor ddihyder. Dwi'n teimlo trueni drosto.

Aiff Sebastian lan at y cownter, gan giwio tu ôl Elliot. Daw teimlad o banig drosta i wrth feddwl am ymateb Elliot wrth weld yr Hunlun ar Goesau ar ein bwrdd ni.

'Mae hi mor rhyfedd dy weld di fel hyn,' medd Ollie, gan ddatod 'i sgarff. 'Anfonais i decst at Megan gynnau i ofyn am dy rif di.'

'Wir?' mae fy llais yn wichlyd. Pesychaf a thrio eto. 'Pam 'ny?' Mae fy llais nawr yn swnio mor ddwfn â llais dyn. Edrychaf i lawr ar y lliain bwrdd gan ddymuno y gallai ddod yn fyw, trwy hud a lledrith, a lapio'i hunan o 'nghwmpas i guddio 'nghywilydd.

'Ro'n i am ofyn wyt ti'n ffansïo cwrdd amser cinio fory?'

Edrychaf ar Ollie, gan feddwl falle 'mod i heb ddihuno'n iawn eto a bod popeth hyd yn hyn heddiw'n freuddwyd. Pinsiaf 'y nghoes dan y bwrdd – braidd yn rhy galed.

'Ow!'

Mae Ollie'n edrych arna i'n bryderus. 'Beth sy'n bod?'

'Dim byd, dwi'n ...'

'Roeddet ti'n edrych fel taset ti mewn poen.'

'Ro'n i. Ro'n i ...' Ceisiaf feddwl am ryw fath o esboniad. 'Dwi'n meddwl 'mod i wedi cael 'y nghnoi.'

'Dy gnoi? Gan beth?'

'Ym ... chwannen?'

NA! NA! NA! NA! NA! mae fy llais mewnol yn gweiddi arna i. Galla i weld Ollie'n symud i ffwrdd oddi wrtha i.

'Na, nid chwannen oedd hi ...' mwmialaf. 'Wrth gwrs! Does dim chwain arna i, wrth gwrs – rhywbeth jyst yn teimlo fel ...'

Dechreuaf wingo yn fy sedd. Dwi'n teimlo mor anghyfforddus. Ond mae gorchudd lledr y sedd yn gwneud sŵn uchel, rhyfedd. Sŵn tebyg i rech.

'Dim fi oedd hwnna – 'y nghadair i!' gwichiaf. Pam, o pam, oedd angen i mi eistedd mewn cadair sy'n gwneud sŵn rhech? Symudaf eto, i geisio gwneud yr un sŵn, i brofi i Ollie na wnes i rechen o'i flaen, ond nawr, wrth gwrs, mae 'nghadair yn gwbl dawel.

Sylla Ollie arna i. Yna mae'n snwffian – yn snwffian yr awyr â golwg ofidus ar 'i wyneb. O Dduw Mawr – mae e'n meddwl 'mod i wedi rhechen. Mae'n meddwl bod chwain gyda fi, a 'mod i wedi rhechen! Dechreuaf weddïo am asteroid i daro'r caffi, neu am apocalyps y sombis, neu unrhyw beth wnaiff wneud i

Ollie anghofio am beth ddigwyddodd.

'O na! Ai dyna'r amser?' gofynnaf, heb drafferthu edrych ar fy wats na fy ffôn. 'Mae'n rhaid i mi fynd. Mae'n rhaid i mi fynd i'r gwaith.'

Codaf o'r gadair.

'Ond beth am fory?' medd Ollie.

'Ie. Wrth gwrs. Tecstia fi.' O'r diwedd, dwi'n llwyddo i ddweud rhywbeth sydd ddim yn swnio'n hollol wallgo. Dwi hyd yn oed yn swnio'n cŵl. Ond yna, wrth i mi godi 'nghot i a chot Elliot, dwi'n baglu dros fy sgarff ac yn taro i mewn i'r weinyddes sy'n cario hambwrdd o baninis wedi'u tostio. Crash anferthol wrth i'r cyllyll a'r ffyrc gwympo ar y llawr. Galla i deimlo llygaid pawb yn llosgi trwydda i. Rywsut, llwyddaf i gyrraedd Elliot heb drychineb arall. 'Mae'n rhaid i ni fynd,' hisiaf.

'Beth?' medd, gan wgu. 'Beth am ein bwyd ni?'

'Gofynna am gael têc-awê a dere â fe i'r siop. Mae argyfwng wedi bod. Diolch. Hwyl fawr.'

Gyda hynny, dyma fi'n taflu cot drosto a cherdded allan i'r stryd.

Pennod Pedwar

Tua dwy awr gymerodd hi i 'mochau i fynd 'nôl i'w tymheredd arferol. Roedd Elliot yn credu bod yr holl beth yn ofnadwy o ddoniol. Roedd e hyd yn oed yn credu y dylwn i fod wedi dweud wrth Ollie, 'Gwell mas na mewn!' Ond dyw e ddim yn deall. Y sgwrs 'na heddiw oedd y peth agosaf erioed dwi wedi'i gael i wahoddiad i fynd am ddêt gan rywun dwi'n 'i ffansïo. Betia i, yn holl hanes Gofyn i Rywun Fynd am Ddêt fod neb erioed wedi gwneud beth wnes i. Dweud wrth fachgen fod gen i chwain – ac yna rhechen! Neu o leiaf, swnio fel tasen i'n rhechen. Mae'n siŵr taw dyna'r ymateb gwaethaf *erioed*!

O'm sedd y tu ôl i'r cownter, edrychaf o gwmpas *To Have and to Hold*. Mae Andrea draw wrth y rheiliau dillad yn helpu merch ifanc i ddewis rhwng priodas â thema Barbie neu Sinderela. Mae dyweddi'r ferch yn pwdu mewn cadair freichiau yn y gornel ar ôl clywed nad y'n ni'n gallu cynnig thema Grand Prix. Dim ond tua thri o'r gloch yw hi ond mae'r golau'n dechrau pylu tu fas. Mae golwg ddigalon ac anniben ar y siopwyr sy'n rhuthro i mewn o'r gwynt oer. Dwi'n falch 'mod i yma, er 'mod i'n gweithio. A bod yn onest, dyw dod i mewn i'r siop byth yn teimlo fel gwaith. Mae Mam wedi creu lle bendigedig sy'n edrych fel cartref y tylwyth teg, gyda'i holl oleuadau bach disglair, y canhwyllau persawrus a'r gerddoriaeth. Mae'n rhaid taw ni yw'r unig siop yn Brighton – os nad Prydain gyfan – sy'n chwarae cerddoriaeth gefndirol ar chwaraewr recordiau o'r 1920au. Ond mae clecian y nodwydd ar y feinyl yn ychwanegu at yr awyrgylch, yn enwedig gyda'r detholiad o ganeuon serch teimladwy sy'n cael 'u chwarae. Mae'n amhosib gadael *To Have and to Hold* heb deimlo'n gynnes a bodlon braf. Oni bai, wrth gwrs, eich bod chi newydd ddweud wrth y bachgen ry'ch chi wedi'i ffansïo ers chwe blynedd fod chwain arnoch chi.

I dynnu fy meddwl oddi ar y chwain a'r rhechen cywilyddus, penderfynaf fynd i edrych ar yr arddangosfa yn y ffenest. Bob rhyw bythefnos, bydd Mam yn newid yr arddangosfa i ddangos ein thema ddiweddaraf. Ar hyn o bryd, *Downton Abbey* yw'r thema, felly mae'r model yn y ffenest yn gwisgo ffrog briodas wen â llewys hir. Mae coler y ffrog mor uchel fel 'i bod hi'n edrych yn debycach i flowsen. Sylwaf fod y froets ar y goler yn gam felly dringaf i mewn i'r ffenest i'w sythu. Wrth droi i fynd yn ôl, gwelaf gwpwl y tu allan yn edrych ar yr arddangosfa. Mae'r fenyw'n syllu ar y ffrog wen, ac er na alla i glywed yr hyn mae hi'n 'i ddweud, alla i ddarllen 'i gwefusau a gweld *'Oh my God!'*

Wrth i mi gerdded 'nôl at y cownter, cana'r gloch uwchben y drws a daw'r cwpwl i mewn.

'Dyna'r peth mwyaf ciwt erioed!' meddai'r fenyw, gydag acen Americanaidd.

Edrychaf ar y ddau gan wenu. 'Helô, alla i'ch helpu chi?'

Gwena'r ddau 'nôl arna i – mae'u dannedd mor berffaith syth a gwyn ag allweddellau ar biano.

'Meddwl o'n i – tybed y'ch chi'n trefnu priodasau rhyngwladol?' hola'r dyn.

Wrth iddyn nhw gyrraedd y cownter, caf fy nharo gan arogl *aftershave* cryf. Ond nid y stwff rhad mae Tom yn 'i wisgo cyn noson mas yw hwn; mae'r arogl yn fwy cynnil a sbeislyd. Mae arogl drud arno.

'Wel, dwi ddim yn siŵr, a dweud y gwir,' atebaf. Mae Mam wedi trefnu priodasau tramor o'r blaen. Ond priodasau i ffrindiau oedden nhw. Dwi ddim am golli cleient posib iddi hi, chwaith. 'Pa fath o beth oedd gyda chi mewn golwg?'

'Ry'n ni i fod i briodi jyst cyn y Nadolig,' medd y dyn. Mae'n rhaid 'i fod wedi sylwi ar yr olwg syn ar fy wyneb, gan 'i fod yn ychwanegu: 'Ie, y Nadolig *yma,* sydd ychydig dros wythnos i ffwrdd! Ond y bore 'ma, clywson ni fod cynlluniau eraill gan drefnwr ein priodas ni ...'

'Rhedodd e bant gyda'r briodferch o'r briodas ddiwethaf drefnodd e!' ebycha'r ferch.

Mae'n anodd iawn i mi beidio â gwenu. Dyna'n union y math o stori y byddai Elliot a Tom yn 'i gweld yn ddoniol. 'O diar,' atebaf.

'Ry'n ni'n bryderus dros ben,' medd y fenyw. 'Yn enwedig gan ein bod ni yma ym Mhrydain ar fusnes, ac yn methu cwrdd â threfnwyr priodasau eraill 'nôl gartre.'

'Ro'n ni'n ystyried canslo'r holl beth,' medd y dyn.

'Ond yna dyma ni'n gweld eich arddangosfa fendigedig yn y ffenest,' eglura'r fenyw. 'Dwi'n dwlu ar Downton Abbey ... mae pawb yn yr Unol Daleithiau yn dwlu ar y rhaglen.'

'Ac felly meddwl o'n i, tybed a allen ni eich cyflogi chi i drefnu ein priodas,' medd y dyn.

'Byddai hynny mor giwt,' medd 'i ddyweddi.

Mae'r dyn pwdlyd yn y gadair freichiau'n dechrau mwmial rhywbeth.

'Wrth gwrs,' atebaf yn gyflym. 'Mam yw rheolwraig y busnes,

ond mae hi mas ar hyn o bryd. Gaf i gymryd eich manylion a gofyn iddi eich ffonio chi pan ddaw hi'n ôl?'

'Wrth gwrs. Jim Brady ydw i.' Mae e'n rhoi cerdyn busnes yn fy llaw. Un o'r rhai drud hynny, gydag ysgrifen gelfydd ar gerdyn trwchus, sidanaidd.

'A Cindy Johnson ydw i – Brady cyn hir, wrth gwrs,' medd y fenyw gyda gwên, gan roi cerdyn yr un mor ddrud yr olwg yn fy llaw.

'Yn amlwg, ry'n ni wedi bwcio'r lleoliad yn barod, felly dim ond steil yr holl beth fyddai angen i chi'i drefnu,' medd Jim.

'Ry'n ni'n priodi yn y Waldorf Astoria yn Efrog Newydd,' atega Cindy. O'r ffordd ddisgwylgar mae hi'n edrych arna i, dwi'n cymryd bod hynny'n beth da iawn.

'Dyna hyfryd,' meddaf, gan wenu.

'O, mae acen giwt iawn gen ti!' Mae Cindy'n troi at Jim, a'i llygaid yn ddisglair. 'Cariad, os cawn ni briodas â thema *Downton Abbey*, falle y dylen ni ddweud ein llwon mewn acen Brydeinig.' Mae hi'n troi ataf i nawr. 'Syniad gwych, ynte fe?'

Gwenaf arni gan nodio. 'Byddai – yn hollol wych.'

Mae'r dyn pwdlyd yn y gadair yn edrych arna i gan rowlio'i lygaid.

'Pam groesodd y dinosor yr heol?' hola Dad wrth i mi gerdded i mewn i'r stafell fyw.

Mae Tom ac yntau'n lled-orwedd ar y soffa siâp L, yn bwyta powlen anferthol o bopcorn, a sŵn gêm bêl-droed yn taranu o'r teledu. Dyma sydd wastad yn digwydd pan fyddan nhw gartref gyda'i gilydd.

'Plis paid â gofyn iddo fe,' medd Tom, gan ymbil arnaf â'i lygaid. 'Byddi di'n difaru tan ddydd y farn.'

'Na fydd wir,' medd Dad, fel fflach. 'Mae gan Penny hiwmor

soffistigedig fel fi – diolch byth bod un o 'mhlant yn meddwl bod fy jôcs i'n ddoniol.' Mae e'n taro'r soffa wrth 'i ymyl a dwi'n mynd i eistedd wrth 'i ymyl. Mae e'n iawn. Ry'n ni'n bendant yn rhannu'r un math o hiwmor. Hiwmor soffistigedig falle – ond mae hynny'n stori arall.

'Dwi ddim yn gwybod – pam groesodd y dinosor yr heol?' holaf, gan gydio mewn dyrnaid o bopcorn.

'Naaaa!' medd Tom, gan gladdu'i ben dan glustog.

'Doedd yr iâr ddim yn bodoli bryd hynny!' edrycha Dad a minnau ar ein gilydd gan chwerthin yn afreolus. Dan 'i glustog, mae Tom yn udo.

'Sut oedd hi lawr yn y siop?' hola Dad ar ôl i ni gallio.

'Eitha tawel,' atebaf, gan weld cysgod o bryder dros wyneb Dad. Gan fod pobl fel arfer yn dewis priodi yn yr haf, mae'r gaeaf yn gyfnod tawel i ni, ond mae eleni'n dawelach fyth. 'O, ond daeth cwpwl o America i mewn, yn gofyn os allen ni drefnu'u priodas nhw yn Efrog Newydd. Ro'n nhw o ddifri, dwi'n credu.'

Mae Dad yn codi'i aeliau. 'Wir?'

'Wir. Maen nhw'n moyn thema *Downton Abbey*. Ond mae angen trefnu pethau'n gyflym. Maen nhw i fod i briodi cyn y Nadolig ond mae trefnwr y briodas wedi rhedeg bant. Gyda phriodferch y briodas ddwetha iddo fe'i threfnu.'

Tro Tom yw chwerthin yw e nawr.

'Beth yw'r jôc?' medd Mam, gan ddod i mewn trwy'r drws a thynnu'i chot.

'Pam groesodd y dinosor yr heol ...' dechreua Dad.

'Na!' gwaedda Tom. 'Nid dyna oedd y jôc. Y jôc oedd pam oedd rhaid i gwpwl o America ganslo'u priodas?'

Mae Mam yn edrych arnom ni fel tasen ni i gyd yn wallgo. Mae hi'n edrych arnom ni fel hyn yn eithaf aml.

'Achos bod y trefnwr wedi rhedeg bant gyda phriodferch y briodas ddwetha.'

Mae Mam yn eistedd wrth f'ymyl i, a golwg hyd yn oed yn fwy dryslyd ar 'i hwyneb.

'Am beth mae e'n siarad?'

Dyma fi'n sôn wrthi am Cindy a Jim. 'Maen nhw'n priodi mewn gwesty o'r enw'r Waldorf Astoria,' ychwanegaf ar y diwedd.

Mae aeliau Mam a Dad yn codi'r un pryd.

'Y Waldorf Astoria?' medd Dad yn freuddwydiol.

'Yn Efrog Newydd?' hola Mam, yr un mor freuddwydiol.

'Ie. Mae gyda fi'u manylion nhw fan hyn.' Dyma fin rhoi cardiau busnes Jim a Cindy i Mam. 'Gofynnon nhw i ti 'u ffonio nhw cyn gynted â phosib. Dwi'n gwybod nad ydyn ni'n trefnu priodasau rhyngwladol fel arfer, ond ro'n i'n meddwl y byddai hi'n well i ti siarad â nhw. Gobeithio 'mod i wedi gwneud y peth iawn.'

Mae Mam a Dad yn edrych ar 'i gilydd, ac yna'n troi i wenu arna i.

'O, wrth gwrs cariad, wrth gwrs i ti wneud y peth iawn,' medd Mam, gan roi cwtsh fawr i fi.

Wrth i Mam a Dad ddechrau siarad am y Waldorf Astoria, daeth ping neges destun o'm ffôn. Elliot sy 'na.

> OMB – mae Dad newydd ofyn i mi oes cariad gyda fi eto!!! Dwi'n credu bod angen i mi ofyn i dîm o *cheerleaders* i sillafu'r peth iddo fe. Mwynha dy noson gyda Mega-Ast :P

Teipiaf ateb yn gyflym.

> Naill ai hynny neu gallet ti ofyn
> i Choccywoccydoodah i'w roi e
> mewn eisin ar gacen iddo fe. A
> diolch – dwi'n meddwl ;) Pxxx

Bron yn syth wedyn, daw neges arall i'r ffôn. Ond y tro hwn, mae'r rhif yn wahanol.

> Haia Pen, wyt ti isie cwrdd fory
> ar Lucky Beach? Tua 12? Allen ni
> gael cinio ... Ollie x

Syllaf ar fy ffôn mewn sioc. Er mai fi yw'r Person Mwyaf Lletchwith yn y Byd, ac er 'i fod e'n credu bod gyda fi chwain a 'mod i'n rhechen yn afreolus, mae Ollie eisiau cwrdd â fi! Am ginio! Mewn bwyty go iawn! OMB – dwi'n credu 'mod i newydd gael gwahoddiad i fynd ar ddêt!

Pennod Pump

Os oes rhywbeth yn siŵr o dynnu gwên newydd-gael-gwahoddiad-i-fynd-ar-ddêt oddi ar eich wyneb chi, y peth hwnnw yw gweld un o'ch ffrindiau gorau'n eistedd ar eich gwely, yn syllu'n syn i mewn i'r pellter fel tase hi ar fin marw o ddiflastod. Ers i Megan gyrraedd yma, ugain munud yn ôl – neu falle ugain diwrnod i ffwrdd, gan 'i bod hi'n teimlo felly – mae hi wedi ymateb yn ddi-hid neu'n ddig i bob awgrym gen i. Beth oedd pwynt dod yma os oedd hi'n bwriadu gwneud dim ond eistedd a phwdu drwy'r nos? Ac yna dwi'n deall. Dyma 'nghosb i am yr hyn ddigwyddodd yn JB's neithiwr. Yn amlwg, dyw hi ddim wedi maddau i mi am dorri'i hewin. Ochneidiaf yn dawel bach. Beth oedd yn bod arna i, yn gofyn iddi ddod yma? Sut allwn i ddychmygu y byddai heno fel y byddai pethau flynyddoedd yn ôl?

Mae Megan a finnau'n ffrindiau ers ein diwrnod cyntaf yn yr ysgol uwchradd, pan roddodd ein hathro ni i eistedd ar bwys ein gilydd. A bod yn onest, cafodd ein cyfeillgarwch 'i greu trwy ofn yn y lle cyntaf. Ro'n i wedi treulio haf cyfan yn poeni na fyddai unrhyw un eisiau bod yn ffrind i mi ac y byddwn i'n treulio SAITH MLYNEDD yn crwydro'n unig o wers i wers. Ond cyn hir, newidiodd ein cyfeillgarwch o fod yn beth ofnus a ffug i fod yn gyfeillgarwch go iawn, a diflannodd fy holl bryderon.

Fy hoff atgof amdana i a Megan oedd pan o'n ni'n ddeuddeg, a Milo, fy nghi, newydd farw. (Nid Milo'n marw yw fy hoff atgof, yn amlwg – dyna un o'r pethau gwaethaf erioed i ddigwydd i mi.) Ond, pan glywodd Megan y newyddion, daeth hi draw i'r tŷ â bag bach o anrhegion, yn cynnwys pennill sgrifennodd hi am Milo o'r enw 'Pawennau Pert' a llun wedi'i fframio ohona i'n rhedeg ar 'i ôl o gwmpas y parc. Dyna sut oedd hi'n arfer bod – yn garedig a chymwynasgar. Ond yna, dechreuodd hi actio a newidiodd yn gyfan gwbl – yn enwedig pan gafodd hi'i rhan gyntaf ar y teledu. Mae Megan yn galw'r peth yn 'rhan ar y teledu', ond hysbyseb ar gyfer GlueStick oedd e. Roedd rhaid iddi hi ludo dau ddarn o gardfwrdd at 'i gilydd a gwenu ar y camera gan ddweud, 'Waw, mae e mor ludiog!' Dim ond am ryw bum eiliad roedd hi ar y sgrin ond allech chi feddwl, o'r ffordd mae hi'n siarad amdano, 'i bod hi wedi cael prif ran mewn ffilm. Ac ers hynny, mae hi'n hoffi meddwl 'i bod hi'n well na phawb arall. Gan 'y nghynnwys i. Nawr, bob tro dwi gyda hi, dwi'n teimlo fel taswn i'n cael 'y nghyfweld am swydd ffrind gorau ac yn treulio'r holl amser yn poeni 'mod i'n mynd i ddweud neu wneud rhywbeth yn anghywir.

'Felly ...' meddaf. 'Beth hoffet ti wneud?'

'Sai'n gwybod.' Mae Megan yn edrych o gwmpas y stafell, ac yn aros am eiliad i edrych ar un o'r lluniau ar y wal. 'OMB, Penny! Pam wyt ti wedi tynnu llun o garreg?'

Mae teimlad anghysurus a diflas yn fy stumog. Llun o garreg wen fel yr eira, a thri thwll yn 'i chanol. Yn ôl Elliot, roedd cerrig â thyllau ynddyn nhw'n arfer cael 'u hystyried yn greiriau lwcus. 'Carreg lwcus yw hi,' meddaf.

'Pam mae hi'n lwcus?' hola Megan, gan edrych yn ddilornus ar y llun.

'Achos bod tyllau ynddi hi. Byddai pysgotwyr yn mynd â cherrig fel hyn ar fordeithiau, i'w cadw nhw'n saff.'

Gwena Megan, ond does dim gwên yn 'i llygaid. 'Rwyt ti mor unigryw, Penny!'

Fel arfer, dwi'n hoffi'r gair 'unigryw'. Ond pryd bynnag y bydd Megan yn 'i ddefnyddio i sôn amdana i, mae'n swnio'n ofnadwy ac yn gwneud i mi fod eisiau'i tharo hi yn 'i hwyneb. Daliaf 'y nghlustog yn dynn gan ochneidio. Alla i ddim wynebu noson gyfan fel hyn. Rhaid i mi wneud rhywbeth i achub y sefyllfa.

'Wyt ti'n moyn gwneud *face masks*?' holaf yn obeithiol. 'Mae gyda fi rai o'r rhai mefus 'na ro'n ni'n arfer 'u defnyddio.'

Ysgwyd 'i phen wna Megan. 'Dim diolch.'

Edrychaf ar y wal, gan feddwl tybed a yw Elliot yn eistedd ar 'i wely hefyd. Mae'n ddiflas meddwl 'i fod e ond ychydig droedfeddi oddi wrtha i, ac eto 'mod i'n sownd fan hyn – yn methu'i weld e na siarad amdano – yn y *Sleepover* o Uffern.

Pan dwi ar fin gofyn eto i Megan beth hoffai hi'i wneud, mae hi'n plygu i dynnu'i hesgidiau ac yn mynd 'nôl i orwedd ar y gwely.

'Beth oedd yn bod arnat ti neithiwr yn y caffi?' hola, gan edrych yn grac ar 'i hewin goll. 'Pam oeddet ti'n ymddwyn mor rhyfedd?'

Ceisiaf feddwl am esgus da. Yna cofiaf am y blog diwethaf, a pha mor braf oedd siarad yn agored am y pyliau panig. Dwi ddim wedi sôn amdanyn nhw o gwbl wrthi hi. Ond falle y bydd pethau'n well rhyngom ni os bydda i'n onest.

Cymeraf anadl ddofn. 'Ti'n cofio'r ddamwain car ges i gyda fy rhieni sbel yn ôl?'

Mae golwg ddryslyd ar Megan am eiliad. 'O, ydw.'

'Wel, ers hynny, dwi wedi bod yn cael pyliau rhyfedd o banig a theimlo fel ro'n i pan o'n i'n sownd yn y car. Dwi'n teimlo'n dwym drosta i i gyd, fel taswn i'n methu anadlu a ...'

'OMB, paid â siarad â fi am banig!' medd Megan, gan dorri ar fy nhraws. 'Alla i ddim credu mai dim ond dau ddiwrnod sy 'na tan ddrama'r ysgol. Dwi'n poeni'n ofnadwy 'mod i'n mynd i wneud cawlach o'r cyfan.'

'Wnei di ddim gwneud cawlach ohoni hi. Ti yw'r peth gorau yn y ddrama.'

'Wir?' meddai hi, gan agor 'i llygaid brown siocledaidd yn fawr. 'Mae cymaint o bwysau arna i, wrth feddwl bod llwyddiant y sioe'n dibynnu arna i. Dywedodd Jeff 'mod i'n 'i atgoffa e o Angelina Jolie ifanc, sydd, wrth gwis, yn beth caredig iawn i'w ddweud, ond sy'n cynyddu'r pwysau arna.'

'Reit. Wel, dwi'n siŵr y byddi di'n iawn.' Teimlaf gymysgedd sur o ddicter a phoen. Unwaith eto, mae hi wedi troi'r sgwrs i fod amdani hi – hyd yn oed pan o'n i'n trio dweud rhywbeth preifat a difrifol wrthi hi.

'Dwi mor falch fod cymaint o sbarc rhyngof i ac Ollie,' aiff yn 'i blaen. 'Mae Jeff yn meddwl ein bod ni fel Angelina Jolie a Brad Pitt pan wnaethon nhw'r ffilm 'na gyda'i gilydd – ti'n gwybod, pan wnaethon nhw gwympo mewn cariad â'i gilydd.' Mae Megan yn edrych arna i, gyda gwên fach ffug arall. 'Mae Ollie'n dweud popeth wrtha i, ti'n gwybod.'

Dwi'n teimlo braidd yn sâl. 'O, felly, ti'n gwybod am fory?'

Mae hi'n gwgu. 'Beth sy'n digwydd fory?'

Daw gwrid i 'mochau i'n syth. 'Mae e wedi gofyn i mi gwrdd ag e am ginio.'

Galla i weld yr olwynion yn 'i phen yn troi, bron, wrth iddi brosesu'r wybodaeth hon. Yn amlwg, wyddai hi ddim. Yn amlwg, dyw Ollie ddim yn dweud popeth wrthi hi wedi'r cyfan.

'Mae e wedi gofyn i gwrdd â ti? Ble?' Mae hi'n dal i wenu, ond mae'r wên yn dynn, fel tase'i gên ar fin torri dan y straen.

'Yn Lucky Beach tua chanol dydd.'

'Beth? Dim ond ti?'

Mae rhywbeth am y syndod ar 'i hwyneb a'r ffordd y dywedodd hi 'dim ond ti' sy'n 'y nghorddi i. Dwi'n gwybod bod Ollie ar lefel gwbl wahanol i mi yng Nghynghrair Harddwch a Gwychder yr Ysgol, ond os yw bachgen yn gofyn i ti fynd mas am ginio, oni ddylai dy ffrind fod yn hapus drosot ti yn hytrach nag edrych arnat ti'n gegrwth fel pysgodyn aur? Heblaw ...

'Wyt ti'n hoffi Ollie?' Daw'r cwestiwn allan cyn i mi gael cyfle i'w sensro.

Mae Megan yn edrych arna i'n oeraidd. 'Wrth gwrs 'mod i'n hoffi Ollie.'

'Na, hoffi *o ddifri,* dwi'n feddwl.'

Tafla Megan 'i phen 'nôl gan chwerthin yn brennaidd. 'Nac ydw, wrth gwrs nad ydw i. Mae e'n llawer rhy ifanc i fi.'

Syllaf arni. Y cyfan sy'n mynd trwy fy meddwl yw, *Pwy wyt ti?*

Oedd, roedd Megan yn un o'm ffrindiau gorau ers chwe blynedd – ond bellach, mae hi fel dieithryn i mi.

Pennod Chwech

Petai Guinness World Records byth eisiau rhoi'r Noson Waethaf Erioed yn y llyfr, byddai'n rhaid iddyn nhw gysylltu â fi. Mae hi'n dal yn dywyll wrth i fi ddihuno – byth yn arwydd da ar fore Sul – a dwi'n gorwedd yno'n anfon negeseuon sccig at Elliot trwy wal y stafell wely. Pan oedden ni'n fach, bydden ni'n trio cael yr un freuddwyd wrth fynd i gysgu. Ro'n ni'n credu'n siŵr y byddai hynny'n bosibl o gysgu reit drws nesaf i'n gilydd – fel tasen ni'n gallu codi i swigen freuddwydion enfawr oedd yn hofran uwchben ein cartrefi ni.

Mae Megan yn cysgu'n sownd ar ochr arall y stafell ar y gwely soffa. Wrth i mi edrych arni, daw teitl blog newydd i'm meddwl – ALLWCH CHI DYFU'N RHY FAWR I'CH FFRINDIAU? – ac mae'r boen a'r dicter a achoswyd gan Megan yn dechrau chwyddo yn 'y mola, nes 'i fod bron â thasgu mas. Mae'n deimlad mor rhwystredig pan fydd hyn yn digwydd, pan nad ydw i'n gallu ysgrifennu unrhyw beth. Unwaith, yng nghanol arholiad Mathemateg, ges i syniad gwych am flog – ac ar y pryd ro'n i'n siŵr mai hwnnw fyddai'r blog mwyaf doniol a diddorol i mi 'i sgrifennu erioed. Ro'n i wedi meddwl am deitl a phopeth. Ond yna, es i ar goll mewn môr o algebra a phan ddes i mas o'r arholiad, allwn i ddim meddwl am unrhyw lythrennau heblaw am x ac y. Dwi'n dal yn methu cofio'r syniad ar gyfer y blog hwnnw.

Dwi'n poeni am golli fy syniad newydd, felly estynnaf am y ffôn sydd wrth ochr 'y ngwely a thyrchu o dan y cwilt. Ro'n i wedi diffodd sŵn y ffôn cyn mynd i gysgu neithiwr – am hanner awr wedi un ar ddeg!!!! Nawr galla i weld fod Elliot wedi anfon neges destun ataf am hanner nos.

> Sut mae pethau gyda Mega-Diflas? Wyt ti'n gweld isie 'nghwmni i?! Mae 'mhrosiect i mor ddiflas – dwi'n teimlo fel tynnu fy llygaid mas gyda phensil. Wir – pwy sydd angen dysgu am y Cyfreithiau Corn? Pam mae hyd yn oed angen cyfraith ar gyfer corn?

Dechreuaf ateb.

> Y noson waetha erioed! Mor wael nes 'mod i'n cysgu pan anfonaist ti'r tecst!!! Dwi'n meddwl y dylai fod Cyfraith Corn, sef bod rhaid cael corn melys twym â menyn drosto gyda phob pryd bwyd. Dwi'n gweld dy isie di lot fawr!

Bron yn syth ar ôl i mi anfon y neges, galla i glywed sŵn curo ysgafn ar y wal. Un gnoc a phedair ar 'i hôl, a thair cnoc wedyn:

Dwi'n dy garu di. Dwi ar fin curo 'nôl pan glywa i sŵn Megan yn ochneidio.

'Beth yw'r sŵn curo 'na?'

'Dim syniad,' atebaf yn gelwydd i gyd.

'Ai'r bachgen drws nesa yw e?'

Mae Megan wedi cwrdd ag Elliot lwythi o weithiau; wrth gwrs 'i bod hi'n gwybod 'i enw. Mae'r ffaith hon yn gwneud i mi'i chasáu hi hyd yn oed yn fwy.

'Sai'n gwybod pam wyt ti'n moyn bod yn ffrindiau gydag e,' aiff yn 'i blaen. 'Mae e mor rhyfedd.'

Rhaid i fi orwedd ar fy mreichiau i stopio fy hunan rhag llamu oddi ar y gwely a'i bwrw dros 'i phen â gobennydd.

'Ga i goffi?' hola.

'Wrth gwrs.' Er 'i bod hi newydd sarhau fy ffrind gorau ac er iddi hi sbwylio neithiwr yn llwyr, ac er 'mod i eisiau 'i lladd hi â gobennydd, dwi mor falch o gael esgus i ddianc oddi wrthi am funud neu ddwy fel 'mod i'n neidio allan o'r gwely ac yn gwisgo 'ngŵn gwisgo.

I lawr yn y gegin, gwelaf Dad yn eistedd wrth y bwrdd, yn yfed disgled o de ac yn darllen y papur. Mae e'n un sy'n codi'n gynnar, fel fi. Mae'i wallt yn anniben ac mae cysgod barf dros 'i ên.

'Haia,' medd wrth 'y ngweld i. 'Sut mae'r cwmni?'

Edrychaf arno a chodi f'aeliau.

'Cystal â hynny, ie?'

Nodiaf a throi'r tegell ymlaen. Ychydig wythnosau'n ôl, pan oedden ni'n gwneud sbageti bolognese gyda'n gilydd, dwedais i wrth Dad 'mod i a Megan ddim yn cyd-dynnu cystal erbyn hyn.

'Dad?'

'Ie.'

'Wyt ti'n credu ein bod ni'n gallu tyfu ... yn rhy fawr i'n

ffrindiau?'

Gwena gan nodio. 'O ydw. Mae'n digwydd o hyd, yn enwedig dy oedran di pan wyt ti'n newid cymaint.' Mae'n amneidio arna i eistedd wrth 'i ymyl. 'Soniais i wrthot ti erioed am Timothy Taylor?'

Siglaf 'y mhen.

'Ro'dd e'n un o'm ffrindiau gorau yn yr ysgol gynradd. Ro'n ni'n fêts mawr. Ond yna, pan aethon ni i'r ysgol uwchradd, newidiodd e a do'n i ddim eisiau bod gyda e rhagor.'

'Pam? Beth wnaeth e?'

'Dechreuodd e chwarae rygbi!' chwardda Dad. Mae Dad yn dwlu ar bêl-droed a dyw e ddim yn deall pobl sy'n mwynhau rygbi'n fwy. 'O ddifri,' aiff yn 'i flaen, 'mae mwy i'r stori na hynny. Dechreuodd e feddwl 'i fod e'n well na phawb. Doedd gyda fi ddim byd yn gyffredin gydag e wedyn.'

'Felly beth ddigwyddodd? Wnaethoch chi gwympo mas?'

'Naddo. Dim ond pellhau oddi wrth ein gilydd. Felly paid â phoeni am 'i Mawrhydi,' amneidia tuag at y grisiau. 'Byddi di'n iawn – weithiau mae'n rhaid i ti adael i bobl fynd.'

'Diolch, Dad,' a chodaf a chusanu'i ben.

'Dim problem,' chwardda. 'Mae'n syndod 'mod i mor ddoeth â hyn ben bore – yn enwedig a finne heb gael disgled o goffi eto!'

Pan af yn ôl i'r stafell wely, mae Megan wedi codi ac wedi gwisgo'i dillad. Gwenaf yn braf. Gobeithio bod hyn yn golygu y bydd hi'n gadael cyn hir.

'Coffi i ti,' pasiaf fwg iddi. Mae hi'n 'i gymryd, heb ddweud diolch. Yn lle hynny, dywed, 'Felly, beth wyt ti'n mynd i'w wisgo i gael cinio gydag Ollie?'

Edrychaf arni'n syn. Yng nghanol anesmwythder y Noson o Uffern do'n i ddim wedi meddwl am y peth o gwbl.

'Tasen i'n ti, byddwn i'n mynd am olwg anffurfiol. Dwyt ti ddim eisiau edrych yn rhy cîn. Byddwn i'n rhoi benthyg fy hwdi i ti, ond dwi ddim yn meddwl y byddai'r lliw yn dy siwtio di.' Cymera lymaid o'i choffi, gan wenu arna i'n siriol. 'Mae'n drueni bod dy wallt di'n goch. Dyw e ddim wir yn mynd gydag unrhyw beth, nag yw?'

Sylweddolaf yn y fan a'r lle nad oes gobaith i mi fwynhau'r bore yn edrych mlaen at weld Ollie tra bod Megan yn dal yma. Mae'n rhaid iddi fynd. Nawr.

'Sori, ond mae Dad newydd ddweud wrtha i bod rhaid i mi wneud rhywbeth yn y siop bore 'ma.'

Mae Megan yn gwgu. 'Ar ddydd Sul?'

'Ie. Felly, yn anffodus, bydd rhaid i ti fynd.'

Mae golwg siomedig ar wyneb Megan. 'O, ond ro'n i'n mynd i dy helpu di i baratoi.'

Gorfodaf fy hunan i wenu arni. 'Mae'n iawn, galla i wneud hynny ar 'y mhen 'y'n hunan.'

Edrycha arnaf gan godi 'i haeliau. 'Wyt ti'n siŵr?'

'O ydw, yn hollol siŵr.'

Ond a dweud y gwir, alla i ddim paratoi i fynd i weld Ollie ar 'y mhen 'y'n hunan o gwbl. Mae hanner awr ers i Megan adael ac mae fy stafell i'n annibendod llwyr – fel tase bom niwclear wedi ffrwydro yma. A finnau'n symud fel corwynt i wisgo dillad a'u rhwygo nhw bant eto, mae dillad wedi'u gwasgaru dros bob modfedd o'r stafell wely. Edrychaf ar y teits streipiog sy'n hongian yn ddigalon o'r lamp ac ochneidiaf. Beth alla i wisgo?

Dyma beth yw penbleth go iawn. Dyma'r math o beth mae pobl yn 'i drafod yn nhudalennau problemau'r cylchgronau ffasiwn. Fel arfer, pan fydda i'n wynebu argyfwng ffasiwn yn 'y mywyd, Elliot yw'r un sy'n datrys popeth. Ond alla i ddim dychmygu y byddai eisiau fy helpu i fynd i gwrdd ag Ollie. Crwydraf o gwmpas fy ystafell yn ochneidio; dyw hyd yn oed cip ar donnau'r môr yn y pellter ddim yn gwneud i mi deimlo'n well. Ddim pan mae'n rhaid i mi fod ar lan y môr ymhen awr a DWI'N DAL YN 'Y MHYJAMAS!

Wedyn saetha cwestiwn i 'mhen. *Beth fyddwn i'n wisgo i blesio fy hunan, a neb arall?* Af draw at y pentwr dillad ar y llawr wrth 'y nghadair siglo a chydiaf mewn ffrog fach ddu, steil y 1940au, â chalonnau bach porffor drosti. Gwisgaf hi, gyda phâr o deits du, trwchus. Yn y drych, gwelaf fod y ffrog yn ffitio'n berffaith ac yn gwneud i 'nghanol edrych yn bitw bach. Dwi ar fin gwisgo pâr o bymps ballet pan saetha'r cwestiwn i'm meddwl eto. *Beth fyddwn i'n wisgo i blesio fy hunan, a neb arall?* Chwiliaf yng ngwaelod fy wardrob am bâr o fŵts beic modur. Wedyn, gwisgaf fy siaced ledr.

'*Cofia amdana i!*' dychmygaf lais bach 'y nghamera'n galw. Gwthiaf e i 'mhoced. Dysgais amser maith yn ôl i beidio â mynd i unman heb 'y nghamera. Byddai'n gweld posibiliadau am luniau gwych pan na fydd 'y nghamera gyda fi. A phwy a ŵyr pa bosibiliadau fydd 'na gydag Ollie ...? Gwridaf wrth feddwl am Ollie'n gofyn i mi dynnu llun o'r ddau ohonom gyda'n gilydd. Er 'mod i'n casáu hunluniau, falle na fyddai ots gen i dynnu hunlun ohona i ac Ollie ... Iawn, falle 'mod i'n breuddwydio gormod nawr – ond mae hawl gan ferch gynhyrfu ychydig pan fydd bachgen 'i breuddwydion yn 'i gwahodd hi ar ddêt.

Pennod Saith

Wrth gwrs, mae'r hyder newydd yn dechrau llithro wrth nesáu at y traeth. *Beth os na ddaw e? Beth os mai jôc yw hyn? Beth os wna i faglu jyst cyn iddo fe 'nghusanu i? O Dduw Mawr, beth os wnaiff e 'nghusanu i?! Dyw e ddim yn mynd i dy gusanu di, y ffŵl.* Ymlaen ac ymlaen, clywaf fy llais mewnol yn troelli'n wyllt.

Penderfynaf gerdded ar hyd y traeth tuag at y caffi, gan obeithio y gwnaiff y môr dawelu fy nerfau rhywfaint. *Mae'r cerrig yn wlyb! Ti'n mynd i gwympo a bydd gwymon yn sownd ar dy ben-ôl, fel y digwyddodd ym marbeciw pen blwydd Tom.* Dwi'n arafu. Mae'r môr yn llonydd braf a'r heulwen aeafol yn disgleirio arno fel tameidiau o aur. Anadlaf yn ddwfn, gan lyncu'r awyr hallt. Eto ac eto. *Beth os bydd gwylan yn gwneud pŵ ar dy ben di?!* 'Bydd dawel!' wfftiaf dan f'anadl, gan godi 'mhen i wneud yn siŵr nad oes gwylan yn hofran uwchben. Pan edrychaf i lawr, mae Ollie'n sefyll ychydig droedfeddi oddi wrtha i.

'Sut gyrhaeddaist ti fan'na?' yw'r peth cyntaf dwi'n ofyn iddo.

'Cerdded,' ateba, gan edrych arnai'n amheus. 'Ti'n iawn? Roeddet ti'n edrych fel taset ti'n siarad â ti dy hunan.'

'Beth? O na, jyst – jyst yn – canu.'

'Canu?'

'Ie, ti'n gwybod – canu cân.'

'Ydw, dwi'n gwybod beth yw canu.'

'Wrth gwrs dy fod ti. Sori mêt.'

Sori mêt? Ers pryd ydw i'n defnyddio'r gair *mêt*? Dwi wedi bod gydag Ollie am ddeg eiliad ac mae e siŵr o fod yn meddwl yn barod 'mod i'n berson gwallgo sy'n canu ac yn galw pobl yn *mêt*. Dyw hyn ddim yn argoeli'n dda ar gyfer ein cinio.

'Ydy dy gamera gyda ti?' hola.

'Ydy,' atebaf, a 'nghalon yn cyflymu – ydy e ar fin gofyn am lun ohonom ni'n dau yn barod?! 'Pam?'

'Ro'n i jyst yn meddwl, tybed allet ti dynnu ychydig o *headshots* ohona i, yma ar y traeth. Hoffwn i gael rhai, ti'n gwybod, eithaf trawiadol ar gyfer 'y mhroffil ar-lein. A ti'n ffotograffydd arbennig.' Gwena arnaf. Mae ganddo wên ddisglair, fendigedig.

'O, iawn.' Dwi ddim yn siŵr beth i feddwl am hyn. Nid dyma pam wnaeth e ofyn i mi gwrdd ag e, nage? Na – fe ddywedodd e ddoe 'i fod e'n bendant eisiau cael cinio gyda fi. Mae'n rhaid bod y lluniau'n rhywbeth ychwanegol. Rhywbeth sydd newydd ddod i'w feddwl. Mae'n rhaid i mi beidio â bod mor ddwl. Tynnaf fy nghamera mas o 'mhoced.

'Ro'n i'n meddwl falle gallen ni dynnu rhai lluniau wrth y pier.'

'Dim problem.'

Wrth i ni ddechrau cerdded ar hyd y traeth, daw menyw mewn dillad rhedeg heibio ar wib. Mae hi'n gwenu arnom ni, a theimlaf don o hapusrwydd. Iddi hi, mae'n siŵr bod Ollie a finnau'n edrych fel tasen ni 'gyda'n gilydd'. Ond trueni na alla i ymlacio a mwynhau'r eiliad. Ymbalfalaf yn fy meddwl am rywbeth diddorol i'w ddweud. Rhywbeth na fydd yn creu embaras.

'Mae'n rhaid dy fod ti'n falch iawn o dy frawd.'

Sylla Ollie arna i, â golwg ddryslyd yn 'i lygaid. 'Pam?'

'Wel, am fod yn chwaraewr tennis mor dda.'

Mae Ollie'n mwmial dan 'i anadl ac yn syllu mas i'r môr. Mae rhywbeth am yr olwg ddifrifol ar 'i wyneb a'r ffordd y mae'r golau'n cwympo arno, gan amlygu esgyrn 'i fochau, a fyddai'n gwneud llun du a gwyn arbennig.

'Paid â symud,' meddaf wrtho, gan anelu 'nghamera ato.

'Beth?' medd Ollie gan wgu.

'Cadwa'r olwg 'na ar dy wyneb ac edrycha mas i'r môr eto. Bydde fe'n gwneud llun cŵl.'

'O, iawn.' Mewn eiliad, mae wyneb Ollie'n meddalu wrth iddo edrych eto ar y môr. 'Beth am hyn?'

'Perffaith.'

Defnyddiaf y *zoom* i symud i mewn, gan addasu'r ongl nes bod cysgod perffaith ar 'i wyneb. Yna, tynnaf y llun.

'Gad i fi weld.' Mae'n pwyso i mewn i edrych ar y camera ac mae ein pennau mor agos nes bron â chyffwrdd. Mae arogl *aftershave* a mintys arno fe. Mae 'nghalon yn curo'n gryf. 'Mae hwnna'n edrych yn wych.' Mae'n gwenu arna i. Wrth edrych yn agos, mae'i lygaid yn las anghredadwy ac afreal. Dwi'n sylweddoli, tase fe eisiau 'nghusanu i nawr, fyddai dim angen iddo fe symud. Edrychwn ar ein gilydd fel hyn am eiliad arall. 'Rwyt ti'n dda iawn yn gwneud hyn, on'd wyt ti?' medd, a'i lais yn fwy meddal nag arfer.

'Diolch.' Gydag embaras, edrychaf i ffwrdd ac mae'r foment wedi mynd. Ymlaen â ni. Aiff dau redwr arall heibio, a'u traed yn sgrensian ar y cerrig.

'Beth am lun ohona i'n gorwedd ar y traeth?' hola. 'Ti'n gwybod, er mwyn cael rhywbeth bach gwahanol.'

'Wrth gwrs.' Dychmygaf lun o'r ddau ohonom yn gorwedd ar

y traeth, wedi lapio ym mreichiau ein gilydd, a gwrid fflamgoch ar fy wyneb.

Aiff Ollie i lawr ar y cerrig. 'Beth am i ti dynnu un uwch 'y mhen i?'

'Ocê, byddai hynny'n hwyl.' Safaf ar bwys Ollie a cheisiaf dynnu llun ohono ond dyw e ddim yn edrych yn iawn; dyw e ddim yng nghanol y llun. 'Dwi'n meddwl y bydd rhaid i fi sefyll drosot ti,' mentraf.

Mae Ollie'n edrych arna i gan wenu. Teimlaf wefr fach ryfedd yn dawnsio lan f'asgwrn cefn. Yn ofalus, camaf dros 'i gorff a sefyll â 'nghoesau ar led, un goes o bobtu 'i gorff. Edrychaf drwy'r lens. Mae'n gwenu'n ddrygionus arna i.

'Gobeithio nad wyt ti'n edrych lan fy ffrog,' meddaf gan wenu.

Mae Ollie'n chwerthin. 'Fyddwn i fyth ...'

Am eiliad, dwi'n teimlo fel tasen i wedi cyflawni rhywbeth amhosibl, sef fflyrtian heb wneud ffŵl ohona i fy hun. Ond yna, wrth geisio tynnu'r llun o Ollie o uchder, dwi'n llithro ar y cerrig a 'nhraed yn symud i ddau gyfeiriad gwahanol. Ceisiaf gadw'n llonydd, ond mae hyn yn gwneud pethau'n waeth, ac yn sydyn, dwi'n eistedd ar fola Ollie.

'Mae'n flin 'da fi – wir!' ebychaf, gan geisio codi ar 'y nhraed.

Mae'n cydio yn 'y ngarddwrn, gan chwerthin. 'Paid ag ymddiheuro. Mae'n ddoniol. *Ti*'n ddoniol.'

Edrychaf arno'n amheus. Ond dyw e ddim yn dweud hynny fel mae Megan yn dweud 'Ti mor unigryw.' Mae geiriau Ollie'n swnio'n garedig ac yn annwyl. Dywedaf 'diolch' wrtho.

'O Dduw Mawr! Beth 'ych chi'n wneud?'

Mae'r ddau ohonom yn neidio wrth glywed llais Megan. Trof i'w gweld yn sefyll ychydig droedfeddi i ffwrdd, yn rhythu arnom ni. Mae'r efeilliaid y tu ôl iddi, yn wên o glust i glust.

'Ro'n i ... jyst yn tynnu llun Ollie,' atebaf yn herciog. Erbyn hyn, mae fy wyneb yn gochach na blwch postio, 'ac fe lithrais i ar y cerrig gwlyb.'

'Reit,' rhytha Megan yn ddig arna i. Sylwaf 'i bod hi wedi newid o'r jîns a'r hwdi roedd hi'n 'u gwisgo pan adawodd hi fy nhŷ i'n gynharach. Mae hi nawr yn gwisgo ffrog borffor gyda bŵts at 'i phengliniau. Rywsut, llwyddaf i ddringo dros Ollie heb anafu'r un ohonom ni.

'Beth 'ych chi'n wneud fan hyn 'ta beth?' hola Megan, gan edrych yn bigog ar Ollie. 'Ro'n i'n meddwl eich bod chi'n mynd i gael cinio gyda'ch gilydd.'

'Sut oeddet ti'n ...?' Mae'r embaras yn amlwg ar wyneb Ollie. 'Dim byd o bwys; ro'n i jyst eisiau i Penny dynnu lluniau ohona i i'w rhoi ar 'y mhroffil ar-lein.'

Mae golwg fuddugoliaethus ar wyneb Megan wrth iddi droi i edrych arna i. Mae hi fel tase hi'n dweud: *Fi oedd yn iawn. Dim dêt yw hwn.*

'Mae dy luniau di mor dda,' medd Kira, wrth ddod yn nes.

'Ydyn,' medd Amara. 'Ro'n i wrth 'y modd â'r un dynnaist ti o'r hen bier ar gyfer dy brosiect celf.'

Gwenaf arnyn nhw'n llipa.

'Felly, ble 'ych chi'n meddwl mynd am ginio, bois?' hola Megan.

Mae Ollie'n codi'i ysgwyddau. 'Do'n i ddim wedi meddwl am y peth, a dweud y gwir.'

Syllaf arno, mewn dryswch.

'Ro'n ni ar fin mynd draw i Nando's,' medd Megan yn siriol. 'Licech chi ddod gyda ni?'

'Wrth gwrs,' medd Ollie, ar ôl saib fach.

Dwi'n teimlo mor grac. Mae fy stumog yn corddi. Dechreuaf gicio'r cerrig dan 'y nhraed.

Mae carreg yn codi lan i'r awyr. Rhewaf mewn braw wrth weld honno'n gwibio tuag at ddaeargi bach sy'n cerdded heibio. Mae'r ci'n udo mewn poen a'i berchennog – hen ŵr ag aeliau mawr trwchus – yn rhythu arna i.

'Sori! Damwain!' galwaf arno. *Damwain ar ddwy goes ydw i,* meddyliaf. Alla i ddim hyd yn oed wylltio heb wneud ffŵl anferthol ohona i fy hun.

'Penny!' medd Megan, gan 'y nwrdio fel tase hi'n fam i mi. 'Y ci bach 'na!'

'A dweud y gwir, dwi'n meddwl 'mod i am fynd adre,' meddaf, gan geisio stopio fy hunan rhag cicio carreg tuag ati.

'O, wir?' medd Megan, heb guddio'r wên yn 'i llygaid.

'Ond beth am y lluniau?' medd Ollie, a'i lais yn llawn siom.

Alla i ddim hyd yn oed edrych arno fe. 'Gwna i ebostio'r lluniau atat ti wedyn,' mentraf dan fy anadl.

'Iawn 'te, welwn ni di yn yr ysgol fory,' medd Megan yn frwd.

Wrth i'r efeilliaid ffarwelio â fi, dwi'n cnoi 'ngwefus yn galed ac yn martsio oddi wrthyn nhw, ar draws y traeth. Mae fy meddwl yn glymau o ddicter a dryswch. Ond mae un peth yn siŵr – heb unrhyw amheuaeth. Dwi wedi cael llond bola ar Megan.

Pennod Wyth

'Wnei di plis, plis, plis addo y gwnei di wrando ar bopeth sy gyda fi i'w ddweud yn dawel ac yn gall, heb ddweud unrhyw beth cas tan i mi orffen?' dwi'n erfyn ar Elliot, nawr 'mod i 'nôl gartref ac wedi'i alw draw gyda'i cod argyfwng erchyll: deg cnoc ar y wal.

Pwysa Elliot 'nôl yn y gadair siglo gan fwytho'i ên yn feddylgar. 'Oes 'da hyn unrhyw beth i'w wneud â Mega-Diflas a'r Hunlun ar Goesau?' hola.

'Oes, ond plis paid â dweud unrhyw beth cas amdanyn nhw tan i mi orffen. Ac mae'r geiriau "ddwedais i wrthot ti" hefyd wedi'u gwahardd.'

Mae golwg syfrdan ar wyneb Elliot. 'Beth, wedi'u gwahardd am byth – neu jyst tra ti'n dweud y stori?'

'Am byth.'

Ochneidia Elliot. 'Iawn ta, ond falle bydd rhaid i ti glymu rhywbeth dros 'y ngheg i.'

'Dwi o ddifri!'

'Iawn, iawn, ddweda i ddim byd.'

Dwi'n eistedd ar 'y ngwely, yn croesi 'nghoesau ac yn rhythu i lawr ar 'y nghwilt. Dechreuaf fy stori dorcalonnus, o'r Noson

Waethaf Erioed gan orffen gyda geiriau anfarwol Ollie, 'Doedd e'n ddim byd o bwys'.

'*Dim byd o bwys?*' adleisia Elliot yn syth ar ôl i mi orffen.

'Ddwedais i – '

'Na, paid â 'i ddweud e!' gwaeddaf, gan orchuddio 'nghlustiau. 'Wir, alla i ddim goddef clywed y geiriau 'na. Alla i ddim credu 'mod i mor dwp. Sut allen i fod wedi meddwl mai dêt oedd e?'

'Ac o ran *Mega-Strumpet*!' ebycha Elliot.

Gwgaf arno. '*Strumpet*?'

Nodia Elliot. 'Gair wnaeth Shakespeare 'i ddyfeisio yw e, i ddisgrifio menywod anfoesol.'

'A, wela i.'

'Mae hi wir yn ffiaidd,' medd Elliot, gan siglo'i ben yn ddig.

'Alla i ddim credu'i bod hi wedi dod ar dy ddêt di gydag Ollie. Ddwedais i wrthot ti – '

'Elliot!'

'Iawn, iawn.' Mae Elliot yn codi'i ddwylo lan, yn esgus 'i fod e'n ildio. 'Dwi'n gwybod beth ddylet ti'i wneud,' medd, gan wenu'n ddieflig. 'Ddylet ti ddefnyddio Photoshop i roi smotiau ofnadwy ar luniau'r Hunlun ar Goesau. Byddai trwyn arall yn dda hefyd ...'

Edrychaf ar Elliot gan wenu. Dwi ar fin rhoi cwtsh anferth iddo pan glywaf sŵn gong yn atseinio drwy'r tŷ.

'OMB! OMB!' Mae Elliot yn llamu ar 'i draed ac yn curo'i ddwylo'n frwd. 'Cyfarfod teuluol!'

Mae ein tŷ ni'n llawn hen brops theatr. Bydd Mam wastad yn 'u cadw nhw i gofio'r dramâu y buodd hi'n perfformio ynddyn nhw. Un ohonyn nhw yw'r gong efydd enfawr sydd erbyn hyn yn ein cyntedd ni. Pan oedd Twm a finnau'n fach, bydden ni'n meddwl am esgusodion o hyd i'w fwrw, felly yn y diwedd, mynnodd Mam a Dad mai dim ond i alw cyfarfod teuluol oedden ni'n cael defnyddio'r gong. Codaf oddi ar y gwely, gan chwerthin wrth weld cymaint mae Elliot wedi cyffroi.

'Rhywbeth diflas iawn yw e, fwy na rhebyg – fel pwy sy'n moyn twrci i ginio Nadolig.'

Mae dryswch ar wyneb Elliot. 'Pam fyddech chi'n trafod hynny? Mae pawb yn bwyta twrci i ginio Nadolig.'

'Ydyn, ond roedd Dad yn sôn am gael gŵydd eleni.'

'Ych a fi!' ebycha, fel petai wedi cael braw ofnadwy. 'All e ddim cael gŵydd! Mae hynny'n ffiaidd!'

'Pam?'

'Sai'n gwybod – ond mae e yn ffiaidd.'

Af at y drws, ac Elliot yn dynn ar fy sodlau.

'*Rekao sam ti,*' sibryda yn 'y nghlust.

'Beth yw ystyr hynny?' holaf.

'Ddwedais i wrthot ti, mewn Croateg. Wnest ti ddim dweud na allwn i ddweud hynny mewn iaith arall,' chwardda wrth i mi roi pwniad slei iddo.

'Twrci ry'n ni eisiau,' cyhoedda Elliot wrth i ni gerdded i mewn i'r gegin. Mae Mam, Dad a Tom yn eistedd wrth y bwrdd. Mae golwg gyffrous ar wynebau Mam a Dad. Golwg gysglyd sydd ar Tom, a'i ben yn gorffwys ar 'i freichiau.

'Beth?' medd Dad wrth Elliot.

'I ginio Nadolig,' esbonia Elliot. 'Ry'n ni'n moyn twrci, nid gŵydd. Dyna beth yw pwynt y cyfarfod 'ma, ie? Y cinio Nadolig?'

'A!' medd Dad. 'Nage. Nid dyna yw'r pwynt – er, mewn ffordd, mae e am hynny hefyd, yn anuniongyrchol.' Edrycha ar Mam gan godi'i aeliau.

Nodia Mam, yna edrycha ar Elliot gan wenu'n drist. 'Yn anffodus, fyddi di ddim yn gallu dod atom ni i gael cinio Nadolig eleni, Elliot.'

'Beth?!' meddaf i ac Elliot gyda'n gilydd fel parti llefaru.

'Fyddwn ni ddim yma,' medd Mam.

'Beth?!' Mae Tom bellach wedi codi'i ben o'r ford ac wedi ymuno â'r parti llefaru. Ry'n ni'n syllu'n syfrdan ar Mam.

'Beth wyt ti'n 'i feddwl, fyddwn ni ddim yma?' medd Tom.

'Ble fyddwn ni, 'te?' Edrychaf ar Mam a Dad, bob yn ail.

Maen nhw'n gwenu ar 'i gilydd. 'Efrog Newydd,' yw'r ateb. Nhw yw'r parti llefaru nawr.

'Na!' ebycha Tom – ond nid mewn ffordd dda.

Dwi wedi cael gormod o sioc i siarad.

Mae Elliot yn edrych fel tase fe am grio.

'Ry'n ni wedi cytuno i drefnu'r briodas 'na,' medd Mam, gan wenu arna i. 'Y briodas thema *Downton Abbey* – yn y Waldorf.'

'O. Mam. Bach.' Edrycha Elliot arnaf, a'i lygaid fel soseri. 'Y diawliaid lwcus.'

Ond yn rhyfedd iawn, dwi ddim yn teimlo'n lwcus. Yn lle hynny, mae cefn 'y ngwddf yn teimlo'n dwym ac mae 'nwylo'n chwyslyd. I fynd i Efrog Newydd, byddai'n rhaid i ni deithio ar awyren, ac ar hyn o bryd mae mynd yn y car yn ddigon i roi haint i mi. Dwi ddim eisiau mynd i unman. Yr unig beth dwi eisiau yw Nadolig bach tawel gyda'r teulu, fan hyn.

'Sai'n dod,' medd Tom.

'Beth?' edrycha Dad arno'n syn.

'Mae Melanie gartref wythnos nesaf. Sai'n mynd i unman. Sai wedi'i gweld hi ers misoedd.'

Cariad Tom yw Melanie. Mae hi wedi bod yn astudio yn Ffrainc drwy'r tymor.

O edrych ar 'i negeseuon rhamantus ar Facebook yn ddiweddar, mae e'n hiraethu'n ofnadwy amdani hi.

'Ond mae'n *rhaid* i ti ddod,' medd Mam, yn hollol ddigalon. 'Ry'n ni wastad yn dathlu'r Nadolig gyda'n gilydd.'

Mae Tom yn siglo'i ben. 'Os wyt ti am i ni fod gyda'n gilydd, bydd rhaid i chi aros fan hyn.'

'Tom,' medd Dad mewn llais tawel, bygythiol.

'Dwi ddim eisiau mynd chwaith,' meddaf yn dawel.

'Beth – ond ...' sylla Mam arnaf. Mae hi'n edrych fel tase hi am grio. Mae'n ofnadwy. 'Nadolig yn Efrog Newydd! Ro'n i'n credu y basech chi wrth eich boddau!'

'A fi,' medd Elliot dan 'i anadl. 'Beth sy'n bod arnoch chi?'

Edrychaf arno'n daer. Ymhen ychydig, gwelaf fflach o ddealltwriaeth yn 'i lygaid. Mae'n gwybod beth yw'r broblem. Mae'n estyn am fy llaw ac yn 'i gwasgu.

'Pam mae'n rhaid i ti weithio dros y Nadolig 'ta beth?' hola Tom.

'Achos bod wir angen yr arian arnom ni,' ateba Dad. Mae sŵn 'i lais mor ddifrifol fel ein bod ni i gyd yn troi i edrych arno.

'Ry'n ni wedi cael gaeaf tawel iawn,' medd Mam. 'Byddai'r gwaith yma'n help mawr i ni. Maen nhw'n talu mwy nag y bydden ni'n 'i gael am ddeg priodas ym Mhrydain. A'n costau ni ar ben hynny.' Mae hi'n edrych yn ymbilgar arna i. 'Wyt ti'n siŵr nad wyt ti am ddod?'

'Alla i ddim,' meddaf. 'Mae'n rhaid i mi ...'

'Wneud y prosiect Saesneg 'na,' medd Elliot, gan orffen y frawddeg. 'Yr un sy'n cyfrif tuag at TGAU.'

'Ie!' atebaf, gan wenu'n ddiolchgar arno cyn troi'n ôl at Mam a Dad. 'Felly bydd rhaid i mi weithio'n galed iawn ar hwnna dros y gwyliau. Ond ewch chi. Byddwn ni'n iawn.'

Nodia Tom hefyd. 'Ie. Ewch chi. Gallwn ni gael Nadolig gyda'n gilydd pan ddewch chi'n ôl.'

Edrycha Mam ar Dad. 'Dwi ddim yn gwybod. Beth wyt ti'n 'i feddwl, Rob?'

'Dwi'n meddwl bod angen i ni feddwl am y peth,' ateba, gan edrych mor ddigalon â Mam.

Dwi'n teimlo'n ofnadwy. Meddyliaf am ddweud y gwir wrthyn nhw, sef 'mod i'n ofni i'r byw cael pwl o banig tra 'mod i'n sownd mewn awyren, yn uchel, uchel yn yr awyr. Ond alla i ddim. Dwi ddim eisiau iddyn nhw boeni. Fydden nhw byth yn 'y ngadael i yma tasen nhw'n gwybod beth sydd wedi bod yn digwydd, ac yna bydden nhw'n colli'r cyfle i wneud llawer o arian. Yr ateb i'r broblem fyddai iddyn nhw fynd i America a fi i aros fan hyn, ond alla i ddim peidio â theimlo tristwch yn ddwfn yn 'y mola. Mae poeni am y pyliau panig yn hunllef.

17 Rhagfyr

Allwch chi 'dyfu'n rhy fawr' i'ch ffrind gorau?

Helô bawb!

I ddechrau, diolch o galon i chi am eich sylwadau hyfryd a'ch cyngor ar y blog ynglŷn â'r pyliau panig. Mae gwybod taw pyliau panig ydyn nhw, fwy na thebyg, yn gwneud i mi deimlo'n well am ryw reswm! Chi'n wych!☺

Nawr, dwi'n gwybod i mi ddweud y baswn i'n blogio am rywbeth ychydig yn ysgafnach y tro hwn ond mae rhywbeth wedi digwydd yr hoffwn i rannu â chi ...

Pan o'n i'n fach, roedd gen i got arbennig. Ro'n i'n dwlu ar y got yma. Roedd hi'n goch llachar a botymau bach du arni hi, fel rhosod.

Roedd coler a chyffiau ffwr ffug arni hi hefyd.

Pan ro'n i'n 'i gwisgo hi, ro'n i'n teimlo fel tywysoges hardd o wlad oer, bell i ffwrdd, fel Rwsia neu Norwy (mae'n oer yn Norwy, on'd yw hi?)

Ro'n i'n dwlu ar y got yna ac yn 'i gwisgo hi i bobman, hyd yn oed pan fyddai'r tywydd yn dechrau twymo.

A phan fyddai'r tywydd yn rhy dwym, byddwn i'n gwrthod cadw'r got yn y cwpwrdd. Yn lle hynny, byddwn i'n 'i hongian ar gefn 'y nghadair drwy'r haf fel 'mod i'n gallu edrych arni bob dydd.

Roedd y got yn dechrau teimlo braidd yn dynn erbyn y gaeaf nesaf. Ond doedd dim ots gen i achos allwn i ddim meddwl am fod hebddi hi.

Ond erbyn y trydydd gaeaf ro'n i wedi tyfu mor fawr fel nad o'n i'n gallu cau'r botymau i gyd.

Pan ddwedodd Mam wrtha i bod rhaid i mi gael cot aeaf newydd, torrodd fy nghalon. Ond ar ôl sbel fach, dechreuais i garu 'nghot newydd. Er nad oedd ganddi fotymau siâp rhosod na choler ffwr ffug, roedd 'i lliw yn wyrddlas hardd fel y môr. Ac ymhen amser, wrth edrych ar fy hen got, roedd y coler ffwr yn edrych braidd yn ddwl. Doedd hi ddim fel tase hi'n perthyn i mi bellach, felly gadewais i Mam fynd â hi i'r siop elusen.

Ar hyn o bryd, pan dwi gydag un o fy ffrindiau gorau, mae fel tasen ni ddim yn 'ffitio' bellach.

Mae popeth mae hi'n 'i ddweud yn swnio'n gas ac yn sbeitlyd. Mae popeth mae hi'n 'i wneud yn hunanol ac yn anaeddfed.

Ar y dechrau, ro'n i'n beio fy hunan. Ro'n i'n meddwl falle 'mod i'n dweud neu'n gwneud rhywbeth o'i le. Ond yna, dechreuais i feddwl tybed a yw cyfeillgarwch weithiau fel dillad. Pan fyddan nhw'n dechrau teimlo'n anghyfforddus, dyw hynny ddim yn golygu eich bod chi wedi gwneud unrhyw beth o'i le. Mae'n golygu – yn syml – eich bod chi wedi tyfu'n rhy fawr iddyn nhw.

Dwi wedi penderfynu nad ydw i'n mynd i drio gwasgu fy hunan i mewn i gyfeillgarwch sy'n 'y mrifo i. Dwi'n mynd i adael iddi fynd, a bod yn ffrindiau gyda phobl sy'n gwneud i mi deimlo'n dda amdanaf i fy hun.

Beth amdanat ti?

Oes gen ti unrhyw ffrindiau sy'n 'rhy fach' i ti erbyn hyn?

Byddwn i'n dwlu clywed am hynny yn y blwch sylwadau isod ...

Merch Ar-lein, ond yn mynd oddi ar-lein xxx

Pennod Naw

Fel arfer, dwi'n hoffi dydd Llun. Dwi'n gwybod, dwi'n gwybod – mae cnoc arna i! Ond dyna sut ydw i. Mae dechrau wythnos newydd sbon wastad yn gyffrous i mi. Mae'n gyfle i ddechrau o'r dechrau, a saith diwrnod newydd ffres o'ch blaen chi – bron fel Dydd Calan bach. Ond mae'r dydd Llun hwn yn wahanol. Mae'r dydd Llun hwn yn ofnadwy ac yn codi ofn arna i am BEDWAR rheswm:

1. Dwi wedi sylweddoli 'mod i wedi tyfu'n rhy fawr/yn casáu fy FfYG (Ffrind Ysgol Gorau).
2. Mae'n rhaid i mi dreulio diwrnod cyfan gyda'r ffrind/gelyn yma, yn paratoi at y ddrama.
3. Hefyd, mae'n rhaid i mi dreulio'r diwrnod gyda'r bachgen y gwnes i ffŵl ohona i fy hun o'i flaen, drwy'r penwythnos, wrth baratoi at y ddrama.
4. Mae'n ddiwrnod perfformio'r ddrama.

Erbyn i mi gyrraedd yr ysgol, mae 'nghalon wedi suddo mor isel nes 'mod i'n eitha siŵr y galla i 'i chlywed hi'n curo yn 'y nhraed.

'Pen! Dwi mor falch dy fod ti yma!' yw cri Mr Beaconsfield wrth i mi gerdded i'r neuadd. Mae golwg wyllt arno fe – dyw e ddim hyd yn oed wedi cofio rhoi gel yn 'i wallt, ac mae'n hongian yn llipa dros 'i dalcen.

'Ble mae'r lleill?' holaf, gan edrych o gwmpas y neuadd wag.

'Maen nhw wedi mynd i'r stiwdio ddrama i gael ymarfer bach arall tra'n bod ni – ti – yn rhoi trefn ar y set.'

Edrychaf ar y llwyfan. 'Beth sy'n bod ar y set?'

'Mae arna i ofn bod fy ffrind – sy'n artist graffiti – wedi fy siomi i, felly mae angen dy help di arna i.'

Ers wythnosau nawr, mae Mr Beaconsfield wedi bod yn rhygnu 'mlaen am ryw ffrind iddo fe sy'n artist stryd, sy'n mynd i addurno'r set a'i wneud yn fwy ghetto. Ddylwn i fod wedi sylweddoli nad oedd hyn am ddigwydd. Siŵr o fod mai'r peth agosaf i 'stryd' ym mywyd Mr Beaconsfield yw gwylio pennod o *Coronation Street*.

'Beth licech chi i mi wneud?' holaf, wrth iddo roi cwdyn plastig yn fy llaw.

'Gwna damaid bach o graffiti ar y trelar a'r wal gefn,' medd yn ddi-hid, fel tase fe wedi gofyn i mi sgubo'r llawr. 'Mae'n rhaid i mi fynd 'nôl at y lleill. Mae Megan, druan, yn cael tipyn o drafferth cofio'i haraith olaf.'

'Gwneud tamaid bach o graffiti arnyn nhw?' edrychaf i mewn i'r cwdyn. Mae'n llawn caniau paent. 'Pa fath o graffiti?'

Mae golwg hyd yn oed yn fwy gwyllt ar Mr Beaconsfield nawr. 'Dim syniad. Jyst sgrifenna rywbeth. Ti i fod yn ddylunydd set cynorthwyol.'

Gwgaf. Mae'n wir 'i fod e wedi gofyn i mi helpu gyda'r set yn ogystal â bod yn ffotograffydd swyddogol, ond fyddwn i byth wedi gwirfoddoli tasen i'n gwybod y byddai'n rhaid i mi fod yn rhyw fath o Banksy. Do, fe wnes i ysgrifennu C4RU Tı ar fainc yn y parc unwaith, ond dwi ddim yn credu bod hynny'n cyfrif a dweud y gwir.

'Iawn, dwi'n mynd lan i'r stiwdio ddrama,' medd Mr Beaconsfield, gan godi'i glipfwrdd oddi ar un o'r cadeiriau. 'Dof i lawr i weld sut wyt ti'n dod mlaen amser egwyl.' A chyn i mi allu dweud gair, bant ag e.

Edrychaf ar wal gefn wag y set. Mae hyn yn wallgo! Os af i'n agos ati â'r paent, dwi'n siŵr o'i sbwylio. Un peth dwi'n benderfynol o beidio â'i wneud heddiw yw gwneud cawlach o unrhyw beth. Felly dwi'n gwneud yr hyn dwi wastad yn 'i wneud mewn argyfwng, sef anfon neges destun at Elliot. Ry'n ni'n cofio amserlenni ein gilydd felly dwi'n gwybod 'i fod e yn 'i wers Ladin. Yn ôl Elliot, mae'i athro Lladin mor hen fel 'i fod e'n siarad Lladin pan oedd hi'n iaith fyw. Felly, gobeithio y gall Elliot anfon neges ata i heb iddo fe'i weld.

> HEEEEEEEELP!!! MAE'R ATHRO DRAMA AM I FI ROI GRAFFITI AR Y SET – GRAFFITI GO IAWN!!! DWI'N CREDU'I FOD E WEDI MYND YN NYTS. PLIS HELPA FI CYN I FI FYND YN NYTS!!! BE WNA I?!!!

Anfonaf y neges ac af lan ar y llwyfan a draw at y trelar ffug. Falle gallwn i ymarfer gwneud graffiti y tu ôl iddo fe. Wedyn, os wnaf i gawlach ohono, fydd neb yn y gynulleidfa'n gwybod. A taswn i'n darganfod bod gen i ddawn ddisglair i greu graffiti, byddwn i'n achub y dydd – a'r ddrama.

Tynnaf un o'r caniau o'r cwdyn, ac agor y caead. Beth fyddai fy llofnod i taswn i'n artist graffiti? Does gyda fi ddim syniad, felly dwi'n penderfynu ceisio tynnu llun rhywbeth yn lle hynny. Ond beth? Beth fyddai pobl yn 'i arlunio mewn ghetto yn Efrog Newydd – rhywbeth fyddai'n gweddu i Romeo a Juliet ? Rhyw fath o galon wedi'i thorri? Pwysaf y botwm ar dop y can yn ofalus. Does dim byd yn digwydd. Gwthiaf yn galetach a saetha ffrwd o baent porffor allan ohono. Ceisiaf baentio calon ond mae'n edrych fel pen-ôl. Diolch byth, ar y foment honno, clywaf fy ffôn yn pingian. Neges destun gan Elliot.

> **CADWA DRAW ODDI WRTH Y CANIAU PAENT!!!**
> Rwyt ti'n ferch amryddawn ond dyw paentio ddim yn un o'r doniau hynny! ;) Wyt ti'n cofio'r llun o Gwningen y Pasg wnest ti pan oedden ni'n gwarchod Jennifer fach Tŷ Clyd? Cafodd hi hunllefau am wythnosau! Pam na wnei di ofyn i'r person goleuadau daflunio un o dy luniau di o gelf stryd ar y set? Wyt ti'n cofio'r rhai dynnaist ti yn Hastings? Byddai un ohonyn nhw'n edrych yn wych.
> ON mae fy athro Lladin newydd dorri'i ddannedd gosod wrth gnoi afal!

Wrth i mi ddarllen neges Elliot, dyma ollwng ochenaid o ryddhad. Mae ateb i'r broblem anferth oedd yn 'y mhoeni i. Mae gobaith. Falle na fydd heddiw cynddrwg â'r disgwyl wedi'r cyfan ...

A dwi'n iawn – mae gweddill y dydd yn mynd yn hynod

o rwydd. Mae'r actorion gyda Mr Beaconsfield yn y stiwdio ddrama yn ymarfer yn ddi-baid, tra bod Tony, y bachgen o Flwyddyn Un ar ddeg sy'n gwneud y goleuadau, wedi dod i gael ymarfer technegol. Mae'n llwyddo i daflunio un o'r lluniau celf stryd ar y gefnlen yn gwbl ddidrafferth. Mae'n edrych yn anhygoel. Pan wela i Megan o'r diwedd, hanner ffordd drwy'r prynhawn, mae popeth yn iawn. Unwaith eto, mae sgrifennu'r blog wedi fy helpu i roi trefn ar fy meddwl. Dwi wedi derbyn nad ydyn ni'n ffrindiau bellach, ac mae llai o bwysau arna i nawr. Dyw gweld Ollie eto ddim yn brofiad rhy lletchwith chwaith. Mae e a Megan mor nerfus am y ddrama fel 'u bod nhw'n canolbwyntio'n llwyr ar 'u llinellau, a dim byd arall.

Cyn codi'r llen, mae Mr Beaconsfield yn ein galw at ein gilydd gefn llwyfan. 'Chi'n mynd i fod yn hollol ôsym, bois,' medd. 'Ac, yng ngeiriau fy arwr Jay-Z, peidiwch â byw bywyd ar y gwaelodion – anelwch am yr awyr.'

Mae pawb yn edrych yn syn ar Mr Beaconsfield.

'Torrwch goes,' medd, dan 'i anadl. 'O, a Pen – bydd angen i ti dynnu un llun arall i mi ar ddiwedd y sioe, pan fydd y cast yn dod allan i dderbyn y gymeradwyaeth. Alli di fynd lan i'r llwyfan i dynnu ambell un?'

Teimlaf ergyd o fraw. Bydd hyn yn golygu mynd ar y llwyfan o flaen neuadd lawn o bobl, sef FY HUNLLEF WAETHAF. Ond yna, dyma Mr Beaconsfield yn mynd i ffwrdd ar wib i wneud yn siŵr bod y fideograffydd yn barod i ddechrau ffilmio, wrth i bawb arall fynd i'w llefydd gefn llwyfan.

Estynnaf 'y nghamera o'r bag a chymryd sedd ar ochr y llwyfan. Bydd popeth yn iawn, dwi'n ailadrodd wrtha i fy hun. Wedi'r cyfan, does dim angen i mi gofio unrhyw linellau. Y cyfan mae'n rhaid i mi'i wneud yw mynd ar y llwyfan, tynnu llun a dod oddi ar y llwyfan eto. Beth yw'r peth gwaethaf allai ddigwydd ...?

Pennod Deg

Mae'r perfformiad yn llwyddiannus. Does neb yn anghofio'u geiriau nac yn 'u dweud yn y llefydd anghywir. Dyw acen Ollie ddim yn swnio'n rhy ddrwg chwaith. Erbyn yr olygfa lle mae Juliet yn marw, alla i glywed aelodau o'r gynulleidfa'n crio.

Wrth i Mr Beaconsfield lamu y tu ôl i'r llwyfan, yn barod i dderbyn y gymeradwyaeth, edrycha arna i gan wenu. 'On'd oedd e'n anhygoel? On'd oedden nhw'n wych?' medd, braidd yn rhy frwdfrydig. Gwenaf arno. 'Ro'n nhw'n arbennig.'

'Paid â thynnu'r llun tan i'r cast i gyd sefyll mewn rhes ar gyfer y gymeradwyaeth – a finnau hefyd,' sibryda.

Nodiaf a pharatoi'r camera.

Wrth i'r actorion ddod allan o ochr arall y llwyfan i ymgrymu, mae'r gymeradwyaeth yn cynyddu'n sŵn rhuo mawr erbyn i Megan ac Ollie gyrraedd. Ac, er bod Megan yn troi arna i ar hyn o bryd, alla i ddim peidio â theimlo'n hynod gyffrous drosti hi. Dwi'n falch iawn ohoni.

Mae'r gymeradwyaeth mor uchel nawr fel y galla i 'i theimlo'n dirgrynu trwy 'nghorff. Wrth i'r cast sefyll mewn rhes, mae Megan yn amneidio ar Mr Beaconsfield i ymuno â nhw – golygfa y gwnaethon nhw'i hymarfer yn drylwyr gynnau, er bod

73

Mr Beaconsfield yn codi 'i ddwylo i'r awyr, yn esgus bod y cyfan yn spréis hynod iddo. Arhosaf iddo gyrraedd canol y rhes ac yna af i ganol y llwyfan. Ac, er cymaint y gwnes i bryderu am y foment hon, dyw hi ddim yn rhy ddrwg. Mae'r gynulleidfa mor brysur yn cymeradwyo'r actorion nes 'mod i'n anweledig, bron.

Hynny yw, tan i mi gamu i ganol y llwyfan, a gweld y byd i gyd yn gwyro oddi ar 'i echel. Ond nid y byd sy'n gwyro oddi ar 'i echel. Fi sy'n gwneud hynny, wrth i mi faglu dros gareiau'r Converse a rhuthro ymlaen.

Galla i ddweud yn syth nad yw hyn am ddiweddu'n dda. Dwi'n cwympo'n rhy gyflym, ar ongl serth, a'r cyfan sydd ar fy meddwl yw'r camera yn fy llaw. Alla i 'mo'i dorri. Alla i ddim gadael iddo chwalu'n rhacs jibidêrs ar y llawr. Felly, glaniaf mor lletchwith â phosib, ar y ddwy benelin, fy wyneb yn gyntaf. A 'mhen-ôl yn pwyntio at y gynulleidfa. Clywaf ebychiadau syn – tua tri chant ohonyn nhw – yn atseinio drwy'r neuadd. Yr unig sŵn sy'n llenwi'r tawelwch ofnadwy wedi hynny yw fy llais mewnol yn gofyn, *Pam mae 'mhen-ôl yn teimlo mor oer?* Edrychaf dros f'ysgwydd a gweld – er mawr syndod a braw i mi – bod fy sgert wedi codi dros 'y nghanol. Daw corws newydd o Pam? i'm meddwl.

Pam wisgais i'r sgert ysgafn yma? Pam wnes i dynnu'r teits du trwchus y tu ôl i'r llwyfan pan o'n i'n rhy boeth? Pam, o pam, o'r holl ddillad isaf sydd gen i, y dewisais i wisgo'r rhai mwyaf di-raen ac anniben, â phatrwm uncorn bach drostyn nhw i gyd?

Arhosaf ar fy mhedwar – wedi 'mharlysu gan gymysgedd ych-a-fi o sioc a braw. Ac yna, dechreua'r gynulleidfa gymeradwyo eto. Ond dyw'r gymeradwyaeth ddim yr un peth nawr. Mae'r bonllefau'n gymysgedd o chwibanu a chwerthin afreolus. Maen nhw'n chwerthin ar 'y mhen.

Edrychaf i fyny i weld Megan yn rhythu'n ddig arna i. Galla

i hefyd weld llaw yn estyn i lawr tuag ataf. Llaw Ollie yw hi. Gwna hyn i mi deimlo mwy o embaras fyth. Rhaid i mi adael. Rhaid i mi fynd oddi ar y llwyfan. Ond yn lle sefyll a rhedeg, gwnaf benderfyniad ofnadwy arall, sef aros ar fy mhedwar a chropian i ffwrdd. Yn araf bach. Neu o leiaf, mae'n teimlo felly. Erbyn i mi gyrraedd ochr y llwyfan, mae sŵn chwerthin yn atseinio drwy'r neuadd. Codaf ar 'y nhraed yn sigledig, cydiaf yn 'y mag a dechrau rhedeg. Dwi ddim yn stopio rhedeg tan i mi gyrraedd gartref. Baglaf i mewn i'r cyntedd, a'm gwynt yn 'y nwrn. Dyma rasio i'm stafell wely, gan osgoi siarad ag unrhyw fod dynol, cyn cwympo'n glewt ar y gwely. Y cywilydd – Y CYWILYDD! Alla i ddim hyd yn oed ddweud wrth Elliot am y cyfan. Yn lle hynny, dwi am orwedd fan hyn – yn dwym ac yn ddryslyd – tan i mi ferwi a thoddi a pheidio â gorfod gweld neb eto – gobeithio.

Ond bydd rhaid i mi wynebu pobl eto.

Sut alla i wynebu pobl eto? Beth wna i?

Tynnaf fy ffôn o 'mag. Dwi'n craffu ar y sgrin, er yn ofni edrych, rhag ofn bod llwyth o negeseuon testun cas yno. Ond diolch byth, does dim negeseuon newydd. Agoraf y porwr ar y we. Gan nad ydw i'n gallu gofyn am gyngor Elliot, fe wnaf i'r ail beth gorau, sef holi Google.

Sut mae ymdopi â chywilydd mawr? teipiaf i mewn i'r peiriant chwilio. Daw pedwar deg pedwar miliwn o ganlyniadau i'r golwg. Da iawn. Dwi'n siŵr o ddod o hyd i ateb yn 'u plith nhw. Cliciaf ar y ddolen gyntaf. Mae'n f'anfon at wefan o'r enw Positifrwydd Positif.

'*Chwiliwch am y wers yn eich cywilydd*,' yw cyngor yr erthygl. '*Mae pethau wastad yn well pan fyddwn ni'n gallu'u cysylltu nhw â rheswm neu ystyr*.'

Hmm . . .

Gwersi o'r hyn a ddigwyddodd heno:

Gwers 1: Wrth fynd lan ar ben llwyfan o flaen pobl, gwna'n siŵr bod dy gareiau di wedi'u clymu.

Gwers 2: Mae careiau heb 'u clymu'n beryglus tu hwnt. Os wnei di faglu drostyn nhw, fe gwympi di'n bendramwnagl – mor galed nes bod dy sgert yn codi dros dy ben-ôl.

Gwers 3: Os wyt ti'n gwisgo sgert sy'n ddigon byr i godi dros dy ben-ôl – taset ti'n baglu dros dy gareiau o flaen 300 o bobl – gwna'n siŵr dy fod yn gwisgo dillad isaf fydd ddim yn codi cywilydd arnat ti.

Gwers 4: Paid byth, byth, o dan unrhyw amgylchiadau, â gwisgo nicers amryliw â llun uncorn arnyn nhw.

Gwers 5: Paid byth, byth, dan unrhyw amgylchiadau, â gwisgo nicers uncorn amryliw sydd mor hen fel 'u bod nhw wedi COLLI'U LLIW ac yn RHAFLO AR YR YMYLON – waeth pa mor gyfforddus ydyn nhw.

Gwers 6: Os wyt ti'n ddigon twp i wisgo nicers uncorn amryliw sydd mor hen fel 'u bod nhw wedi colli'u lliw ac yn rhaflo ar yr ymylon, a dy fod ti wedyn yn 'u dangos nhw i 300 o bobl, paid â chropian – dwi'n ailadrodd – PAID Â CHROPIAN oddi ar y llwyfan a'u dangos nhw i bawb.

Mae 'mywyd i ar ben! Ac mae gwefan Positifrwydd Positif yn gelwyddog. Dwi'n teimlo hyd yn oed yn waeth ar ôl ceisio dod o hyd i reswm dros 'y nghywilydd. Dwi'n gwingo wrth feddwl am y saga ddychrynllyd yn 'i chyfanrwydd. Mae 'mywyd yn drychinebus. Ddylwn i gael tatŵ ar 'y nhalcen o un o rybuddion iechyd y llywodraeth. Y gwirionedd trist yw taw'r unig le dwi'n teimlo'n hapus ac yn hyderus ynddo yw'r blog.

Yn reddfol, af at y blog ar fy ffôn. Mae gen i ddeuddeg sylw newydd ar 'y mlogbost ynglŷn â 'thyfu'n rhy fawr i ffrind'. Wrth wibio drwyddyn nhw, dechreuaf deimlo'n dawelach fy meddwl. Unwaith eto, maen nhw i gyd mor hyfryd a charedig.

Dwi'n deall yn iawn beth ti'n 'i ddweud ...

Dwi'n bendant wedi tyfu'n rhy fawr i ffrindiau o'r blaen ...

Wna i fod yn ffrind i ti ...

Ti'n swnio mor hyfryd ...

Ei cholled hi yw hyn, nid dy golled di ...

Dwi'n gwybod bod hyn yn swnio'n rhyfedd ond dwi'n meddwl amdanat ti fel un o fy ffrindiau gorau ...

Mae dagrau lond fy llygaid a dwi'n gwasgu 'nghoesau'n dynn at 'y mrest. Y peth yw, dwi'n hollol onest ar y blog, yn ymddwyn yn hollol naturiol – ac mae 'narllenwyr fel tasen nhw'n fy hoffi i'n fawr. Mae'n rhaid nad ydw i'n ddrwg i gyd, felly? Ac o leiaf does yr un ohonyn nhw wedi gweld 'y nillad isaf. Yn ôl Elliot, mae mwy na saith biliwn o bobl yn byw ar y blaned ar hyn o bryd. O'r biliynau hynny o bobl, dim ond tua thri chant ohonyn nhw sydd wedi gweld fy nicers uncorn. Mae hynny fel llai nag un garreg ar draeth Brighton i gyd. Iawn, dwi'n gwybod bod llawer o'r tri chant 'na'n mynd i'r un ysgol â fi, ond maen nhw'n siŵr o anghofio am y peth cyn hir. Llithraf i waelod y gwely a chau fy llygaid. *Mae biliynau o bobl heb weld dy nicers,* medd fy llais mewnol yn dyner, fel tase'n dweud stori-cyn-cysgu wrtha i. *Mae biliynau o bobl heb weld dy nicers.*

Dwi'n cael breuddwyd hyfryd am galendr Adfent enfawr a channoedd o ddrysau arno pan glywaf f'e-bost yn pingian. Ymbalfalaf yn y tywyllwch i'w ddiffodd, ond yna daw ping arall, ac un arall. Craffaf ar 'y nghloc larwm. Mae'n 1.00 y bore. Pam ydw i'n cael cymaint o e-byst yn oriau mân y bore? Wrth i'r ffôn bingian eto ac eto, dwi'n meddwl i ddechrau fod pobl yn rhoi sylwadau ar y blog, ond wrth edrych yn agosach, y cyfan wela i yw hysbysiadau Facebook. *Tagiwyd chi mewn cofnod gan Megan Barker,* medd yr un cyntaf. Mae'r lleill yn dweud wrtha i fod llawer o bobl wedi ymateb i'r cofnod – hanner cast y ddrama hyd y gwela i. Teimlaf braidd yn sâl wrth glicio ar y ddolen ac aros i'r dudalen lwytho. Ar y dudalen mae fideo o'r cast yn ymgrymu. Mae chwys oer drosta i wrth wylio fy hunan yn mynd ar y llwyfan ac yna'n baglu. Mae'r camera'n symud i mewn – i mewn yn syth – ar fy nicers. Mor agos fel y gallwch chi weld darn o edafedd rhydd yn hongian i lawr fy nghlun. Taflaf fy ffôn ar y llawr.

O Dduw Mawr.

Ro'n i wedi anghofio bod y ddrama'n cael 'i ffilmio. Mae hyn yn ofnadwy. Yn waeth nag ofnadwy. Mae 'nghorff yn binnau bach i gyd achos y braw a'r embaras. Beth wna i? *Anadlu'n ddwfn a bod yn bwyllog,* meddaf wrthyf fy hun. Alla i ddileu'r cofnod – alla i?

Codaf 'y ngliniadur a chynnau'r lamp wrth ochr 'y ngwely. Mae fy ffôn yn pingian eto. Llyncaf 'y mhoer a mewngofnodi i Facebook ar 'y nghyfrifiadur. Mae'r symbol bach coch yn y gornel dde'n dweud wrtha i fod gen i ddau ddeg dau hysbysiad newydd. O na!

Mae un deg saith o bobl wedi hoffi'r fideo'n barod. Gorfodaf fy hunan i edrych ar y sylwadau. *Wps* yw geiriau Megan yn y cofnod gwreiddiol. LOL ac *emoticons* wyneb yn cochi yw'r rhan fwyaf o'r ymatebion eraill. Yna gwelaf un gan Bethany, sef y nyrs yn y ddrama: *Ych-a-fi!* O dan hynny, mae Ollie wedi ysgrifennu: *Dwi'n meddwl bod y fideo'n eithaf ciwt.*

Dwi ddim yn meddwl 'mod i erioed wedi teimlo mor sâl. Dwi'n hofran y cyrchwr dros y cofnod ac yn dileu'r tag. Mae hyn yn dileu'r fideo'n syth o fy wal, ond mae fy ffrwd newyddion yn llawn ohono o hyd, wrth i ragor o aelodau'r cast roi sylwadau ar y ddolen a rhannu'r fideo.

Sut allai Megan wneud hyn i mi? Faswn i byth, byth yn gwneud rhywbeth fel hyn iddi hi. Fel mellten, anfonaf neges bersonol ati: *Plis wnei di dynnu'r fideo i lawr?* Eisteddaf gan syllu ar y sgrin, yn aros am ymateb, ond does dim yn dod.

'Dere!' mwmialaf, drosodd a throsodd. Ond does dim smic oddi wrth Megan.

Ar ôl hanner awr, mae fy ffrwd Facebook yn tawelu, a'm ffrindiau ysgol wedi mynd i gysgu o'r diwedd. Ddylwn i fynd i gysgu hefyd. Ond sut alla i? Yn y bore, bydd pawb arall yn gweld y fideo. Teimlaf fel tasen i'n eistedd ar fom yn tician, yn aros iddo ffrwydro.

Gorweddaf yn 'y ngwely am oriau, yn edrych ac yn ailedrych ar fy ffôn. Yn diweddaru 'nhudalen Facebook, gan obeithio y bydd Megan yn gweld fy neges ac yn tynnu'r fideo i lawr.

Am 5.30 y bore, a finnau'n dechrau mynd yn ddwl yn 'y mlinder, anfonaf neges arall ati, yn ymbil arni i gael gwared ar y fideo. Yna, gorweddaf yn ôl a chau fy llygaid. Bydd popeth yn iawn, dywedaf wrthyf fy hun. Pan fydd hi'n dihuno ac yn gweld fy negeseuon, gwnaiff hi ddileu'r fideo.

O'r diwedd, dwi'n cwympo i gwsg anesmwyth, wrth iddi ddechrau gwawrio y tu fas.

Yna, clywaf Elliot yn curo – a churo a churo – sef ein cod cyfrinachol sydd mor ddifrifol â deialu 999. Eisteddaf lan yn syth ac anesmwyth yn 'y ngwely. Curaf yn ôl, i ddweud wrtho am ddod draw.

Clywaf sŵn neges destun ar fy ffôn. *Plis plis Megan, ateba fy neges,* meddyliaf gan gydio yn y ffôn. Ond Elliot sy 'na.

OMB CARIAD! PAID Â MYND AR-LEIN TAN I MI DDOD DRAW. DWI'N GADAEL NAWR

Clywaf 'i ddrws ffrynt yn cau a sŵn 'i draed yn taro'r llwybr. Rhedaf i lawr y staer i agor y drws iddo.

'Newydd ddihuno wyt ti?' hola Elliot wrth i mi agor y drws iddo.

Nodiaf.

'Iawn, dwi ddim eisiau i ti banicio, ond mae rhywbeth ofnadwy wedi digwydd,' medd yn ddifrifol.

'Mae'n iawn, dwi'n gwybod,' atebaf.

'Wyt ti?' Alla i ddim peidio â meddwl bod golwg braidd yn siomedig ar wyneb Elliot; mae e'n hoffi rhannu newyddion drwg.

'Y fideo?' meddaf, a'i arwain lan staer.

Wrth i ni gerdded ar draws y landin, mae drws stafell wely fy rhieni'n agor a Dad yn dod mas. Wrth weld Elliot, ymleda gwên dros 'i wyneb. 'Saith o'r gloch y bore yw hi,' medd.

'A dweud y gwir, un funud i saith yw hi, ond diolch Mr P,'

medd Elliot, gan edrych ar 'i oriawr.

Mae Dad yn codi'i aeliau ac yn ochneidio. 'Nid dweud faint o'r gloch yw hi oeddwn i. Trio dweud 'i bod hi braidd yn gynnar i ti ymweld â ni. On'd yw hi?'

'Dyw hi byth yn rhy gynnar i fod yn gefn i'ch ffrind gorau,' medd Elliot yn ddifrifol.

Mae Dad yn edrych arnai'n syth, a golwg bryderus ar 'i wyneb. 'Ydy popeth yn iawn, cariad? Fe ruthraist ti lan lofft neithiwr fel taset ti'n trio cuddio oddi wrth bawb.'

'Dwi'n iawn,' atebaf. 'Dim ond ...'

'Argyfwng gwaith cartref,' medd Elliot, gan orffen 'y mrawddeg. 'Y berfau Ffrangeg ofnadwy 'na.'

'Ond ... dyw Penny ddim yn gwneud Ffrangeg.' Mae Dad yn syllu arna i fel tase fe'n trio treiddio i mewn i 'mhen, i weld beth sydd wir yn digwydd ynddo fe.

'Na'dy, ond *dwi*'n gwneud Ffrangeg,' medd Elliot yn chwim. 'Dyna pam mae angen help Penny arna i.'

'O,' medd Dad, yn gwgu ac yn crafu'i ben. Dyw e ddim yn ein credu ni o gwbl. 'Wel, pan fyddwch chi wedi datrys eich penbleth Ffrengig, dewch i lawr i gael brecwast. Dwi'n gwneud wyau Americanaidd,' medd, 'ac mae angen i ni siarad am Efrog Newydd.'

'Wrth gwrs,' atebaf dros f'ysgwydd wrth i Elliot a finnau rasio lan yr ail res o risiau.

Caeaf ddrws fy stafell yn dynn.

'Pam na ddwedaist ti wrtha i?' gofynna Elliot.

'Ro'dd arna i ormod o gywilydd.' Suddaf i lawr ar 'y ngwely. 'A, ta beth, bydd e'n iawn. Dwi wedi anfon cwpwl o negeseuon at Megan, i ofyn iddi ddileu'r fideo. Felly, gobeithio y bydd e'n cael 'u dynnu oddi ar Facebook yn syth ar ôl iddi hi ddihuno.'

Mae Elliot yn syllu arna i. 'Pryd fuest ti ar Facebook ddwetha?'

'Tua phump o'r gloch bore 'ma.' Dwi'n teimlo fel tasen i'n mynd i gyfogi. Mae gyda fi deimlad bod Elliot yn gwybod rhywbeth nad ydw i'n gwybod dim amdano. Pam? A sut mae e hyd yn oed wedi gweld y fideo? Fe dynnais i'r tag oddi ar y cofnod felly ddylai e ddim bod wedi ymddangos ar 'i ffrwd Facebook; dyw e ddim yn ffrindiau gydag unrhyw un o'm ffrindiau ysgol i.

Agoraf 'y ngliniadur i ddiweddaru 'nhudalen Facebook.

'O na!'

Mae plentyn o Flwyddyn Naw wedi 'nhagio i mewn dolen i'r fideo – y fideo sydd nawr ar YouTube. Dwi hefyd wedi cael 'y nhagio mewn dolen i grŵp Facebook 'answyddogol' yr ysgol. Mae'r fideo yno hefyd.

'Mae'n wir ddrwg 'da fi, cariad,' medd Elliot wrtha i'n ddwys. 'Ond mae'n edrych fel taset ti ar fin mynd yn feiral.'

Pennod Un deg un

'Penny!' ebycha Mam yn ddramatig wrth i fi fynd i mewn i'r gegin. 'Beth sy'n bod?'

Eisteddaf i lawr wrth y ford, gan roi 'mhen yn 'y nwylo. Dwi'n teimlo fel crio, ond mae 'nghorff i'n rhy wan.

'Mae hi ar fin mynd yn feiral,' medd Elliot yn ddifrifol, gan eistedd i lawr wrth f'ochr.

'Mae firws arni?' mae Dad yn troi i fy wynebu. 'Ro'n i'n meddwl dy fod ti'n edrych braidd yn welw gynnau, cariad. Wyt ti'n moyn Lemsip?'

'Na, mae hi ar fin mynd yn feiral ... chi'n gwybod, fel mae pobl ar y we,' esbonia Elliot. 'Fel ddigwyddodd i Rhianna pan roddodd rhywun fideo ohoni hi'n noeth ar Twitter.'

'Mae fideo ohonot ti'n noeth ar Twitter?' Mae Dad yn eistedd wrth y ford, gyferbyn â fi, erbyn hyn. Dwi erioed wedi'i weld e'n edrych mor ddifrifol.

'Na!' yw f'ateb, gan siglo 'mhen.

'Wel, hanner noeth,' medd Elliot yn feddylgar.

'Mae 'na fideo ohonot ti'n hanner porcyn ar y we?' mae Dad yn codi ar 'i draed, ac yn eistedd eto gan edrych ar Mam.

Daw Mam i eistedd nawr. Mae'n gafael yn fy llaw.

'Beth sy'n bod, cariad?' A dyna'r sbardun i golli rheolaeth yn llwyr.

'Mae ...'na ... fideo ... o ... ohona ... i ... yn ... fy ... nicers ... uncorn!' egluraf, gan anadlu'n ddwfn rhwng pyliau o grio.

'Felly, mewn ffordd, mae hynny'n waeth na bod yn *borcyn*,' medd Elliot.

'Nicers uncorn?' hola Dad, a golwg hollol ddryslyd ar 'i wyneb.

'Pa nicers uncorn? Pa fideo? Wnaiff rhywun plis egluro'r stori'n llawn?'

'Cwympodd Penny ar y llwyfan neithiwr pan oedd hi'n tynnu llun, gan ddangos 'i nicers i'r gynulleidfa i gyd,' esbonia Elliot.

'Y nicers gwaetha sydd gen i,' ochneidiaf. 'Wel a dweud y gwir, nhw yw fy hoff nicers – dyna pam ro'n i'n 'u gwisgo nhw.' Syllaf ar Mam trwy lygaid dagreuol. 'Ro'n nhw mor gyfforddus. Ond ... nawr dwi eisiau'u llosgi nhw.'

'Eisiau llosgi beth?' hola Tom, gan lusgo'i draed i mewn i'r gegin, a'i wallt newydd-ddihuno'n annibendod llwyr.

'Y nicers uncorn,' medd Elliot.

'Wel, iawn felly. Yn amlwg – dwi'n dal i gysgu,' medd Tom, gan eistedd yn swrth mewn cadair.

'Felly dwyt ti ddim wir yn hollol borcyn yn y fideo 'ma?' mentra Dad.

'Ydw, yn bendant, yn breuddwydio,' medd Tom dan 'i anadl, cyn rhoi'i ben ar y ford a chau'i lygaid.

Siglaf 'y mhen.

'Wel, mae hynny'n iawn, felly, on'd yw e?' medd Dad, gan edrych arna i'n obeithiol.

'Oes ots 'u bod nhw wedi gweld dy nicers di am eiliad?

Fyddan nhw wedi anghofio am y peth erbyn heddiw.'

'Plis, dwedwch wrtha i mai breuddwydio ydw i,' medd Tom yn gwynfanllyd, a'i lygaid yn dal ar gau.

'Ond, d'ych chi ddim yn deall,' wylaf. 'Mae'r cyfan ar fideo ar y we, mewn *close-up* a *slow motion*. Bydd pawb yn gallu'i wylio drosodd a throsodd. Ac maen nhw mor ddi-liw a di-raen!'

'Beth sy mor ddi-liw a di-raen?' hola Dad.

Mae Elliot a finnau'n ateb fel côr:

'Y nicers uncorn!'

'Fy nicers uncorn!'

'O'r mawredd!' Mae Mam yn 'y nhynnu ati hi i gael cwtsh. 'On'd yw'r nicers yna gyda ti ers pan oeddet ti'n ddeuddeg oed?'

'Mam!'

Mae hi'n gwenu'n swil. 'Sori.'

Edrycha Tom arnom ni trwy lygaid cysglyd. 'Dwi ddim yn breuddwydio, ydw i?'

Sigla Elliot 'i ben. 'Nag wyt, yn anffodus.'

'Iawn,' medd Dad gan roi'i ddwylo ar y ford. 'Pwy bostiodd y fideo ar-lein?'

'Megan,' atebaf.

'Mega-wrach,' medd Elliot dan 'i anadl.

'Megan?' mae golwg syn iawn ar wyneb Mam.

'Ie – roddodd hi'r fideo ar 'i thudalen Facebook a nawr mae rhywun wedi'i roi ar YouTube a rhywun arall wedi'i roi ar dudalen Facebook yr ysgol,' egluraf gan ddechrau crio eto wrth feddwl am yr ysgol i gyd yn gwylio'r fideo o'm nicers, drosodd a throsodd.

Mae Tom yn syllu arna i. 'Ti o ddifri?'

Nodiaf.

'Iawn,' medd Tom gan godi ar 'i draed, yn gwbl effro erbyn hyn.

'Beth wyt ti'n neud?' hola Mam, gan edrych arno'n bryderus.

'Dwi'n mynd draw i'r ysgol i ffeindio pawb sydd wedi'i roi e ar-lein, a dwi am wneud iddyn nhw dynnu'r cyfan i lawr.'

Dwi erioed wedi gweld Tom yn edrych mor grac.

Neidia Mam ar 'i thraed a chydio yn 'i fraich. 'Alli di ddim gwneud hynny; dwyt ti ddim yn ddisgybl yno nawr.'

Gwga Tom arni. 'Oes ots? Mae Penny'n ddisgybl yno, ac mae hi'n chwaer i fi. Dwi ddim yn mynd i eistedd 'nôl a gwneud dim.'

Gwenaf arno'n ddiolchgar.

Siglo'i ben wna Dad. 'Fe ddelia i â hyn. Y peth diwetha sydd eisiau nawr yw i ti fynd i drwbwl hefyd.' Cydia yn fy llaw. 'Paid â phoeni, cariad. Af i lan i'r ysgol bore 'ma a gwneud i bawb dynnu'r fideo oddi ar Facebook.'

Siglaf 'y mhen. 'Tudalen Facebook answyddogol yw hi – does 'da'r athrawon ddim rheolaeth drosti hi. Ac mae cymaint o bobl wedi bod yn rhannu'r fideo; mae pawb yn mynd i'w weld ta beth.'

Mae'r ddelwedd o fynd i mewn i'r ysgol a phawb yn edrych arna i ac yn chwerthin yn dod i 'mhen ac yn sydyn dwi'n teimlo fel tase rhywbeth yn 'y nhynnu dan y dŵr. Alla i ddim anadlu, alla i ddim llyncu ac mae 'nghorff i gyd yn dechrau crynu'n wyllt. Alla i ddim ymdopi â rhagor o ddrama.

'Pen? Wyt ti'n iawn?' Mae llais Elliot yn swnio'n ddieithr ac yn bell.

Mae lleisiau pawb arall yn asio gyda'i gilydd, bron fel radio'n cael 'i diwnio.

'Penny?' 'Pen?' 'Cariad?' 'Cer i nôl dŵr iddi hi.' 'O Dduw Mawr, mae hi'n mynd i lewygu.'

Teimlaf rywun yn dal f'ysgwyddau. Rhywun cryf. Dad.

'Anadla'n araf ac yn ddwfn, cariad.' Mam.

''Co ti. Llymed o ddŵr.' Tom.

Caeaf fy llygaid a dechrau anadlu i mewn ac allan yn araf ac yn ddwfn. Ac eto. Yn fy meddwl, gwelaf lun o'r môr, yn symud mewn a mas, mewn a mas. Ac yn raddol, mae 'nghorff yn stopio crynu.

'Penny, beth ddigwyddodd?' medd Mam. Mae golwg mor bryderus arni hi nes 'mod i eisiau crio eto. Ond mae ofn crio arna i, rhag ofn i'r pwl panig ddod 'nôl, felly dyma ganolbwyntio ar f'anadl.

'Wyt ti'n iawn?' hola Dad. Mae e'n dal i gydio'n dynn yn f'ysgwyddau. Mae'n deimlad braf. Fel tase angor yn 'y nal i yn fy lle.

'Ydw i am ddweud wrthyn nhw?' hola Elliot yn garedig.

Nodiaf. Ac, wrth i mi ddal i ganolbwyntio ar f'anadl, dechreua Elliot esbonio am y pyliau panig dwi wedi bod yn 'u cael ers y ddamwain car.

Mae Mam a Dad yn wclw.

'Mac'n flin 'da fi,' yw'r peth cyntaf sy'n dod o 'ngheg.

Mae Dad yn edrych arna i ac yn siglo'i ben. 'Beth? Pam wyt ti'n ymddiheuro?'

'Ddylet ti fod wedi dweud wrthon ni,' medd Mam.

'Do'n i ddim eisiau i chi boeni. A ta beth, ro'n i'n credu 'mod i'n mynd i wella, chi'n gwybod, ymhen amser.'

'Beth am i mi wneud te?' hola Tom. Ry'n ni i gyd yn syllu'n syn arno. Dyw Tom *byth* yn cynnig gwneud te. Gwenaf arno a nodio.

'Iawn 'te. Mae'n rhaid delio â hyn,' medd Dad, mewn llais awdurdodol a phendant. 'Ry'n ni'n mynd i gael help i ti, i drio cadw'r pyliau 'ma dan reolaeth.'

'Mae 'na lawer o bethau y galli di wneud,' ychwanega Mam. 'Dwi'n cofio llawer o'r ymarferion anadlu ro'n i'n arfer 'u gwneud pan fyddwn i'n cael ofn llwyfan.'

'Roeddet ti'n arfer cael ofn llwyfan?' holaf mewn anghrediniaeth. Mae'n anodd dychmygu unrhyw beth yn codi ofn ar fy mam hynod hyderus.

Nodia Mam. 'O, oeddwn. Ro'dd e'n ofnadwy. Weithiau ro'n i'n cyfogi cyn sioe, ond llwyddais i gadw'r peth dan reolaeth – ac fe wnei dithau hynny hefyd, cariad.'

'Digon gwir,' medd Dad, gan wenu arna i. 'A dwi'n mynd i ffonio'r ysgol i ddweud wrthyn nhw dy fod ti'n dost, ac yn aros gartref heddiw.

Mae'n dal fy llaw. 'Dwi'n meddwl y dylet ti aros gartref tan y flwyddyn newydd, i roi cyfle i bopeth dawelu. Dim ond dau ddiwrnod o'r tymor sydd ar ôl.'

Gwenaf arno'n wan. 'Diolch, Dad.'

'Ac yn drydydd,' medd, gan edrych ar Mam, 'hoffen ni i ti ddod gyda ni i Efrog Newydd.'

Mae Elliot yn ochneidio.

Edrychaf ar Dad, yn llawn braw. 'Ond ...'

'Ac Elliot hefyd,' medd Dad, gan dorri ar 'y nhraws.

'O, Mam bach!' Mae ceg Elliot wedi agor mor llydan fel 'mod i bron yn gallu gweld 'i donsiliau.

'Ro'n ni'n bwriadu gofyn i'r ddau ohonoch chi heddi, beth bynnag,' medd Mam gan wenu. 'Ond, gyda hyn i gyd yn digwydd hefyd, mae hyd yn oed mwy o reswm i ti ddod.'

'Dim ond am bedwar diwrnod,' medd Dad. 'Byddwn ni'n hedfan mas ddydd Iau ac yn dod 'nôl ddydd Sul – noswyl Nadolig.' Mae'n edrych ar Tom gan wenu. 'Felly byddwn ni'n dal gyda'n gilydd ar ddiwrnod Nadolig.'

Edrychaf ar Elliot. Mae'n gwenu'n ddwl, fel tase fe newydd ennill y loteri.

'Gwnaiff e fyd o les i ti,' medd Mam. 'Fe gei di siawns i ddod dros y ddamwain yn iawn – a'r dwli 'ma gyda'r fideo.'

'Ie, ac erbyn i ni ddod adre, bydd hi'n Nadolig a'r cyfan yn hen hanes,' medd Dad.

'Mae pwynt da gyda fe,' medd Elliot wrtha i, jyst cyn i'w ffôn ddechrau canu. Mae'n edrych ar y sgrin ac yn gwgu cyn ateb yr alwad. 'Haia Dad ... dwi drws nesa. Ble arall fyddwn i? ... Ocê, ocê. Bydda i 'na mewn munud.' Daw â'r alwad i ben, a golwg ddigalon ar 'i wyneb. 'Dad oedd yno, yn holi os ydw i'n mynd i'r ysgol heddiw. Well i mi fynd.' Mae'n troi ac yn cydio yn 'y nwylo. 'Dwi'n gwybod dy fod ti'n nerfus am fynd ar awyren, Pen, ond allwn ni i gyd dy helpu di gyda hynny, ocê?'

Edrycha ar fy rhieni ac maen nhw'n dechrau nodio fel y teganau cŵn 'na mae pobl yn 'u cadw yn ffenesti cefn 'u ceir.

'Wrth gwrs y gwnawn ni, cariad,' medd Mam gan wenu.

'Byddwn ni i gyd yno i ti,' medd Dad.

Dechreua ffôn Elliot ganu eto. 'Helô, Mam ... dwi newydd ddweud wrth Dad ... dwi drws nesa ... Bydda i gyda chi mewn dwy eiliad.'

Mae'n rhoi'i ffôn yn 'i boced ac yn ochneidio. 'Wir nawr, dyw fy rhieni i byth yn siarad â'i gilydd am unrhyw beth!' Yn sydyn, mae golwg bryderus arno. 'O, gobeithio y gwnân nhw adael i mi ddod gyda ti. Beth os mai "Na" fydd yr ateb?'

'Paid â phoeni, cariad,' medd Mam. 'Af i draw i siarad â nhw wedyn. Dwi'n siŵr na fydd ots gyda nhw – yn enwedig gan fod ein cleientiaid ni'n talu am bopeth.'

Mae Elliot yn nodio'i ben ac yn gwenu'n ddwl eto. Yna, mae'n troi ata i, gan wenu'n obeithiol. 'Felly, beth wyt ti'n feddwl, Pen?'

Anadlaf yn ddwfn. Gwenaf. 'Dwi'n meddwl ein bod ni'n mynd i Efrog Newydd!'

20 Rhagfyr

Wynebu Eich Ofnau

Haia bobl!

Diolch eto am eich holl sylwadau ar y blog am gyfeillgarwch. Dwi'n gwybod 'i fod e'n swnio'n rhyfedd gan nad ydw i erioed wedi cwrdd â chi, ond dwi wir yn meddwl amdanoch chi i gyd fel ffrindiau i mi. Ry'ch chi wastad mor hyfryd a charedig ac mae eich cefnogaeth yn golygu lot fawr i fi.

Bydd y rhan fwyaf ohonoch chi, siŵr o fod, yn cofio'r blog diweddar am y pyliau panig dwi wedi bod yn 'u cael ers y ddamwain car. Wel, yr wythnos hon, ges i ryw fath o Foment Esgid Grisial.

Moment Esgid Grisial yw fy enw i a Wici am bethau sy'n digwydd – sy'n ofnadwy i ddechrau ond sy'n troi i fod yn rhywbeth hollol arbennig – fel pan mae Sinderela'n colli'i hesgid grisial, ond yn y diwedd, dyna sy'n dod â hi a'r tywysog at 'i gilydd.

Ddechrau'r wythnos hon, digwyddodd rhywbeth hollol erchyll ac ofnadwy i fi ac fe ges i bwl o banig dwl wedyn. Ond dwi'n meddwl/

gobeithio'i fod e'n mynd i arwain at rywbeth da dros ben.

Dwi'n mynd bant i rywle'r wythnos hon, sy'n golygu y bydd rhaid i mi fynd ar awyren.

Mae hyn yn gwneud i mi deimlo'n bryderus iawn ond dwi'n gobeithio, os alla i wneud hyn – os alla i wynebu fy ofn – falle y gallaf gael gwared ar yr ofn am byth.

Pan o'n i'n fach, ro'n i'n meddwl bod gwrach yn byw o dan wely Mam a Dad.

Bob tro fyddwn i'n mynd heibio'u stafell wely i fynd i fy stafell i, byddai'n rhaid i mi fynd yn gyflym iawn, fel na fyddai'r wrach yn hedfan mas ar 'i hysgub ac yn 'y nhroi i'n froga.

Yna, un diwrnod, gwelodd Dad fi'n rasio ar hyd y landin fel cath i gythraul, a gofyn beth o'n i'n wneud.

Ar ôl dweud wrtho fe, buodd rhaid i mi fynd i mewn i'r stafell wely gydag e, ac fe ddisgleiriodd e dortsh o dan y gwely.

Yr unig beth oedd yno oedd hen focs sgidiau.

Weithiau mae'n rhaid wynebu eich ofnau i sylweddoli nad ydyn nhw'n bodoli go iawn.

D'ych chi ddim yn mynd i farw – na throi'n froga.

Bydda i'n gwneud hynny'r wythnos hon, pan af i ar awyren.

Beth amdanoch chi?

Oes gyda chi ofnau y byddech chi'n hoffi'u hwynebu?

Falle allen ni wneud hyn gyda'n gilydd ...?

Beth am sgrifennu am eich ofnau yn y bocs sylwadau isod, ac esbonio sut 'ych chi am 'u hwynebu nhw?

Pob lwc! Fe wna i roi gwybod sut aiff pethau'r wythnos nesa, yn y blog.

Merch Ar-lein, yn mynd oddi ar-lein xxx

✦ Pennod Un deg dau ✦

'Beth sydd angen arnat ti ...' medd Elliot wrth i ni fynd i eistedd mewn caffi yn lolfa'r maes awyr, 'yw dy Sasha Fierce dy hunan.'

'Ty ... beth?' Mae 'nghalon yn curo'n wyllt wrth i fi edrych o gwmpas y lolfa. Cyn hir, byddwn ni'n cael ein galw i fynd ar awyren a fydd, rywsut, yn aros yn uchel lan yn yr awyr heb gwympo i'r ddaear. Ond beth os wnaiff hi gwympo i'r ddaear? Beth os ...

'Sasha Fierce,' medd Elliot says. 'Ti'n gwybod, enw llwyfan Beyoncé. *Alter ego.*'

Dwi'n gwgu arno. 'Beth yw'r dwli 'ma?'

Mae Elliot yn pwyso 'nôl yn 'i gadair ac yn ymestyn 'i goesau hir. Mae'n gwisgo hen grys chwys Harvard, trowsus tyn pinstreip a bŵts pêl-fas gwyrdd sy'n cyd-fynd yn berffaith â'i sbectol wyrdd lachar. Sut all e edrych mor hamddenol a chŵl pan ry'n ni ar fin camu ar diwb metel mawr a saethu lan i'r awyr?

'Pan ddechreuodd Beyoncé ym myd cerddoriaeth, ro'dd hi'n dawel ac yn swil iawn ac roedd yn gas 'da hi fynd ar y llwyfan,' eglura Elliot. 'Felly, dyma hi'n dyfeisio *alter ego* o'r enw Sasha Fierce, oedd yn ddewr ac yn hyderus ac yn cŵl. Wedyn, bob tro fyddai hi'n mynd ar y llwyfan, gallai hi esgus bod yn Sasha ac roedd hynny'n help iddi berfformio'n hyderus a thaflu'i gwallt dros bob man.'

'Taflu'i gwallt dros bob man?'

'Ie, ti'n gwybod ...' mae Elliot yn taflu'i ben 'nôl a mlaen, nes i'w sbectol dasgu oddi ar 'i wyneb a glanio yn 'y gôl.

'Reit,' meddaf, gan roi'i sbectol 'nôl iddo, 'a sut mae hyn yn mynd i helpu?'

'Mae angen i ti ddyfeisio dy fersiwn dy hun o Sasha Fierce ac yna esgus taw dyna pwy wyt ti pan fyddi di'n mynd ar yr awyren.' Mwytha Elliot 'i ên, fel y bydd e'n 'i wneud wrth feddwl yn ddwys am rywbeth. 'Beth am Ffion Ffyrnig?'

'Na, mae'n swnio fel rhyw fath o seico!'

Edrychaf ar fy rhieni, yn aros mewn ciw i brynu coffi – a the perlysiau i dawelu fy nerfau i. Er bod 'y ngheg mor sych â phapur gwydr, dwi ddim eisiau iddyn nhw ddod 'nôl yn rhy sydyn, achos wedyn byddwn ni'n yfed ein diodydd, cyn paratoi i fynd ar yr awyren a ...

'Ocê, beth am Hanna Hyder?'

Edrychaf ar Elliot a chodi f'aeliau. 'Ti o ddifri?'

Ochneidia Elliot. 'Iawn 'te, meddylia di am enw.'

Daw menyw tuag atom, yn tynnu cês bach pinc llachar. Mae hi'n gwisgo jîns llwyd tyn, bŵts pigfain du a chot hardd, sy'n debyg i glogyn. Mae hi'n edrych yn cŵl mewn ffordd hollol ddiymdrech a naturiol. Mae hyd yn oed 'i gwallt yn berffaith – bob du sgleiniog, gydag ambell gudyn cochlyd. Wrth iddi gerdded heibio, gwelaf 'i bod hi'n gwisgo mwclis ac arno'r gair *STRONG*. Mae hyn fel un o'r 'arwyddion o'r bydysawd' mae Mam wastad yn siarad amdanyn nhw.

'Strong,' sibrydaf.

Mae Elliot yn troi i edrych arna i. 'Beth?'

'Cyfenw fy *alter ego* yw *Strong*.'

Nodia Elliot. 'A, Iawn. Ydy, mae hwnna'n dda. Beth am yr enw cyntaf?'

Meddyliaf am ennyd. Heblaw am deimlo'n gryf, pa deimlad arall hoffwn ei gael? Hoffwn i fod yn dawel fy meddwl. Yn llonydd. Ond mae *Calm Strong* yn enw ofnadwy. Wrth feddwl am hynny, daw llun o'r môr i'm meddwl. *'Ocean!'* ebychaf. Nodia Elliot. *'Ocean Strong*. Hmm ... gallai hynny weithio.'

Ocean Strong. Wrth i'r enw droi a throsi yn 'y mhen, dychmygaf archarwres yn gwisgo siwt a chlogyn gwyrddlas, a'i gwallt cyrliog browngoch yn tasgu dros 'i hysgwyddau. Ocean Strong ydw i, meddaf wrthyf fy hunan, ac, yn rhyfedd iawn, mae'n dechrau gweithio. Teimlaf 'y nghalon yn arafu i'w churiad arferol, a dyw 'ngheg ddim yn teimlo mor sych nawr. *Fi yw Ocean Strong*. Dychmygaf fy *alter ego*'n syrffio ar don anferth, yn edrych i'r gorwel yn bwyllog gan sefyll yn gryf fel arch-arwres o fri.

Y funud honno, daw Mam a Dad 'nôl at y ford gyda'r diodydd.

'Popeth yn iawn?' hola Mam, gan edrych arna i.

'Iawn,' atebaf. Gallaf hyd yn oed wenu.

Wrth i Mam, Dad ac Elliot sgwrsio am Efrog Newydd a'r holl lefydd maen nhw am ymweld â nhw, canolbwyntiaf ar yr ymarferion anadlu ddysgodd Mam i mi, a meddwl am ragor o bethau i gwblhau'r darlun o Ocean Strong yn fy meddwl. Tase angen i Ocean Strong fynd ar awyren, fyddai dim ots gyda hi o gwbl. Byddai hi'n martsio i mewn â'i phen yn uchel, yn syllu'n syth o'i blaen. Tase Ocean Strong wedi bod mewn damwain car, fyddai hi ddim yn gadael i hynny sbwylio gweddill 'i bywyd; byddai hi'n ddewr ac yn feiddgar ac yn parhau i ymladd drwgweithredwyr. Teimlaf fy ffôn yn dirgrynu yn 'y mhoced, gan chwalu 'mreuddwyd; neges destun oddi wrth Megan.

Helô, Penny! Dywedodd Kira wrtha i dy fod ti'n mynd dramor dros y Nadolig. Yw hynny'n wir? Wnei di ddod â phersawr Chanel i fi o'r maes awyr? Gei di'r arian gen i wedi i ti ddod adre. Diolch xoxo

Dyma'r tro cyntaf i fi glywed wrth Megan drwy'r wythnos. Er nad ydw i wedi bod yn yr ysgol ers y ddrama, dyw hi ddim wedi meddwl gofyn a ydw i'n iawn. Fe wnaeth hyd yn oed Ollie anfon neges trwy Facebook i holi amdana i. Does dim ymddiheuriad am y fideo chwaith, er iddi hi 'i dynnu oddi ar 'i thudalen.

Diffoddaf fy ffôn a'i rhoi yn 'y mag. Tase rhywun yn rhoi fideo anffodus o Ocean Strong ar-lein, beth fyddai hi'n wneud? Dychmygaf hi'n chwerthin am y peth, cyn neidio ar 'i bwrdd syrffio a diflannu i'r pellter, i chwilio am anturiaethau newydd.

Ac yn sydyn, mae rhywbeth rhyfedd yn digwydd. Dwi'n dechrau teimlo'n dda iawn amdana i fy hun. Mae rhai pethau diflas wedi digwydd i mi yn ddiweddar, ond dwi heb adael iddyn nhw 'nhrechu i. Ac nid yn unig 'mod i heb adael iddyn nhw 'nhrechu i ond dwi'n mynd ar antur i Efrog Newydd. Falle 'mod i'n lletchwith ac yn poeni bob munud ac yn gwisgo dillad isaf amheus, ond dwi ar fin gwneud rhywbeth eithaf cŵl. Dwi'n eithaf cŵl, gan mai Ocean Strong ydw i.

Pennod Un deg tri

Diolch byth, mae'r pedwar ohonom ni'n eistedd gyda'n gilydd yn rhes ganol yr awyren, ac yn well fyth, dwi rhwng Elliot a Dad. Mae hyn yn gwneud i mi deimlo'n saff yn syth, ond cyn gynted ag y clywaf injan yr awyren yn dechrau tanio, daw tyndra ofnadwy i gydio yn 'y ngwddf.

'Felly, dwed rywbeth arall wrtha i am Ocean Strong,' sibryda Elliot yn 'y nghlust.

'Mae ganddi hi fwrdd syrffio cŵl,' meddaf, gan wasgu breichiau fy sedd.

Nodia Elliot yn werthfawrogol. 'Mae hynny'n neis. Dwi'n meddwl bod angen iddi hi gael rhyw ddywediad bachog hefyd.'

Clywaf lais y peilot dros yr uchelseinydd. 'Staff y caban, paratowch i godi.' Mae'i lais yn ddwfn ac yn eglur, ac yn f'atgoffa o lais Dad – sy'n beth da.

'Beth wyt ti'n feddwl?' yw 'nghwestiwn i Elliot.

'Wel, fel mae Batman yn dweud, "I'r *Batmobile*, Robin," a Judge Dredd yn dweud, "Fi yw'r gyfraith." '

'O. Iawn.'

Mae'r injan yn sgrechian nawr, a'r awyren yn dechrau hedfan.

Caeaf fy llygaid a dechrau meddwl yn ddwys am beth allai Ocean Strong 'i ddweud.

'Ac mae'r Crwbanod Ninja'n dweud "Cowabunga" a Lobo yn dweud *"Bite me, fanboy"*.'

Agoraf fy llygaid a rhythu'n ddig ar Elliot. 'Dwi ddim am gael *"Bite me, fanboy"* fel dywediad!'

Dechreua'r awyren sgrialu i lawr y tarmac. Daw ôl-fflachiadau i'm meddwl o'n car ni'n sgrechian ar draws y ffordd yn y glaw, a llais Mam yn sgrechian. Edrychaf arni, ond mae hi'n sgwrsio'n braf gyda Dad.

'Beth am *"Here I come to save the day"*?' hola Elliot.

'Pwy oedd yn dweud hynny?'

'Mighty Mouse.'

Chwerthin wnaf i. 'All Ocean Strong ddim cael yr un dywediad â Mighty Mouse!'

'*"My spider sense is tingling"*?' awgryma Elliot gyda gwên.

Nawr dwi'n chwerthin ac yn ofnus yr un pryd. Mae'r awyren yn saethu i fyny i'r awyr, a'r tir yn llithro o'r golwg.

'Ti'n iawn?' sibryda Elliot, gan roi 'i law dros fy llaw i.

Nodiaf gan rygnu 'nannedd. 'Plis, wnei di ddal ati â'r dywediadau 'ma i gadw fy meddwl oddi ar yr holl sefyllfa 'ma?'

Mae llygaid Elliot yn goleuo. 'Wrth gwrs!'

Erbyn i'r awyren stopio dringo, dwi'n gwybod dywediadau pob archarwr, o Captain America i Wonder Woman a Wolverine.

'Iawn, Pen?' medd Dad, yn edrych arna i'n bryderus.

Nodiaf gan wenu. Gyda Mam a Dad ac Elliot yn gwmni, fi yw'r ferch fwyaf lwcus yn y byd ... hynny, os digwydd i'r awyren lanio'n ddiogel.

Elliot yw'r cwmni gorau erioed ar awyren, a dweud y gwir. Mae'n siarad ac yn siarad trwy gydol y chwe awr o daith. Hyd yn oed pan fyddwn ni'n gwylio ffilm gyda'n gilydd, mae'n cynnig sylwebaeth ffraeth arni o'r dechrau i'r diwedd. Ac ar yr adegau prin hynny pan fydda i'n dechrau teimlo'n bryderus, fel pan fydd arwydd y gwregys diogelwch yn pingian wrth fynd trwy storm fach, dwi'n canolbwyntio ar anadlu ac yn creu llun o Ocean Strong yn 'y mhen.

Wrth i staff yr awyren baratoi i lanio, teimlaf ias o gynnwrf yn gymysg â phryder. Wrth i'r awyren ddisgyn, mae'r bobl yn y seddi wrth y ffenesti'n dechrau edrych allan, ond dal i syllu'n syth ymlaen wna i, gan hoelio fy sylw ar gefn y sedd o 'mlaen i.

Dwi'n gryf fel y cefnfor, meddaf, drosodd a throsodd yn 'y mhen.

Ac yn sydyn, mae'r awyren yn tasgu mlaen ac ry'n ni'n glanio ar y ddaear. Dwi mor hapus ac yn teimlo cymaint o ryddhad fel bod dagrau yn fy llygaid.

'Ry'n ni yma,' sibrydaf wrth Elliot. 'Wedi cyrraedd yn saff.'

Wrth i ni godi i adael, edrychaf allan yn syfrdan drwy ffenest yr awyren. Mae popeth yn edrych mor Americanaidd – o'r trycs arian hirdrwyn i'r dynion yn gweithio wrth olwynion yr awyren nesaf atom ni, gyda'u capiau pêl-fas glas tywyll a'u trowsusau milwrol.

Mae gwên Elliot mor llydan fel 'i bod hi bron â chyrraedd 'i glustiau. 'Ry'n ni wedi cyrraedd Efrog Newydd', sibryda'n gyffrous. 'Ry'n ni yn Efrog Newydd!'

Doedd aros am bron i ddwy awr wrth y tollau ddim yn ddigon i sbwylio hwyliau neb. Wrth aros mewn rhes am dacsi, mae Elliot a finnau'n gwenu ar ein gilydd ac yn siglo'n pennau mewn anghrediniaeth.

'Alla i ddim credu ein bod ni yma go iawn,' medd Elliot eto ac eto, gan guro'i ddwylo.

Wrth i mi wylio'r tacsis melyn llachar yn gwibio bant â'u teithwyr, dwi'n teimlo fel tase'r awyren wedi'n taflu ni – yn bendramwnwgl – i ganol set ffilm. Mae popeth yn edrych mor wahanol – ond eto mor gyfarwydd. Dyw Mam, druan, ddim yn edrych fel tase hi'n teimlo mor gyffrous, chwaith; bron yn syth ar ôl i ni lanio roedd yn rhaid iddi ddechrau ffonio pobl am y briodas. Y funud hon, mae hi ar y ffôn gyda Sadie Lee – y fenyw sy'n gyfrifol am yr arlwyo. Dwi'n deall bod rhyw fath o broblem wedi bod, wrth geisio cael cig soflieir ar gyfer y fwydlen thema *Downton Abbey*.

'Ocê, wel bydd yn rhaid i hynny wneud y tro,' medd Mam, gan gamu 'nôl a mlaen wrth ein hochr. 'A pheidiwch ag anghofio'r cwstard ar gyfer y pwdin bara.'

Aiff Dad draw ati, a rhoi llaw ar 'i hysgwydd. Mae hi'n pwyso yn 'i erbyn. Yng nghanol yr ofn a'r cynnwrf, anghofiais i'n llwyr fod Mam yma i weithio. Af draw atyn nhw, i ymuno yn y cwtsh.

O'r diwedd, dyma ni'n cyrraedd diwedd y rhes.

'I ble?' hola'r gyrrwr, gan neidio allan o'r tacsi. Mae e'n dywyll ac yn olygus, ac yn gwisgo siwmper ddu a jîns, a gwg difrifol ar 'i wyneb.

'Y Waldorf Astoria, os gwelwch yn dda,' medd Dad, gan beri i Elliot gael pwl arall o glapio cyffrous.

'Dyma ddiwrnod gorau 'mywyd, erioed!' llefa.

Edrycha'r gyrrwr arno fel tase fe'n wallgo, yna gwêl ein pentwr anferth o gesys – mae angen dau gês anferth arnom ni ar gyfer gwisgoedd parti'r briodas. 'Geez!' medd. 'Y'ch chi'n siŵr nad oes angen tryc arnoch chi?'

Gwena Mam arno, ag ymddiheuriad yn 'i llygaid.

Dechreua'r gyrrwr hyrddio'r cesys i gist y car, gan wfftio dan 'i anadl.

'Paid â phoeni,' medd Elliot wrtha i'n dawel. 'Mae'n rhaid i yrwyr tacsis Efrog Newydd fod yn anghwrtais – dyna sut maen nhw i fod.'

Mae'r gyrrwr yn ymsythu ac yn edrych ar Elliot. 'Beth ddwedes ti?'

Mae Elliot bron â neidio o'i groen. 'Dim byd. Ro'n i jyst yn dweud, mae'n rhan o'ch act chi, a chithau'n yrrwr tacsi yn Efrog Newydd.'

'Beth sy'n rhan o'r *act*?'

'Bod ... ym ... bod yn anghwrtais.' Edrycha Elliot ar y llawr, fel petai'n gobeithio y gwnaiff e'i lyncu.

'Dim act yw hynny, fachgen,' rhua'r gyrrwr. 'Nawr, dere i'r car.'

Ry'n ni i gyd yn gwasgu i mewn i'r tacsi. Feiddia i ddim edrych ar Elliot rhag ofn i fi ddechrau chwerthin. Dwi'n llawn egni nerfus a chynnwrf. Tybed wna i ffrwydro? Wrth i'r gyrrwr droi allan o'r maes awyr, daliaf f'anadl. Mae popeth mor anferth – o'r draffordd eang i'r byrddau hysbysebu enfawr wrth ochr y ffordd.

'Y'ch chi wedi cael unrhyw eira eto?' medd Dad wrth y gyrrwr, gan ddechrau sgwrs am y tywydd i osgoi unrhyw eiriau croes. Am beth nodweddiadol Brydeinig i'w wneud, meddyliaf.

'Naddo,' yw ateb y gyrrwr. 'Ble ddiawl wyt ti'n meddwl wyt ti'n mynd?' bloeddia allan o'r ffenest wrth i dryc dorri i mewn o'i flaen.

Gwasgaf 'y nwrn mor dynn nes bod f'ewinedd yn torri i mewn i gledrau 'nwylo. Yn syth, mae Mam ac Elliot, sy'n eistedd wrth f'ochr, yn rhoi'u dwylo ar 'y mhengliniau. Caeaf fy llygaid a meddyliaf am Ocean Strong.

Wrth gyrraedd calon Efrog Newydd, mae 'mhen i'n teimlo fel tase ar fin ffrwydro wrth brosesu'r holl olygfeydd anhygoel o 'nghwmpas. Ro'n i wedi disgwyl gweld adeiladau uchel, ond do'n i ddim wedi disgwyl iddyn nhw gyrraedd mor bell i fyny i'r awyr! Do'n i ddim chwaith wedi disgwyl gweld cymaint o hen adeiladau'n gymysg â rhai newydd. Mae o leiaf un hen gapel cerrig yn cuddio rhwng y tyrau disglair ar bob bloc. Ac mae'r bobl hyd yn oed yn fwy diddorol. Mae'r palmentydd yn llawn pobl fusnes a siopwyr Nadolig. Cyn gynted ag y bydda i'n canolbwyntio ar un cymeriad difyr, daw un arall i'r golwg. Gwyliaf fenyw hardd mewn siwt lwyd tywyll ac esgidiau rhedeg glas llachar yn gwau trwy'r dorf, gan ddiflannu'n sydyn i far sy'n gwerthu sudd ffrwythau. Yna, mae fy llygaid yn taro ar fachgen o dras Sbaenaidd â gwallt porffor, yn dod allan o siop lyfrau maint cae pêl-droed, cyn cael 'i sugno i ganol y dyrfa. Mae plismon yn cnoi ar gi poeth wrth groesfan, a lleian mewn abid glas tywyll yn hofran drwy'r prysurdeb, mor dawel a phwyllog â phetai hi'n cerdded yn 'i chwsg. Ym mhob twll a chornel, gwelaf gyfleoedd i dynnu lluniau arbennig. Mae hyd yn oed y sŵn yn uwch yma, gyda chorws o seirenau a chyrn yn canu a gweiddi o'n cwmpas. Wrth f'ochr, mae Elliot yn gwasgu 'mraich yn llawn cynnwrf.

Ac yna, o'r diwedd, dyma ni'n cyrraedd Park Avenue. Mae'r heol mor llydan fel bod y goleuadau traffig ar bolion anferth, yn siglo yn y gwynt. Maen nhw'n disgleirio'n felyn euraid, fel y tacsis niferus sy'n pasio bob yn ail â'r ceir cyffredin ar yr heol. Mae fy llygaid yn agor yn lletach ac yn lletach wrth i mi sylwi ar y gwestai crand ar hyd y stryd. Yr unig beth sy'n dawnsio o gwmpas fy meddwl yw'r geiriau, *dwi'n mynd i dynnu lluniau ANHYGOEL tra bydda i yma*.

Wrth i ni stopio o flaen ein gwesty, mae hyd yn oed Dad yn fud. Mae wyneb y gwesty – sydd o gerrig llwyd hardd – fel petai'n ymestyn am filltiroedd. Saif dwy goeden Nadolig enfawr bob ochr i'r drws troi fel dau warchodwr, a'u goleuadau coch ac aur yn wincio arnom.

Wrth gamu allan o'r tacsi, teimlaf rywbeth oer yn disgyn ar

flaen 'y nhrwyn. Edrychaf tua'r awyr a gweld 'i bod hi'n dechrau bwrw eira. Dim eira trwm – dim ond ambell bluen ysgafn yn cwympo'n araf bach, fel tasen nhw wedi sleifio allan o'r cwmwl i weld beth sy'n digwydd.

'Prynhawn da, Madam!'

Edrychaf draw a gweld dyn yn gwisgo'r siwt smartiaf erioed, yn gwenu arna i.

Gwenaf yn ôl yn swil. 'Prynhawn da.'

'Croeso i'r Waldorf,' medd, gan ddod i'n helpu gyda'n cesys.

Edrychaf ar y coed Nadolig a'r goleuadau disglair a'r plu eira'n disgleirio yn yr awyr fel darnau o arian mân, a dwi ddim yn teimlo fel tasen i mewn ffilm bellach; dwi'n teimlo fel tasen mewn stori hud a lledrith. Wrth i ni ddilyn y dyn i'r gwesty, croesaf 'y mysedd a dymuno i bawb fod yn hapus am byth ar ddiwedd y stori hon.

★ *Pennod Un deg pedwar* ★

Dychmyga'r palas hud a lledrith harddaf, mwyaf moethus a mwyaf anhygoel y gelli di'i greu yn dy ben. Yna, ychwanega ragor o farmor, aur, siandelïers, disgleirdeb a hyfrydwch ac yna, falle, y bydd gen ti rywbeth tebyg i'r Waldorf Astoria.

'Waw!' ebycha Elliot, wrth iddo syllu o amgylch y cyntedd.

'Mae hwn yn well na Travelodge Hastings, on'd yw e, blant?' medd Dad gyda winc.

Dwi'n rhy syfrdan i chwerthin hyd yn oed.

Mae golwg ofnus ar Mam. 'Mae hwn yn anferth,' sibryda wrth Dad. A dwi ddim yn siŵr a yw hi'n siarad am y cyntedd, y gwesty, neu'r briodas y mae'n rhaid iddi'i threfnu.

Erbyn i ni fynd i'n stafelloedd, mae Elliot a finnau'n dynwared pysgod aur – yn agor a chau ein cegau, heb allu dweud dim, ond 'O Mam bach!'

Maen nhw wedi'n rhoi ni mewn dwy stafell sy'n sownd wrth 'i gilydd, drws nesaf i Mam a Dad.

Mae angen i ni gael un o'r rhain gartref, medd Elliot wrtha i, trwy'r drws sy'n ein cysylltu. 'Pa mor cŵl fyddai hynny, tasen i'n gallu galw draw i dy weld di, heb hyd yn oed orfod mynd tu fas?'

'Cŵl iawn,' meddaf, gan eistedd ar erchwyn 'y ngwely. Mae fy stafell fel stafell mewn plasty. Mae'r celfi i gyd wedi'u gwneud o fahogani sgleiniog, ac mae coesau wedi'u cerfio'n gywrain ar y cadeiriau, y ddesg a'r gwely. Browngoch ac aur yw prif liwiau'r stafell, sydd ddim yn lliwiau y byddwn i'n 'u dewis gartref yn fy stafell i, ond maen nhw'n edrych yn berffaith yma. Edrychaf ar y ffenest. Mae'r llenni melfed yn mynd yr holl ffordd o'r nenfwd i'r llawr, ac wedi'u clymu â rhubanau trwchus. 'O Mam bach, ai ...?' Neidiaf oddi ar y gwely a rasio draw at y ffenest. Mae Elliot yn 'y nilyn. 'Yr Empire State Building,' medd, a'i wynt yn 'i ddwrn, wrth i ni syllu mas ar amlinell drawiadol tyrau dinas Efrog Newydd. Trown i edrych ar ein gilydd am eiliad, cyn dechrau neidio o gwmpas fel plant ar fore Nadolig.

Am weddill y prynhawn, mae Mam a Dad yn brysur mewn cyfarfodydd gyda Cindy, Jim a'r rheolwr arlwyo. Mae Elliot a finnau i fod cysgu, i gael gwared ar ein *jet lag* cyn mynd mas gyda'r nos, ond ry'n ni wedi cyffroi gormod. Yn lle hynny, ry'n ni wedi adeiladu nyth o glustogau a gobenyddion ar 'y ngwely, ac yn gwibio o sianel i sianel, i gael golwg ar deledu America. Mae Elliot hefyd yn edrych ar ffeithiau diddorol am y Waldorf Astoria ar 'i liniadur. Mae 'ngliniadur i'n dal yn 'y nghês. Dwi wedi penderfynu 'i adael yno weddill y gwyliau. Dwi hefyd wedi diffodd y cyswllt â'r we ar fy ffôn. Dwi am deimlo – go iawn – fel tase cefnfor rhyngof i a phawb o'r ysgol, heb sôn am Gywilydd y Nicers Uncorn.

'O Pen, gwranda ar hwn!' medd Elliot, sy'n dechrau darllen o'i sgrin. 'Cafodd y Waldorf Astoria 'i godi gan ddau gefnder o'r enw Waldorf ac Astor, oedd wedi cweryla. Adeiladon nhw westy bob un, drws nesaf i'w gilydd, i gystadlu â'i gilydd.' Mae'n troi tuag ata i gan chwerthin. 'Wedyn, pan ddaethon nhw'n ffrindiau eto, fe adeiladon nhw goridor rhyngddyn nhw.'

'Wyt ti o ddifri?'

'Ydw,' aiff Elliot yn 'i flaen. 'O, ond nid yr adeilad yma oedd e. Cafodd hwn 'i adeiladu yn 1931. Cafodd y gwesty gwreiddiol 'i ddymchwel i wneud lle i'r Empire State Building.'

Ry'n ni'n syllu drwy'r ffenest eto, ac daw'r teimlad 'pinsia fi dwi'n breuddwydio' yn 'i ôl.

'Dwyt ti ddim yn mynd i gredu hyn!' ebycha Elliot yn syn. 'Dyma'r gwesty lle cafodd *room service* 'i ddyfeisio!'

'Ti'n tynnu 'nghoes i?'

'Na'dw. Ac ... ac ...' prin y gall Elliot guddio'i gynnwrf, 'roedd 'na blatfform trên tanddaearol cyfrinachol hefyd.'

'Beth?'

'Roedd e ar gyfer pobl bwysig oedd eisiau cyrraedd yn gyfrinachol, fel yr arlywydd.' Mae Elliot yn edrych arna i, a'i lygaid fel soseri.

'O, Pen, dwi'n dwlu ar y lle 'ma.'

Yn y diwedd, ry'n ni'n archebu bwyd *room Service*, gan y byddai hi, fel y dywedodd Elliot, 'yn anghwrtais iawn i ni beidio, gan mai nhw wnaeth ddyfeisio'r peth.' Ry'n ni'n archebu Salad Waldorf, gan mai fan hyn y cafodd hwnnw 'i ddyfeisio hefyd, a Pizza Margherita enfawr. Dwi'n dechrau teimlo'n gysglyd iawn erbyn i Mam a Dad ddod 'nôl. Mae Dad yn edrych yr un peth ag arfer – yn hamddenol braf – ond mae Mam ar bigau'r drain.

'Mae cymaint i'w wneud!' ebycha, gan daflu'i hunan i lawr ar 'y ngwely. 'Ro'n i'n gwybod y dylen ni fod wedi dod yn gynt.'

'Bydd popeth yn iawn,' medd Dad, gan wenu'n garedig arni, 'mae trwy'r dydd fory gyda ni i gael trefn ar bopeth. Ac mae Sadie Lee yn seren.'

Mae Mam yn nodio. 'Ydy, mae hi'n anhygoel. Mae'i phwdin bara hi'n nefolaidd,' ebycha gan edrych arna i nawr. 'Roedd Cindy a Jim yn meddwl tybed allet ti dynnu ambell lun bach anffurfiol iddyn nhw. Maen nhw wedi bwcio ffotograffydd proffesiynol ar gyfer y briodas 'i hun, ond ro'n nhw'n meddwl y byddai'n neis cael lluniau ohonom ni'n paratoi popeth, ac yn rhoi'r pethau *Downton Abbey* yn 'u lle. Maen nhw hefyd wedi gofyn a allet ti dynnu lluniau bach hwyliog yn ystod y dydd hefyd – y pethau bach fyddai ffotograffydd proffesiynol ddim yn 'u gweld?'

'Wir?'

Galla i deimlo pilipalod bach yn dawnsio yn 'y mola. 'Ond pam fi?'

'Dangosais i rai o'r lluniau dynnaist ti mewn priodasau eraill, ac ro'n nhw'n meddwl 'u bod nhw'n arbennig.'

Dechreua Dad nodio, a gwenu'n falch. 'Mae hynny'n hollol wir.'

'Dwi'n siŵr,' medd Elliot. 'Mae Penny'n ffotograffydd hollol arbennig.'

Mae pob rhan ohona i'n gwenu. 'Waw. Pryd alla i ddechrau?'

'Fory, tra bydda i'n rhoi popeth yn 'u lle,' medd Mam.

'Paid â phoeni, Elliot,' medd Dad. 'Tra bydd y merched yn brysur, allwn ni fynd am dro i weld atyniadau'r lle 'ma. Beth am ymweld â rhai o'r amgueddfeydd?'

Mae Elliot yn edrych ar Dad, ac er mawr syndod i mi, galla i weld bod dagrau lond 'i lygaid. 'Byddai hynny'n hollol anhygoel,' medd yn dawel. 'Wir nawr, chi yw'r gorau. Diolch o galon am ddod â fi yma.'

'O, cariad,' medd Mam gan chwerthin, 'ry'n ni wrth ein boddau dy fod ti yma!' Ac ry'n ni i gyd yn rhoi cwtsh anferth i Elliot.

✦ Pennod Un deg pump ✦

Fore trannoeth, caf 'y nihuno gan sŵn curo.

'Pen, wyt ti wedi dihuno?'

Y syniad cyntaf ddaw i'm meddwl yw, *Sut alla i glywed llais Elliot mor eglur trwy wal fy stafell wely?* Yna, agoraf fy llygaid a chael cip ar ddillad gwely gwyn, moethus a charped browngoch, trwchus, a daw'r cyfan yn ôl i'm meddwl. Yn y Waldorf Astoria ydw i. Yn Efrog Newydd. Wnes i ddim marw ar yr awyren!

'Ydw,' atebaf, gan godi ar f'eistedd.

Daw Elliot i mewn drwy'r drws sy'n cysylltu ein stafelloedd, yn llawn bywyd. 'Dwi wedi bod ar ddi-hun ers oesoedd,' medd. 'Dwi'n teimlo'n rhy gynhyrfus i gysgu.' Edrychaf ar y cloc, a sylweddoli 'mod i wedi cysgu am ddeg awr gyfan. Mae hyn yn anhygoel, ar ôl y nosweithiau o ddiffyg cwsg 'nôl gartref.

Daw Elliot i eistedd ar erchwyn 'y ngwely, ac agora'i liniadur. 'Iawn, dwi'n gwybod nad wyt ti'n moyn mynd ar-lein tra ry'n ni 'ma, ond mae'n rhaid i ti weld rhywbeth.'

Dechreuaf deimlo'n dost. 'Na, plis, Elliot, dwi ddim am weld unrhyw beth am y fideo hurt 'na. Dwi jyst eisiau anghofio'r cyfan.'

Mae Elliot yn siglo'i ben ac yn gwenu. 'Dim y fideo sydd gyda fi; dy flog di.'

Dwi'n syllu arno. 'Beth ti'n feddwl?'

'Meddwl ydw i, cariad, dy fod ti wedi mynd yn feiral eto – ond y tro hwn, mewn ffordd dda iawn.'

'Beth?' Dwi'n cropian tuag ato ar y gwely ac yn troi'r gliniadur fel 'i fod yn fy wynebu i. Galla i weld y blog am wynebu ofnau.

'Symuda fe i lawr,' medd Elliot.

Dyna wnaf i. Mae 327 o sylwadau.

'Beth ...?' syllaf yn fud ar y sgrin. Dwi eriocd wedi cael cymaint o sylwadau â hyn. Erioed.

'Maen nhw i gyd wedi bod yn sôn am 'u hofnau,' medd Elliot, 'a sut maen nhw'n mynd i'w hwynebu nhw. Maen nhw wedi bod yn rhannu'r blog hefyd. Edrycha ar yr holl ddilynwyr sydd gyda ti.'

Syllaf ar y bar dilynwyr ar ochr dde'r sgrin. 'Deg mil?'

Nodia Elliot. 'Deg mil, saith cant a phymtheg, i fod yn fanwl gywir.'

Eisteddaf yn ôl, wedi fy syfrdanu. 'O, waw.'

'Ddylet ti 'u darllen nhw, Pen – mae rhai ohonyn nhw'n emosiynol iawn. Mae 'na un ferch yn sôn 'i bod hi'n mynd i wrthwynebu'r bwli yn 'i dosbarth ac mae un arall yn mynd i wynebu'i hofn o ddeintyddion. Ac o, mae'n rhaid i ti ddarllen yr un yma.' Dechreua Elliot symud i lawr drwy'r sylwadau. 'Edrycha.' Mae'n troi'r sgrin 'nôl i fy wynebu i.

Helô, Ferch Ar-lein. Mae'r ofn sydd gen i ychydig yn wahanol i ofn pobl eraill ar hwn, ac, a bod yn onest, dwi erioed wedi dweud wrth unrhyw un amdano fe. Ond os oes gyda ti'r hyder i wynebu dy ofn di ar ôl dy ddamwain car, dwi'n teimlo y dylwn i wynebu fy ofn fy hun hefyd. Fy ofn i yw fy mam. Wel, nid Mam 'i hunan ... ofn wrth 'i gwylio hi'n yfed. Ers iddi hi golli'i swydd, mae hi wedi bod yn yfed mwy a mwy a dwi'n casáu'r hyn mae'n 'i wneud iddi hi. Mae'n 'i gwneud hi'n grac ac yn gas ac mae hi'n gweiddi arna i o hyd. Ond nid dyna sy'n codi ofn arna i'n bennaf. Yn fwy na dim, dwi'n ofni nad yw hi'n 'y ngharu i ragor. Mae hynny'n swnio'n dwp, fwy na thebyg, ond mae hi'n ymddangos mor wahanol – fel tase hi ddim yn poeni mwy, am unrhyw beth nac unrhyw un – hyd yn oed fi. Ond gwnaeth dy flog f'ysbrydoli i wneud rhywbeth. Heddiw, dwi'n mynd i ddweud wrth fy modryb sut dwi'n teimlo. Dwi'n gwybod na fydd hi'n gallu trwsio unrhyw beth, ond falle y gall hi roi cyngor i mi a falle y bydd dweud wrth rywun am hyn yn fy helpu i deimlo'n well. Diolch o galon i ti am fod mor ddewr ac am ein hysbrydoli ni i fod yn ddewr hefyd. Llawer o gariad, Merch Pegasus xxx

Edrychaf ar Elliot, a dagrau lond fy llygaid. 'O'r mawredd.'
Nodia Elliot. 'Dwi'n gwybod. Ac edrycha ar hwn.' Mae'n llithro i lawr i waelod y sylwadau.

Helô eto. Dim ond eisiau dweud 'mod i wedi dweud wrth fy modryb, ac roedd hi'n hyfryd. Daeth hi draw i weld Mam a gofynnodd i'r ddwy ohonom ni ddod i aros gyda hi am sbel fach. Doedd Mam ddim yn grac gyda fi o gwbl – roedd hi'n drist iawn ac fe ddywedodd hi 'i bod hi'n flin iawn am y peth a'i bod hi'n mynd i gael help. Diolch o galon, Merch Ar-lein, ti yn llygad dy le; weithiau mae'n rhaid wynebu dy bryderon i sylweddoli nad ydyn nhw'n real. Llawer o gariad, Merch Pegasus xxx

Mae dagrau'n llifo i lawr fy wyneb. Dwi'n 'u sychu nhw ac yn syllu ar Elliot. 'Alla i ddim credu hynny – bod rhywbeth sgrifennais i ...'
'Dwi'n gwybod.' Mae Elliot yn rhoi'i fraich o gwmpas f'ysgwyddau. 'Dwi mor falch ohonot ti, Ocean Strong.'
Cwtshaf wrth 'i ochr. 'Diolch, Elliot.'

Mae'n siglo'i ben ac yn gwgu arna i. 'Diolch, *Waldorf Wild*.'
Codaf f'aeliau.
'Dyna f'enw Sasha Fierce newydd.'

Does dim byd yn curo 'Brecwast dydd Sadwrn' Dad, ond mae brecwast y Waldorf yn bendant yn ail agos iawn. Ar ôl i ni wledda ar gig moch crensiog, crempogau llusi duon bach a surop masarn *i gyd ar yr un plât* (sy'n swnio'n rhyfedd iawn, ond sy'n gweithio), aiff Mam a finnau i'r stafell lle bydd y briodas yn cael 'i chynnal tra bod dad ac Elliot yn mentro mas i weld yr atyniadau. Er 'mod i wrth 'y modd bod Cindy a Jim wedi gofyn i mi dynnu lluniau iddyn nhw, mae'n anodd peidio â theimlo braidd yn ddigalon. Gobeithio y caf i'r cyfle i fynd mas wedyn; dwi'n ysu i weld rhagor o Efrog Newydd.

Cyn gynted ag yr awn ni i mewn i stafell y briodas, edrychaf ar Mam yn syfrdan. 'O, Mam – mae'n berffaith.'

Nodia a gwena, 'Dwi'n gwybod.'

Gyda'r portreadau ar y wal, y carpedi moethus a'r hen gelfi chwaethus, mae'n edrych yn union fel rhan o set *Downton Abbey*.

Mae Mam yn rhoi'i dyddlyfr *To Have and to Hold* i lawr ar fwrdd bach wrth y drws, ac yn reddfol, trof fy nghamera ymlaen. Mae hi wedi rhoi'r dyddlyfr wrth ochr hen lamp fach brydferth, sydd fel petai'n crynhoi thema'r briodas i'r dim. Defnyddiaf y *zoom* i fynd yn ddigon agos i ddal y llythrennau ar y dyddlyfr, a thynnaf y llun.

'Felly, dyma'r stafell y byddan nhw'n priodi ynddi,' medd Mam, gan amneidio at y rhesi o gadeiriau ag ymyl euraid sydd wedi'u trefnu o flaen lle tân mawreddog. 'Yna ar ôl y seremoni, bydd y gwesteion yn cael 'u hebrwng i'r stafell fwyta ar gyfer y brecwast priodas.'

'Pam mae'n cael 'i alw'n *frecwast* priodas?' holaf, wrth ddilyn Mam tuag at ddrysau pâr anferth ar ochr arall y stafell.

'Dwi ddim yn gwybod yn union,' medd Mam. 'Falle achos mai dyma'r pryd cyntaf mae'r pâr priod yn 'i gael fel gŵr a gwraig?'

Meddyliaf fod angen i mi ofyn i Elliot; bydd e'n siŵr o wybod.

'O waw!' Mae'r drysau dwbl yn agor i stafell hyd yn oed yn fwy mawreddog, sy'n llawn bordydd crwn. Mae siandelïers hen ffasiwn anferthol yn crogi o'r nenfwd, a goleuadau arnyn nhw sy'n edrych yn union fel canhwyllau. Ar ganol bob bord, mae addurniadau wedi'u gwehyddu o gelyn a blagur rhosod gwyn. Ac ar ben pellaf y stafell, mae'r brif ford wedi'i haddurno â border o faneri Prydeinig sepia. Mae'r cyfan yn edrych yn brydferth iawn – fel petai'n perthyn i ryw oes o'r blaen.

'O, Mam, mae'n edrych yn anhygoel!'

Mae hi'n edrych yn obeithiol. 'Wyt ti'n meddwl?'

'Yn bendant.'

'Helô! Helô! Wel, mae'n rhaid mai Miss Penny yw hon.'

Trof i weld menyw yn dod trwy ddrws bach ym mhen pellaf y stafell, Mae hi'n gwisgo siwmper polo a throwsus smart, ac mae'i gwallt hir wedi britho, ac wedi'i glymu mewn cwlwm taclus. Mae hi'n amlwg yn 'i chwedegau ac yn edrych yn drawiadol dros ben – mae esgyrn 'i bochau'n uchel, a'i llygaid yn frown fel dwy fesen. Yn erbyn 'i chroen porslen, mae'i lipstic yn lliw coch tywyll prydferth.

'Helô, Sadie Lee,' medd Mam. 'Ie, dyma Penny.'

'Mae'n hyfryd cwrdd â ti,' medd Sadie Lee mewn acen Americanaidd hamddenol, hyfryd, a'i gwên yn ddisglair. 'Dwi wedi clywed cymaint amdanat ti.'

Cyn i mi ateb, mae hi'n rhoi cwtsh i mi. Mae hi'n arogli'n hyfryd – cymysgedd cynnes o sebon a sinamon.

'Sut gysgoch chi i gyd?' hola Sadie Lee, gan edrych ar Mam, yna arna i.

'Grêt,' atebaf.

Ond mae Mam yn siglo'i phen. 'Mae arna i ofn 'mod i'n rhy nerfus i gysgu rhyw lawer.'

Mae Sadie Lee'n edrych arni ac yn gwenu. 'Cariad, does dim angen bod yn nerfus. Ti'n gwneud gwaith arbennig. Neu, fel bydden nhw'n 'i ddweud yn *Downton Abbey*, bydd popeth yn *splendid*.' Gyda hynny, mae hi'n taflu'i phen yn ôl, ac yn chwerthin yn galonnog.

Mae rhai pobl y gallwch chi gwympo mewn cariad â nhw o fewn eiliadau o gwrdd â nhw. Mae Sadie Lee yn bendant yn un o'r bobl hynny.

'Bydd Penny'n tynnu ychydig o luniau "y tu ôl i'r llen" i Cindy a Jim,' esbonia Mam.

'Am syniad gwych,' gwena Sadie Lee arna i. 'Wel, wyddoch chi, dwi ar fin dechrau pobi ar gyfer bwffe'r briodas, ond mae croeso i ti ddod i dynnu lluniau yn y gegin os hoffet ti?'

'Byddai hynny'n berffaith,' medd Mam, gan edrych arna i. 'Fyddi di'n iawn, Pen? Mae angen i mi wneud yn siŵr fod gwisgoedd y staff gweini'n ffitio'n iawn.'

'Wrth gwrs.'

Aiff Mam i wneud 'i gwaith, wrth i minnau ddilyn Sadie Lee i'r gegin. Ar ôl naws hynafol y stafelloedd eraill, mae'n rhyfedd gweld y cownteri dur sgleiniog a'r poptai diwydiannol enfawr.

'Ni sy'n coginio'r rhan fwyaf o'r bwyd ar gyfer y brecwast,' esbonia, 'Ond ro'n i'n meddwl y byddai'n well gwneud y cacennau ar gyfer bwffe'r derbyniad heddiw. Dwi'n gwneud te prynhawn Prydeinig traddodiadol.'

'Does gyda chi ddim staff i'ch helpu chi?' holaf, gan edrych o gwmpas y gegin wag.

Mae hi'n siglo'i phen. 'Nac oes, dim heddiw. Ond fory bydd gen i dîm llawn o gogyddion.'

Tynnaf ychydig o luniau o Sadie Lee'n pobi a llun agos o'i llyfr coginio, â blawd drosto i gyd. Yna, penderfynaf dynnu lluniau o'r stafell fwyta. Ond gadawaf y gegin trwy'r drws anghywir a chyrraedd stafell anferth arall. Mae llawr dawnsio hir o bren sgleiniog ar ganol hon, a byrddau bychain bob ochr iddo. Dwi ar fin gadael pan glywaf sŵn gitâr yn cael 'i strymio'n dyner, ym mhen pella'r stafell. Mae hi'n dywyll iawn, a'r cyfan alla i weld yw amlinell o rywun yn eistedd ar y llwyfan.

Af i ymchwilio, gan gripian ar flaenau 'nhraed i lawr ar hyd stribed o garped wrth ymyl y llawr dawnsio. Wrth i mi nesáu, galla i glywed rhywun yn canu. Mae'n canu mor dawel fel na alla i ddeall y geiriau, ond maen nhw'n swnio'n brydferth ac yn drist iawn – beth bynnag ydyn nhw. Pwysaf ymlaen yn nes eto, nes gweld bachgen yn eistedd ar y llwyfan, â'i goesau wedi'u croesi, yn chwarae'r gitâr a'i gefn tuag ata i. Mae offer cerddorol o'i gwmpas – set o ddrymiau, allweddellau a stand meicroffon. Mae rhywbeth mor hudolus am y ddelwedd fel na alla i beidio â throi 'nghamera mlaen a chripian ychydig yn nes eto. Canolbwyntiaf a thynnu'r llun, ond – yn anffodus – anghofiaf ddiffodd y fflach, felly mae golau'n llenwi'r llwyfan.

'Wow!' Llama'r canwr dirgel ar 'i draed gan droi o'i gwmpas, a'i ddwylo dros 'i wyneb. 'Sut ddest ti i mewn?' gwaedda, mewn acen Efrog Newydd gref. 'Pwy anfonodd ti yma?'

'Mae'n ddrwg gen i ... allwn i ddim peidio ... roeddet ti'n edrych mor ...' Diolch byth, llwyddaf i stopio fy hun rhag Gweithred o Embaras Eithafol, a newidiaf 'y nghân. 'Dwi'n tynnu lluniau ar gyfer y briodas sy'n cael 'i chynnal 'ma fory. Sut ddest ti i mewn? Ai ti sy'n canu yn y briodas?'

'Canu yn y briodas? Fi?' Mae'n sbecian arna i rhwng 'i

fysedd. Mae tatŵ o far cerddorol a nodau ar 'i arddwrn.

'Ie. Ti'n ymarfer?' Cerddaf ychydig yn agosach at y llwyfan, ac mae'n cymryd cam yn ôl, fel petai'n f'ofni i. 'Fyddwn i ddim yn canu'r gân 'na fory, taswn i'n ti.'

Saif yn stond, a'i ddwylo'n dal i orchuddio hanner 'i wyneb. 'Pam?'

'Wel, dyw hi ddim yn gân ... briodasol iawn, nag'yw? Wrth gwrs, mae hi'n hyfryd – beth glywais i ohoni hi – ond roedd hi'n swnio'n drist iawn a dwi ddim yn credu mai dyna'r math o feib ry'n ni eisiau ar gyfer priodas, ti'n gwybod? Mae eisiau i ti feddwl am rywbeth fel y gân o *Dirty Dancing*. Mae honna wastad yn boblogaidd iawn mewn priodasau. Gafodd ffilm *Dirty Dancing* 'i dangos draw fan hyn?'

Mae'n symud 'i ddwylo i lawr ac yn syllu arna i, fel tase fe'n trio meddwl tybed ai creadur o'r gofod pell o'n i. A nawr 'mod i'n gallu'i weld yn iawn, dwi wedi cael cymaint o sioc fel bod swigen, dwi'n siŵr, yn ffrwydro allan o 'mhen yn dweud *WOW*!

Dyma'r math o fachgen y byddai Elliot yn 'i alw'n Dduw Roc: gwallt tywyll anniben, wyneb hardd, fel petai wedi'i gerfio'n gywrain, hen jîns a'r lliw wedi pylu a bŵts anniben.

'Do, fe gafodd *Dirty Dancing* 'i dangos yma,' medd, ond mae'i lais yn llawer meddalach nawr, fel tase fe'n trio peidio â chwerthin.

'Cafodd y ffilm 'i gwneud yn America.'

'A, do, wrth gwrs.' Daw'r teimlad annifyr yna 'nôl. Teimlad fel tasen i'n suddo. Hyd yn oed yma yn Efrog Newydd, alla i ddim peidio â bod yn dwp. Dwi nawr yn achosi embaras ar lefel ryngwladol. Ond yna, daw teimlad rhyfedd drosta i – teimlad cryf a phenderfynol. Dwi *ddim* am wneud ffŵl ohona i fy hun ar y trip yma. Hyd yn oed os yw hynny'n golygu peidio â siarad ag unrhyw un heblaw am Elliot a Mam a Dad. Hyd yn oed os yw hynny'n golygu peidio â siarad â rhywun sy'n Dduw Roc digamsyniol o Efrog Newydd.

'Wel, mae'n flin 'da fi dy boeni di, a phob lwc fory,' meddaf. Mae 'mochau ar dân wrth i mi droi i adael.

Pennod Un deg chwech

'Nid fi sy'n canu yn y briodas,' medd, cyn i mi hyd yn oed gamu i ffwrdd.

Dwi'n sefyll yn stond. 'Nage?'

'Nage.'

Trof i edrych arno. Mae'n gwenu arna i nawr – gwên fach ddoniol, unochrog, a phantiau bach yn 'i fochau. 'Felly beth wyt ti'n wneud 'ma, 'te?'

'Dwi'n hoffi torri i mewn i westai a chanu caneuon trist mewn stafelloedd priodasol,' medd, gan wenu o glust i glust.

'Dyna waith diddorol,' meddaf.

'Ie. Ti'n iawn,' medd, gan nodio, 'ond mae'r tâl yn ofnadwy.'

Beth os yw e'n berson gwallgo? sibryda fy llais mewnol. *Person gwallgo o Efrog Newydd. Beth os yw e wedi torri i mewn i'r stafell 'ma yn y gwesty? Beth os bydd rhaid i mi'i arestio? Oes hawl gyda fi i'w arestio fe fan hyn? Aaaa! Beth wna i?*

Ond dyw e ddim yn edrych fel person gwallgo. Gan 'i fod e'n gwenu nawr, mae'n edrych fel person hyfryd, ond eto ...

'Pam wyt ti'n gwgu?' hola.

'Ro'n i jyst yn meddwl.'

'Beth?'

'Dwyt ti ddim yn wallgo, nag'wyt?'

Chwardda'n uchel. 'Na'dw. Wel, ydw, ond dim ond mewn ffordd dda. Dwi wedi dysgu bod bywyd yn llawer gwell os wyt ti'n mynd yn wallgo o bryd i'w gilydd.'

Nodiaf. Mae hynny, yn bendant, yn gwneud synnwyr i mi.

'Beth yw d'enw di?' hola, gan godi'r gitâr a'i rhoi 'nôl ar 'i stand.

'Penny.'

'Penny.' Mae sŵn da i f'enw i, yn 'i lais e. 'Noah ydw i. A dwi'n dyfalu – o'r acen 'na – dy fod ti'n dod o Brydain, wyt?'

'Ydw.'

'Gwych. A ti'n ffotograffydd?'

'Ydw .. wel ... ffotograffydd amatur, ond gobeithio y bydda i'n ffotograffydd proffesiynol rhyw ddydd. Mam sy'n steilio'r briodas yma, a dyna pam maen nhw wedi gofyn i mi dynnu ychydig o luniau y tu ôl i'r llenni. Felly, pam wyt ti 'ma go iawn?'

'Wir?' Symuda'i ben i un ochr, gan ddal i wenu.

Nodiaf.

'Mae Mam-gu'n gweithio ar y briodas hefyd.'

'Dy fam-gu?'

'Ie, Sadie Lee. Hi sy'n gyfrifol am yr arlwyo.'

'O, ie, dwi wedi cwrdd â hi.' Ebychiad o ryddhad. *Dyw e ddim yn berson gwallgo. Dwi wedi cwrdd â'i fam-gu. Dwi'n dwlu ar 'i fam-gu. Fydd dim rhaid i mi'i arestio.*

'Rhoddais i lifft yma iddi hi bore 'ma ac fe ddywedodd hi y gallen i aros o gwmpas am sbel, tasen i'n cadw mas o ffordd pawb,' eglura Noah. 'Felly ddes i i mewn i'r stafell hon a gweld y gitâr, ac allwn i ddim stopio fy hunan. Roedd rhaid i fi gael tro arni hi.'

'Cerddor wyt ti, te?'

Mae'n gwenu arna i. Gwên fach ddoniol. 'Nage, ddim go

iawn – mae'n rhywbeth dwi'n 'i wneud yn fy amser sbâr. Licet ti rywbeth i fwyta?'

'Beth? O, ie, plis.'

Neidia i lawr o'r llwyfan. Wrth iddo agosáu, mae'n fwy ciwt fyth. Mae'i lygaid yn frown tywyll fel llygaid Sadie Lee, ac fel rheiny, maen nhw'n disgleirio wrth iddo fe wenu. Mae'n gwneud i mi deimlo'n rhyfedd ac yn ysgafn, fel tase 'nghorff yn bluen, yn barod i hedfan i ffwrdd unrhyw funud.

'Beth am gael rhywbeth i'w fwyta gan Sadie Lee. Ond yn gyntaf ...' medd, gan syllu'n syth arna i, 'wnei di plis ddwcud "tomato"?'

'Beth?'

'"Tomato". Plis, wnei di ddweud y gair?'

Gwenaf ac ysgwyd 'y mhen; mae e'n bendant yn wallgo, ond yn wallgo mewn ffordd dda. 'Iawn 'te: tomato.'

'Ha!' Mae'n curo'i ddwylo'n fodlon. '*Tom- ah- to*,' medd, gan geisio 'nynwared i. 'Dwi'n dwlu ar y ffordd ry'ch chi Brydeinwyr yn dweud y gair yna. Dere.' A gyda hynny, bant â fe i gyfeiriad y gegin.

Mae arogl anhygoel yn dod o'r gegin nawr. Mae tuniau o dartenni jam a chacennau bach dros un cownter, yn aros i fynd i mewn i'r ffwrn, a chownter arall yn llawn tuniau o gacennau sydd newydd ddod allan yn ffres o'r ffwrn. Saif Sadie Lee wrth y sinc anferth, yn golchi powlen gymysgu.

'Hei, Mam-gu,' galwa Noah arni. 'Oes gyda ti unrhyw fwyd sydd angen 'i brofi? Mae Penny a finnau'n llwgu.'

'Noah!' bloeddia Sadie Lee yn llawen, fel tase hi heb 'i weld ers blynyddoedd. 'Penny!' medd, wrth 'y ngweld i. 'Ry'ch chi wedi cwrdd.'

'Ydyn. Ces i 'nal gan Penny, yn esgus bod yn ganwr priodas.'

Mae golwg ddryslyd ar wyneb Sadie Lee. 'Esgus bod yn

ganwr priodas? Ond ... '

'Sdim ots ... roedd angen i chi fod yno, dwi'n credu,' medd Noah gan dorri ar 'i thraws. Edrycha arna i gan wincio, cyn troi'n ôl at Sadie Lee. 'Felly, beth sy 'da chi yn y ffwrn?' Edrycha'n drachwantus ar y tun o dartenni jam twym.

'Paid â mentro!' medd Sadie Lee, a'i daro'n chwareus â lliain sychu llestri. 'Ar gyfer y briodas mae'r rhain.'

'Pob un ohonyn nhw?'

'Ie, pob un. Ond os hoffech chi ... '

Ar yr eiliad honno, daw Mam i mewn i'r gegin fel mellten. 'Argyfwng!' meddai. Edrycha Noah a Sadie Lee'n bryderus nawr hefyd. Ond dwi'n nabod Mam yn well. Mae hi'n ymateb fel hyn ar ôl llosgi darn o dost.

'Beth sy'n bod?' holaf.

'Mae'r tiara wedi torri,' medd, gan edrych yn amheus ar Noah, ac yna 'nôl arna i. 'Mae wedi torri'n hanner, ac mae Cindy'n benderfynol o gael tiara go iawn, o'r cyfnod Edwardaidd. Dwi ddim yn gwybod beth i'w wneud! Dwi wedi gadael negeseuon mewn siopau hen bethau ond ... ' Mae ffôn Mam yn canu, ac mae'n 'i gwasgu at 'i chlust. 'Helô? O ie, diolch am ffonio 'nôl. Chwilio am hen diara Edwardaidd ydw i – ar gyfer priodas fory, felly mae hwn yn argyfwng.'

Mae pawb yn 'i gwylio mewn tawelwch.

'Oes? Faint yw hi? A beth yw 'i chyflwr hi? O, mae hynny'n ardderchog. Diolch. Ie. Y prynhawn 'ma. Diolch, hwyl.' Mae rhyddhad ar wyneb Mam. 'Iawn,' ebycha, 'mae tiara mewn siop yn Brooklyn.' Yna, dechreua gwên Mam droi'n wg. 'Ond sut wna i gyrraedd Brooklyn? Mae'n rhaid i mi gwrdd â'r morynion priodas, a'u helpu gyda'u ffrogiau. Ac mae'n rhaid i mi wneud yn siŵr fod y gacen yn iawn. A chwrdd â Cindy a Jim.' Mae hi'n taflu'i dwylo i'r awyr.

'Mae'n iawn,' medd Sadie Lee, a'i hacen braf yn tawelu'r dyfroedd. 'Gall Noah 'i nôl hi i chi.'

'Wrth gwrs,' medd Noah, gan nodio.

'Noah yw fy ŵyr i,' esbonia Sadie Lee.

'A, wela i. Mae'n ddrwg gen i,' medd Mam, gan estyn 'i llaw i Noah. 'Wnes i ddim cyflwyno fy hunan.'

'Dim problem,' medd Noah, gan ysgwyd 'i llaw. Beth yw cyfeiriad y siop?'

Wrth i Mam 'i sgrifennu iddo fe, mae Noah yn troi tuag ata i. 'Hoffet ti ddod gyda fi, Penny, i wcld rhai o atyniadau Brooklyn?'

Mae 'nghalon yn llamu'n llon. Edrychaf ar Mam. 'Fyddai hynny'n iawn, Mam? Byddai'n neis mynd mas am sbel fach.'

Dyw Mam ddim hyd yn oed yn edrych arna i; mae neges ar 'i ffôn yn mynd â'i sylw. 'Iawn, grêt.'

Af draw ati, a chydio yn 'i dwylo. 'Bydd popeth yn iawn,' sibrydaf wrthi.

Gwena arna i'n ddiolchgar. 'Diolch, cariad. Fe ffonia i'r siop i dalu am y tiara ar 'y ngherdyn credyd er mwyn iddyn nhw 'i chadw i ni. Co, cymera hon – mae'n oer tu fas.' Mae'n tynnu'i siaced ac yn 'i rhoi i mi, cyn edrych ar Sadie Lee a Noah. 'Diolch yn fawr i chi.'

'Dim problem,' medd Noah. Mae'n troi ataf gan wenu. 'Dewch, f'arglwyddes,' medd, mewn acen Seisnig dros-ben-llestri. 'Mae eich cerbyd yn aros.'

Pennod Un deg saith

Ry'n ni wrth y lifft, ond mae Noah wedi sefyll yn stond.

'Sori, anghofiais i ddweud rhywbeth wrth Sadie Lee. Bydda i 'nôl whap.'

Wrth i fi'i wylio'n rasio i'r gegin, mae f'ymennydd yn dechrau paratoi rhyw fath o ddiweddariad Facebook: *Mae Penny Porter ar fin mynd mas i Brooklyn gyda bachgen hynod giwt o Efrog Newydd sy'n edrych fel tase fe newydd gamu oddi ar dudalennau cylchgrawn* Rolling Stone.

Siglaf 'y mhen a chwerthin. Dyw'r math yma o beth ddim yn digwydd i fi. Fi yw'r ferch sy'n disgyn i mewn i dyllau ac yn dweud wrth fechgyn bod gyda hi chwain ac yn dangos 'i nicers gwaethaf yn 'u holl ogoniant i'r byd a'r betws. Falle mai breuddwyd yw hyn i gyd. Falle 'mod i'n dal i gysgu yn Brighton. Falle mai'r noson ar ôl y ddrama yw hi o hyd. Falle – 'Iawn, bant â ni.' Daw Noah mas o'r gegin â gwên ar 'i wyneb. Mae'n estyn rhywbeth i mi. Yn 'i law mae dwy o gacennau bach Sadie Lee. 'Fydd hi byth yn sylwi'u bod nhw ar goll,' medd gan wenu. 'Gallwn ni brofi'r bwyd iddyn nhw, i wneud yn siŵr 'u bod nhw'n iawn. D'yn nhw ddim am i neb gwympo'n farw o wenwyn bwyd yn y briodas, na'dyn?'

Siglaf 'y mhen. 'Na'dyn, yn bendant.' Cymeraf damaid o'r gacen, ac mae hi mor ysgafn a fflwfflyd fel 'i bod hi bron â thoddi ar 'y nhafod. 'O, waw!'

Nodia Noah. 'Dwi'n gwybod. Sadie Lee sy'n gwneud y cacennau gorau yn Efrog Newydd i gyd – os nad y byd.' Gwasga fotwm y lifft. 'Felly, beth yw dy syniad di o hwyl? Beth wyt ti wedi'i fwynhau fwyaf yn dy fywyd hyd yn hyn?'

Edrychaf arno'n ddryslyd. 'Pardwn?'

Chwardda. 'O diawl, mae dy acen di mor giwt.'

Cyrhaedda'r lifft a ry'n ni'n mynd i mewn – sy'n amseru gwael gan ein bod ni mewn lle bach, dan olau cryf, sy'n golygu na alla i guddio 'mochau coch.

'Meddylia – beth yw'r peth gorau, y peth rwyt ti wedi'i joio fwyaf?' Mae Noah yn aralleirio. Tynna het wlanog o'i boced gefn a'i thynnu'n dynn dros 'i ben.

'Beth, erioed?'

'Ie.'

Mae fy meddwl yn hollol wag. Wrth i'r lifft ddechrau gwibio drwy'r lloriau, mae fel cloc yn cyfrif i lawr: 20, 19, 18 ... Beth yw fy syniad i o hwyl? Beth ydw i wedi'i fwynhau'n fwy na dim byd arall? 17, 16,15 ... yna daw'r ateb i'm meddwl a dwi'n ysu i ddweud rhywbeth, felly dwi'n agor 'y ngheg, heb feddwl: 'Y Diwrnod Dirgel Hudol!'

'Beth?' Mae Noah yn edrych arna i.

O, diar! Nawr mae fy wyneb i'n teimlo fel tase fe ar dân.

'Diwrnod Dirgel Hudol,' sibrydaf, gan syllu'n daer ar rifau'r lifft. 10, 9, 8 ...

'Beth yw'r Diwrnod Dirgel Hudol?'

5, 4, 3 ...

'Diwrnod y gwnaeth fy rhieni 'i ddyfeisio pan o'n i a 'mrawd yn fach. Ro'dd e'n digwydd unwaith y flwyddyn.'

Cyrhaedda'r lifft y llawr gwaelod ac mae'r drws yn agor. Ond dyw Noah ddim yn symud.

'A beth oedd yn digwydd ar y Diwrnod Dirgel Hudol?' gofynna.

Heriaf fy hunan i edrych arno. Er mawr syndod i mi, mae gydag e ddiddordeb mawr yn f'ateb.

'Wel, byddai e wastad yn digwydd ar ddiwrnod ysgol, a bydden ni'n cael diwrnod bant. Byddai Dad wedi gwneud Cacen Ddirgel Hudol, a dyna fydden ni'n 'i fwyta i frecwast, cinio a swper. Dyna oedd un o'r rheolau – ar y Diwrnod Dirgel Hudol byddai'n rhaid bwyta cacen gyda phob pryd bwyd. A'r rheol arall oedd y byddai'n rhaid i ni i fynd ar Daith Ddirgel Hudol.'

Gwena Noah. 'Fel *Magical Mystery Tour* y Beatles?'

Nodiaf. 'Ie. Byddai Mam a Dad yn estyn map a byddai'n rhaid i un ohonom ni gau ein llygaid a phwyntio at rywbeth ar hap ar y map – a bydden ni'n mynd am antur yno.'

Mae drysau'r lifft yn cau eto. Mae Noah yn pwyso'r botwm yn gyflym i'w hagor eto.

'Mae'r Diwrnod Dirgel Hudol yn swnio'n anhygoel,' medd yn freuddwydiol.

Mas â ni o'r lifft i faes parcio tanddaearol anferth.

'Oedd, mi oedd e,' mentraf, yn falch nad yw traddodiad boncyrs y teulu wedi'i droi yn f'erbyn. 'Ro'n i'n dwlu ar y ffaith mai ein cyfrinach fach ni, a neb arall, oedd y diwrnod hwnnw. Byddai pawb arall yn gorfod mynd i'r ysgol neu i'r gwaith a ninnau'n cael gwledda drwy'r dydd ar gacen ac yn cael mynd ar antur gyffrous. A ro'n i'n caru'r ffaith na fydden ni fyth yn gwybod pryd roedd e'n mynd i ddigwydd chwaith. Syrpréis fyddai'r cyfan nes i'n rhieni ni wneud cyhoeddiad ben bore.'

'Fel Diwrnod Nadolig annisgwyl?' medd Noah.

Edrychaf arno gyda gwên. 'Ie, yn union.'

Nodia, a hyd yn oed yng ngolau gwan y maes parcio, galla i weld 'i fod e'n dwlu ar y stori.

'Ond paid â dweud wrth unrhyw un 'mod i wedi dweud wrthot ti,' ychwanegaf. 'Roedd yn rhaid i ni i gadw'r cyfan yn gyfrinach fawr achos bod Mam a Dad yn dweud wrth yr ysgol ein bod ni'n dost.'

Nodia Noah. 'Rheol gyntaf y Diwrnod Dirgel Hudol yw: d'ych chi ddim yn siarad am y Diwrnod Dirgel Hudol,' ychwanega, mewn llais cwbl ddifrifol.

'Yn hollol.'

Gwena Noah. 'Felly, y'ch chi'n dal i gael diwrnod o'r fath?'

Siglaf 'y mhen a chwerthin 'Na'dyn, ddim ers sbel. Ni wedi mynd yn rhy hen, siŵr o fod.'

Daw gwg i wyneb Noah. 'Sut allwch chi dyfu'n rhy hen i gael Diwrnod Dirgel Hudol? Allwch chi byth fod yn rhy hen i gael cacen ac antur, na allwch?'

Dyma fi'n chwerthin. 'Pwynt teg.'

Estynna Noah allweddi'i gar o boced 'i jîns cyn gwasgu botwm yr allwedd. Mae tryc Chevy'n dechrau bipian o'n blaenau a'r goleuadau'n fflachio.

'Faint yw d'oed di?' hola Noah.

'Pymtheg – bron yn un ar bymtheg.' Yn syth, mae'r llais bach yn 'y mhen yn dechrau cynhyrfu'n lân. *Pam ar wyneb y ddaear ddwedaist ti 'bron yn un ar bymtheg'? Ti'n swnio fel taset ti'n 'i hoffi e. Mae e'n mynd i –*

'Reit, dwi'n ddeunaw,' medd Noah. 'D'yn ni'n bendant ddim yn rhy hen i gael cacen ac antur.'

Cyrhaeddwn y tryc, ac af yn syth i ochr y teithiwr. Mae Noah yn fy nilyn. 'Beth am i ni wneud heddiw'n Ddiwrnod Dirgel Hudol,' sibryda'n ddrygionus.

Syllaf arno. 'O ddifri?'

Nodia arna i cyn edrych i'r chwith ac i'r dde i tsecio nad oes unrhyw un yn gwrando arnom. 'Ry'n ni wedi cael cacen yn barod, felly nawr, alla i fynd â ti ar Daith Ddirgel Hudol o gwmpas Brooklyn.'

Alla i ddim stopio gwenu. 'Byddai hynny'n anhygoel!'

'*Awwwwwesome*,' mae'n 'y nghywiro, mewn acen Efrog Newydd gref iawn.

'Rwyt ti yn yr Afal Mawr nawr; mae'n rhaid i ti ddweud, "Byddai hynny'n *awwwwwesome*".'

'Byddai hynny'n *awwwwwesome*,' meddaf, gan agor drws y tryc.

Mae Noah yn syllu'n ddryslyd arna i. 'O, wyt ti'n gyrru?'

'Beth? Nac ydw. Pam wyt ti'n dweud – "O ..."' edrychaf y tu mewn i'r tryc a gweld bod popeth o chwith a 'mod i wedi agor drws y gyrrwr. Ond, drwy ryfedd wyrth, dwi ddim yn toddi mewn embaras. 'Sori, anghofiais i eich bod chi'n gyrru ar ochr anghywir y ffordd fan hyn.' Llithraf heibio i Noah i ochr arall y tryc.

'Hei, nid ni yw'r rhai sy'n gyrru ar yr ochr anghywir,' yw 'i ymateb o ochr arall y tryc. 'Ry'n ni'n gyrru ar yr ochr dde, sef yr ochr gywir.'

Af i mewn i'r tryc a gweld hen lyfr nodiadau ar sedd y teithiwr. Cydiaf ynddo, ac eistedd. Mae'n rhyfedd iawn eistedd ar yr ochr hon, heb lyw o 'mlaen i.

'O, hei, fe gymera i hwnna,' medd Noah, gan gipio'r llyfr nodiadau o 'ngafael wrth iddo eistedd yn sedd y gyrrwr. Mae'n gwthio'r llyfr o'r cwpwrdd bach. Tybed beth sydd yn y pad cyfrinachol, meddyliaf. Falle bod Noah yn gyw awdur. Falle 'i fod e'n fardd. Mae'n edrych fel bardd, gyda'i wallt anniben a'i lygaid mawr tywyll. Edrychaf o gwmpas y tryc, ac unwaith eto caf deimlad rhyfedd 'mod i mewn rhyw fydysawd paralel rhyfedd. O 'mlaen, gwelaf doreth o gesys CDs ac offer gitâr a chortyn clymog o fîds du yn hongian o'r drych. Mae hyd yn oed tryc Noah yn Roc Dduwiol.

'Mae'r rhan fwyaf o'r byd yn gyrru ar yr ochr dde,' medd Noah, wrth danio'r injan. 'Dim ond chi Brydeinwyr, fwy neu lai, sy'n gyrru ar y chwith.'

'Dyw'r ffaith bod y rhan fwyaf o'r byd yn 'i wneud e ddim yn golygu 'i fod e'n iawn,' meddaf, gan wisgo 'ngwregys diogelwch. 'Beth am ryfel a gorfodi plant i astudio gwyddoniaeth yn yr ysgol a ... Coke blas ceirios? Hollol, hollol, hollol anghywir.'

'Coke blas ceirios?' Mae Noah yn edrych arna i gan godi'i aeliau.

'Yn anfaddeuol o anghywir!' meddaf, gan dynnu stumiau crac. 'Mae'n blasu fel moddion!'

Dim ond wrth i Noah yrru'r car ar hyd Park Avenue dwi'n sylweddoli 'mod i wedi mynd i mewn i gar heb deimlo unrhyw fath o banig. Mae'n rhaid bod wyneb golygus a gwên ddisglair, ddrygionus yn tynnu sylw'n well nag alter egos a thechnegau anadlu. Ond wrth i ni i nesáu at y gyffordd enfawr gyntaf, dechreuaf deimlo'n nerfus. Ro'n i'n iawn ddoe yn y tacsi, gan 'mod i wedi 'ngwasgu yn y cefn rhwng Elliot a Mam, ond mae eistedd yn y blaen – mewn rhywbeth a ddylai fod yn sedd gyrrwr – yn gwneud i mi deimlo'n fregus ac yn ddiamddiffyn.

'Felly, wyt ti mewn coleg?' holaf, gan gydio yn ymyl fy sedd.

Ysgwyd 'i ben wna Noah. 'Na'dw, dwi'n cymryd hoe fach o astudio ar hyn o bryd.'

'Beth, fel blwyddyn gap?'

'Rhywbeth fel'na. Felly, Miss Penny, taset ti'n offeryn cerddorol, beth fyddet ti?'

Dwi'n dechrau sylweddoli nad yw Noah yn rhy hoff o

gwestiynau cyffredin. 'Offeryn cerddorol?'

'Ie, dyna fe.'

Gwibia tacsi heibio ar y lôn tu fewn i ni, gan wneud i 'nghalon stopio am eiliad. Caeaf fy llygaid a cheisio esgus nad y'n ni mewn car, ar heol, ac o bosib, ar fin marw.

'Soddgrwth,' meddaf, am y rheswm syml mai dyna fy hoff offeryn.

'Mae hynny'n gwneud synnwyr,' medd Noah.

Agoraf fy llygaid yn ddigon llydan i sbecian arno o'r ochr.

'Pam?'

'Achos bod y soddgrwth yn offeryn hardd ac yn llawn dirgelwch.' Yna, mae rhywbeth rhyfedd iawn yn digwydd ... mae wyneb Noah yn cochi!

'Beth bynnag, dwyt ti ddim yn mynd i ofyn i fi pa offeryn fyddwn i?' medd, gan edrych yn cŵl eto. Mae teimlad rhyfedd yn 'y mola. Fel tase rhywbeth pwysig newydd ddigwydd, ond dwi ddim yn siŵr beth yn union oedd e.

'Taset ti'n offeryn cerddorol, beth fyddet ti?' mentraf.

'Heddiw, dwi'n meddwl y byddwn i'n drwmped.'

'Heddiw?'

'Ie. Dwi'n newid o ddydd i ddydd. Diwrnod drwm bas oedd ddoe, yn bendant, ond heddiw dwi'n teimlo'n fwy tebyg i drwmped.'

'Wela i,' meddaf, heb weld o gwbl a dweud y gwir. 'Felly, pam trwmped?'

'Achos bod trwmped wastad yn swnio mor hapus. Gwranda.' Pwysa fotwm *Play* ar y stereo, a chaiff y cerbyd 'i lenwi â sŵn trwmped. Er nad yw'r gerddoriaeth yn gyfarwydd i mi, dwi wedi clywed digon o gasgliad CDs Dad i wybod mai *jazz* yw e. Ac mae Noah yn iawn; mae sŵn twt-twt y trwmped yn swnio'n fywiog, braf. Mae'n troi'r sŵn i lawr ac yn edrych arna i.

'Byddwn ni'n croesi Pont Brooklyn cyn bo hir. Ti wedi gweld y bont eto?'

Dwi'n ysgwyd 'y mhen. 'Na, dim ond ddoe gyrhaeddon ni. Dwi heb weld unman eto.'

'Nag' wyt ti?' Edrycha Noah arna i. Ysgydwaf 'y mhen eto.

'Wel, mae'n beth da mai hwn yw'r Diwrnod Dirgel Hudol felly, on'd yw e?'

Dwi ar fin ateb pan ddaw car ar wib rownd y gornel, yn syth tuag atom.

'O na!' sgrechiaf, gan daflu 'nwylo i'r awyr mewn ofn.

Chwerthin wna Noah. 'Mae'n iawn. Maen nhw'n cael gyrru ar yr ochr 'na. Ni'n gyrru ar yr ochr *dde*, cofia.'

Mae 'nghorff wedi rhewi yn y sedd, ond mae fy meddwl fel chwyrligwgan, yn troelli'n ôl i'r noson wlyb, rewllyd honno, y car yn chwyrlïo, Mam yn sgrechian, a'r byd i gyd yn troi ben i waered. *Pwylla*, medd fy llais mewnol. *Paid cynhyrfu. Meddylia am Ocean Strong.* Ond mae fy llais tawel yn pylu, a nawr y cyfan alla i glywed yw brêc y car yn sgrechian a'm llais yn galw'n wyllt am Mam a Dad. Dwi'n cnoi 'ngwefus i stopio fy hun rhag llefain. Ond does dim y galla i 'i wneud; mae fel tasen i wedi fy meddiannu gan y ddamwain. Alla i 'mo'i chael hi o 'mhen. Ymleda gwres tanbaid trwy 'nghorff, fel tân mewn coedwig. Alla i ddim llyncu, alla i ddim anadlu. Mae angen i fi fynd mas o'r car. Dwi'n teimlo fel tasen i'n mynd i farw.

'Mae'n siŵr 'i fod c braidd yn ddychrynllyd, gweld popeth y tu chwith,' aiff Noah yn 'i flaen. Mae'i lais yn swnio'n wan ac yn aneglur dan y clychau sy'n canu yn 'y nghlustiau. Caeaf 'y llygaid yn dynn a gwasgu fy sedd. Teimlaf ddagrau'n llifo i lawr fy wyneb tanbaid a dwi'n teimlo fel crio mewn anobaith. *Pam na wnaiff hyn stopio? Pam mae hyn yn dal i ddigwydd? Pam na alla i anghofio am y ddamwain?*

Pennod Un deg wyth

'Hei? Ti'n iawn?' Yn sydyn, mae llais Noah yn uwch.

Ceisiaf nodio, ond mae 'nghorff wedi'i barlysu. Galla i deimlo'r car yn troi, ac yna'n stopio. Agoraf fy llygaid yn ofalus. Ry'n ni wedi tynnu i mewn i stryd fach, â thyrau anferth bob ochr iddi. Mae Noah yn syllu arna i; mae'n edrych yn bryderus iawn.

'Mae'n f-flin 'da fi,' meddaf yn herciog. Mae 'nannedd yn rhincian. Ro'n i'n chwilboeth gynnau, ond nawr dwi'n teimlo fel blocyn o iâ.

Pwysa Noah i mewn i gefn y tryc, i estyn blanced dwym. ''Co ti,' medd, a'i roi ar 'y nghôl.

Tynnaf y flanced at f'ysgwyddau a'i chwtsho o 'nghwmpas yn dynn. 'Diolch.'

'Beth ddigwyddodd?' Mae'i lais mor feddal a charedig fel 'i bod hi'n anodd peidio â chrio eto.

'Mae'n flin 'da fi,' meddaf eto. Dyna'r cyfan alla i ddweud.

Gwthia Noah gudyn gwallt o'i lygaid ac edrych arna i'n ddwys.

'Stopia ddweud hynny. Does dim i ymddiheuro amdano. Beth ddigwyddodd?' Mae 'nghorff i'n dal i grynu'n ofnadwy. Mae siom yn 'y ngwasgu i. Alla i ddim credu – ar ôl bod yn iawn ar yr awyren – fod hyn wedi digwydd eto. Ai dyma sut fydd 'y mywyd o hyn ymlaen? Yn llawn pyliau panig dwl?

Mae Noah wedi agor y cwpwrdd bach ac yn ymbalfalu drwyddo. Cydia mewn bar o siocled. 'Mae angen siwgr arnat ti,' medd, gan agor y pecyn a'i basio i mi.

Cymeraf damaid o'r siocled. Mae Noah yn iawn – wrth iddo doddi ar 'y nhafod, dwi'n dechrau teimlo'n well.

'Dwi'n ...'

'Os ddwedi di "sori" unwaith eto, bydd rhaid i mi chwarae hoff gân canu gwlad Sadic Lee,' medd Noah, 'a fyddet ti ddim eisiau hynny, cred ti fi. Enw'r gân yw *You Flushed My Sorry Heart Down the Toilet of Despair.*'

Gwenaf yn ddigalon arno. 'Iawn, wna i ddim dweud "sori" eto.'

'Da iawn. Wel dwed wrtha i – beth ddigwyddodd?'

'Ro'n i ... mewn damwain car sbel fach 'nôl ac ers hynny dwi wedi bod yn cael pyliau panig dwl. Sor-'

'Paid â'i ddweud e!'

Edrychaf ar Noah. Mae golwg bryderus iawn arno fe.

'Am uffernol,' medd. 'Ddylet ti fod wedi dweud rhywbeth – cyn i ni i fynd i mewn i'r tryc.'

'Dwi'n gwybod, ond â bod yn onest, fe anghofiais i. Ro'n i'n joio cymaint ...'

'Wir?'

Edrychaf ar Noah a nodio. Mae e'n gwenu. Yna, daw golwg ddifrifol i'w lygaid eto. 'Felly beth hoffet ti wneud? Ddylen ni adael y tryc yn rhywle a mynd ar y trên tanddaearol? Hoffet ti fynd 'nôl i'r gwesty?'

'Na, dim diolch.' Er 'mod i'n dal mewn sioc ers y pwl panig, mae un peth yn siŵr – dwi ddim am i'r antur gyda Noah ddod i ben.

Eisteddwn mewn tawelwch am ychydig – wel, tawelwch Efrog Newydd, sy'n golygu bod llwyth o seirenau a chyrn a gweiddi'n digwydd yn y cefndir. Ond yn rhyfedd iawn, dyw'r sefyllfa ddim yn teimlo'n lletchwith. Er 'mod i newydd dorri i lawr o flaen bachgen dwi wir yn 'i hoffi ar ôl 'i adnabod e am ddim ond awr, dyw e ddim yn teimlo fel yr adegau hynny gydag Ollie yn y caffi neu ar y traeth. Am ryw reswm rhyfedd, dyw'r cywilydd ddim yn 'y mwyta i'n fyw. Mae rhywbeth am Noah sy'n gwneud i fi deimlo'n saff i fod yn fi fy hunan.

'Mae 'da fi syniad,' medd Noah, yn torri'r tawelwch o'r diwedd.

Edrychaf arno'n obeithiol.

'Beth am i fi yrru, ond mynd yn araf bach nawr, ac esbonio beth dwi'n mynd i'w wneud nesa? Felly, os oes tro i ddod, alla i dy rybuddio di; ac os gwela i rywbeth fyddai'n gwneud i ti fynd i banig, fe wna i roi gwybod i ti.'

Nodiaf. 'Iawn.'

'Fydd e ddim yn para am byth, ti'n gwybod.'

'Beth?'

'Teimlo fel hyn. Creda fi. Bydd pethau'n gwella, gydag amser.'

Nodiaf.

Mae Noah yn troi yn 'i sedd i'm wynebu i'n llawn. 'Ro'n i'n arfer casáu clywed pobl yn dweud hynny i ddechrau. Ro'n i'n meddwl mai rhywbeth roedd pobl yn 'i ddweud i wneud i ti deimlo'n well oedd e. Ond mae'n wir. Bydd pethau'n gwella. Daw haul ar fryn. Fe wnei di wella.'

Mae'i lais yn bendant ac mae'n edrych arna i'n benderfynol. Dwi'n 'i gredu e'n llwyr. 'Diolch,' sibrydaf.

'Croeso.' Mae'n troi'r allwedd i danio'r injan. 'Reit 'te. Barod i fynd?'

'Ydw,' meddaf, gan geisio swnio'n hyderus.

Ac felly, bant â ni, yn araf bach, trwy Manhattan, â Noah yn rhoi sylwebaeth i fi fel ymwelydd â'r ddinas, ond 'i fod e'n dweud pryd mae e'n 'aros ar y chwith' neu'n 'dod at groesffordd'.

Erbyn i ni i gyrraedd Pont Brooklyn, teimlaf fel tasen i wedi gallu cau'r caead ar fy nerfau – yn union fel eistedd ar gês gorlawn i'w gau e. A dwi mor falch; mae'r bont yn anhygoel. Mae'r bwâu gothig anferthol ar bob pen fel mynedfa i hen gastell, ac mae'r holl beth wedi'i gorchuddio â thrawstiau dur, ac yn creu'r teimlad o yrru trwy gawell fawr – sy'n wych, achos 'mod i'n teimlo'n llawer saffach. Mac'r olygfa'n syfrdanol.

'Ti'n iawn?' medd Noah, a ninnau hanner ffordd ar draws y bont. Nodiaf, a'm llygaid yn syllu'n syth ar y tyrau yn y pellter. Roedd adeiladau Manhattan yn ddrychau neu'n gerrig gwyn i gyd, ond mae adeiladau Brooklyn yn llawn brown a choch, sy'n edrych mor brydferth yn erbyn yr awyr las, glir – fel dail yr hydref.

'Croeso i fy rhan fach i o'r byd,' medd Noah, wrth i ni i gyrraedd bwa olaf y bont.

Trof i edrych arno. 'Wyt ti'n byw yma?'

'Ydw wir. Beth wyt ti'n feddwl?'

'Bendigedig. Mae'n f'atgoffa i o'r hydref.' *Pam ddwedaist ti hynny? Pam na alli di siarad fel person normal?* yw cri fy llais mewnol.

'Y lliwiau?' medd Noah.

'Ie,' gollyngaf ebychiad o ryddhad. Mae e'n deall beth ro'n i'n trio'i ddweud.

'Dwi'n deall hynny. Mae dy wallt di'n f'atgoffa i o'r hydref hefyd.'

Edrychaf arno'n ofalus.

'Lliwiau'r hydref yw'r gorau.'

Edrychaf i ffwrdd ond alla i wir ddim stopio gwenu.

Wrth i ni i yrru oddi ar y bont, mae Noah yn dal ati â'i sylwebaeth ar droadau a chroesffyrdd tan i ni i gyrraedd ardal dawelach, lle mae pobl yn byw, a'r strydoedd yn gulach ac yn goediog. Dechreuaf ymlacio eto.

'Diolch,' meddaf, gan syllu drwy'r ffenest ochr ar res o dai cerrig brown, tal. 'Dwi'n teimlo'n llawer gwell nawr.'

Gwena Noah arnaf. 'Dim problem. Beth am fynd i 'nôl y tiara? Wedyn allwn ni fynd ymlaen gyda gweddill y Daith Ddirgel.'

'Syniad da.'

Mae Noah yn troi'r gornel i gyrraedd stryd fach, sy'n llawn caffis a siopau bach diddorol yr olwg. Mae hi fel fersiwn Americanaidd o'r Lanes yn Brighton. Mae'n tynnu i mewn i fan parcio, a throi ata i eto, gan wenu. 'Wyt ti'n siŵr dy fod ti'n iawn?'

Nodiaf. 'Ydw, yn bendant.'

Estynna i'r sedd gefn am hen siaced feicio ledr, a'i gwisgo. Yna, edrycha i lawr y stryd, fel tase fe'n tsecio rhywbeth, cyn dod allan o'r tryc. Dyma minnau'n dilyn. Mae'n braf bod tu fas, ar dir cadarn. Anadlaf yr awyr oer yn ddwfn.

'Mae'r siop lan fan hyn,' medd Noah, gan bwyntio o'n blaenau.

Wrth i ni i gerdded heibio siop llyfrau ail-law, mae'r drws yn agor a daw merch i'r golwg. Mae hi'n edrych ar Noah ac yn gwenu arno fel tase hi'n 'i adnabod, ond mae e'n mynd yn 'i flaen.

'Rhywun ti'n 'i nabod?' holaf, gan redeg i gyrraedd ato.

'Beth?' medd Noah, â golwg bell arno.

'Y ferch 'na, draw fan'na.' Trof ac edrychaf 'nôl i weld y ferch. Mae hi'n dal i sefyll y tu fas i'r siop, yn syllu arnom ni.

'Na, dwi ddim yn credu.' Tynna'r goler ar 'i siaced, i gadw'n dwym. 'Dyma ni.' Ry'n ni'n sefyll wrth siop hen greiriau o'r enw Lost in Time. Mae'r ffenest yn llawn i'r ymylon o drysorau o'r oes o'r blaen.

Mae Noah yn agor y drws ac yn 'y nhywys i i mewn. Mae hi fel camu i ogof Aladdin. Ym mhob twll a chornel, gwelaf rywbeth sy'n fy nenu i dynnu'i lun – hen beiriant gwnïo, gramoffon, rheiliau o hen ddillad. Byddai Elliot wrth 'i fodd yma. Daw pwl o hiraeth drosta i a meddyliaf tybed sut amser mae Elliot a Dad yn 'i gael? Alla i ddim aros i'w weld e eto, i ddweud wrtho fe am Noah.

Wrth ddilyn Noah trwy'r siop, gwelaf ddol tsieina hardd, wedi'i gwisgo mewn ffrog felfed las tywyll, a choler les sy'n melynu yn 'i henaint. Mae'i gwallt yn hir ac yn sidanaidd, a'i liw yn union yr un peth â 'ngwallt browngoch innau. Mae gyda hi hyd yn oed frychni haul ar 'i thrwyn. Mae'r ddol yn eistedd ar bentwr o hen lyfrau, a'i phen wedi gwyro i'r ochr, sy'n gwneud iddi edrych yn drist iawn. Estynnaf am 'y nghamera'n syth a thynnaf lun.

Wrth i'r camera fflachio, neidia Noah, a throi'n gyflym i edrych arna i.

Ymlacia wedyn.

'Mae hi'n edrych mor drist,' meddaf. 'Tybed sut gyrhaeddodd hi fan hyn? Mae'n siŵr 'i bod hi'n gweld eisiau 'i pherchennog.' Codaf y ddol a sythu'i ffrog. 'Dwi'n casáu'r syniad o deganau'n cael 'u taflu bant. Pan o'n i'n llai, ro'n i eisiau agor cartref i deganau amddifad. Ond wedyn aeth pethau dros ben llestri, achos 'mod i eisiau achub pob tegan pan fydden ni'n mynd i ffair yr ysgol neu'n cerdded heibio siop elusen.' *Stopia siarad dwli*, medd y llais bach diamynedd yn 'y mhen. Dyma roi'r ddol 'nôl ar y pentwr llyfrau.

'Dwi'n gwybod yn union beth wyt ti'n feddwl,' medd Noah.

Edrychaf arno'n obeithiol. 'Wyt ti?'

'Ydw. Ond i fi, offerynnau cerddorol yw'r peth. Alla i ddim dioddef gweld hen gitâr wedi'i gadael mewn siop ail-law. Mae'n rhaid i offerynnau gael 'u chwarae.

Nodiaf. 'Yn union fel mae'n rhaid *chwarae* â theganau.'

'Yn union.'

Edrychwn ar ein gilydd gan wenu, a daw teimlad rhyfedd drosta i, fel petai rhan ohona i a rhan o Noah wedi uno, rywsut.

Cerddwn at y cownter ym mhen pella'r siop. Hen ŵr â mwstásh gwyn cyrliog anferth sy'n eistedd y tu ôl i'r cownter, yn darllen llyfr. 'Ie?' medd, heb hyd yn oed godi'i ben.

'Ry'n ni wedi dod i gasglu tiara,' medd Noah, gan edrych ar y tamaid papur gafodd e gan Mam, 'ar gyfer priodas.'

'Ydych chi wir?' Yn araf, mae'r dyn yn rhoi'i lyfr i lawr ac yn sbecian arnom dros 'i sbectol.

Mae Noah a finnau'n ciledrych ar ein gilydd, gan ymdrechu'n galed i beidio â chwerthin.

'On'd y'ch chi braidd yn ifanc i feddwl am briodi?' aiff y dyn yn 'i flaen, gan syllu arnom.

'Nid ar gyfer ein priodas ni mae hon,' medd Noah.

'Na – d'yn ni ddim yn priodi!' ebychaf, braidd yn rhy uchel.

Gwga Noah arna i. 'Wyt ti'n dweud wrtha i na fyddet ti'n 'y mhriodi i?'

'Nac ydw .. dwi'n ... ydw ... dwi'n ...' Daw pob arlliw posib o goch dros fy wyneb.

'Er ein bod ni gyda'n gilydd ers ... ' edrycha Noah i lawr ar 'i oriawr, 'awr a phum deg saith munud.'

'Mae'n flin 'da fi,' meddaf, gan ymuno yn y jôc. 'Dwi'n gwybod bod hynny'n amser hir, ond dwi ddim yn barod i gael 'y nghlymu i lawr eto.'

Mae Noah yn edrych ar y dyn gan ochneidio. 'Mae 'nghalon wedi torri – yn rhacs jibidêrs!'

Mae'r dyn yn codi'i aeliau gwyn ac yn edrych arnom ni. Yna, mae'n siglo'i ben ac yn diflannu i gefn y siop.

Mae Noah a finnau'n ciledrych ar ein gilydd eto.

'I ble aeth e?' holaf.

Mae Noah yn codi'i ysgwyddau. 'Mae'n rhaid bod dy greulondeb wedi torri'i galon. Mae e siŵr o fod yn y cefn, yn llefen y glaw. Mae e siŵr o fod ...'

'Dyma chi.' Daw'r dyn 'nôl i mewn i'r siop, yn cario bocs sgwâr fflat. Mae'n rhoi'r bocs ar y cownter ac yn agor y caead. Y tu fewn, ar wely o sidan pinc golau, mae tiara brydferth o berlau hufennog, siâp dagrau. Mae hi hyd yn oed yn harddach na'r un wreiddiol. Ochneidiaf, yn falch na fydd hi'n siomi Mam a Cindy.

'Mae'n berffaith,' meddaf.

Nodia Noah yn gytûn.

'Dwi'n meddwl bod Mam wedi talu am hon yn barod, ar 'i cherdyn credyd,' egluraf wrth berchennog y siop.

'Ydy wir,' medd yntau gan roi'r caead 'nôl ar y bocs cyn rhoi'r bocs mewn bag papur bychan.

'Diolch,' medd Noah a finnau gyda'n gilydd.

'Croeso,' medd y dyn yn swrth, cyn troi'n ôl at 'i lyfr.

'*Have a nice day*,' medd Noah, mewn llais siriol, dros-ben-llestri.

Dyw'r dyn ddim yn ymateb.

'Waw, roedd e'n gyfeillgar,' sibrydaf yn sarcastig, wrth i ni fynd at y drws.

'Dyna natur groesawgar Efrog Newydd i ti,' sibryda Noah.

Estynnaf i agor y drws, ond daw 'i fraich i estyn o 'nghwmpas, i'w agor i mi.

'Paid â phoeni, dyw pob un ohonom ni ddim fel'na,' medd.

A wn i ddim pam, ond mae rhywbeth am y ffordd y dywedodd e hynny newydd hala ias o gyffro ar hyd f'asgwrn cefn.

Pennod Un deg naw

Mae camu mas i'r awyr rewllyd yn gwneud i 'mhỳls ddychwelyd i'w guriad arferol. Mae'r awyr nawr yn prysur lenwi â chymylau gwyn, ac mae pobl yn prysuro heibio â'u pennau i lawr, yn cuddio rhag y gwynt oer.

'Oes eisiau bwyd arnat ti?' hola Noah.

Nodiaf. Wrth feddwl am y peth, dwi'n llwgu.

'Iawn, dwi'n gwybod am le da, lle gallwn ni fwynhau bwyd da a chael antur hefyd.' Edrycha arna i gan wenu, a daw'r ias 'na 'nôl unwaith eto.

'Bwyd ac antur,' meddaf, gan geisio ymddwyn yn normal.

'Dyna ni. Mae'r lle 'ma'n berffaith ar gyfer Diwrnod Dirgel Hudol.'

'Wel, mae'n rhaid i ni i fynd yno'n syth, 'te.'

Wrth anelu am y tryc, gwelaf ferch y siop lyfrau. Mae hi'n sefyll tu fas i gaffi nawr, yn sgwrsio ar 'i ffôn. Wrth ein gweld ni, dechreua syllu'n syth ar Noah eto.

'Dyna'r ferch, yr un ro'n i'n meddwl oedd yn dy nabod di,' meddaf.

Sbecian arni wna Noah, cyn tynnu'i het i lawr.

'Erioed wedi'i gweld hi,' mae'n sibrwd, gan gyflymu'i gamau.

Wrth i ni i basio heibio iddi, dwi'n ciledrych arni.

'Fe yw e,' medd y ferch yn llawn cyffro wrth y person ar ben arall y lein, heb dynnu'i llygaid oddi ar Noah. Yna, sylweddolaf beth sy'n digwydd. Mae e mor olygus fel bod y math yma o beth wastad yn digwydd. Mae e'n fagned i ferched – yn llythrennol. Teimlaf bwl o dristwch. Beth sy'n bod arna i, yn teimlo fel hyn am rywun fel Noah? Hyd y gwn i, falle bod cariad gydag e. Mae'n rhaid bod cariad gydag e. Sut allai bachgen ag wyneb a gwên fel'na fod heb gariad?

'Pam wyt ti'n edrych yn drist?' hola Noah wrth i ni i fynd i mewn i'r tryc.

'Dwi ddim yn drist,' meddaf, mor hwyliog ag y galla i, gan syllu drwy'r ffenest. Mae'r ferch yn cerdded tuag atom ni nawr, yn dal i gydio yn 'i ffôn.

'Iawn, bant â'r cart,' medd Noah, gan dynnu mas i'r heol yn gyflym.

Yn reddfol, gwasgaf y sedd. Diolch byth, daw galwad ffôn gan Mam i dynnu fy sylw.

'Gawsoch chi hi?' hola, heb hyd yn oed ddweud helô.

'Do, ac mae hi'n hyfryd,' atebaf. 'Hyd yn oed yn well na'r un wreiddiol.'

Galla i 'i chlywed hi'n ebychu 'i rhyddhad.

'Roedd Noah a finnau ar fin mynd i gael cinio,' meddaf, gan weddïo na fydd rhaid i fi ddod 'nôl i'w helpu hi gydag unrhyw beth.

'Beth ddwedaist ti? O, wnei di ddal y lein am eiliad, cariad?'

'Wrth gwrs.'

Galla i glywed plant yn chwerthin yn afreolus. 'Dim dawnsio ar y byrddau, plis,' medd Mam mewn llais main, diamynedd. 'Sori, Penny – y morynion bach sydd wrthi. Maen nhw'n *llawn bywyd*. Beth ddwedaist ti?'

'Fyddai hi'n iawn i Noah a finnau fynd am ginio i rywle?'

'Na!' bloeddia Mam. 'Peidiwch â chael siocled ar eich ffrogiau! O Penny, dwi'n dweud wrthot ti, os na ddaw 'u mamau nhw'n ôl cyn hir, byddan nhw wedi fy hala i'n benwan. Iawn, wrth gwrs y cewch chi fynd am ginio, cariad. Mae dy dad newydd hala tecst i ddweud 'i fod e ac Elliot wedi mynd i weld ffilm yn Times Square, felly does dim eisiau i chi frysio. Mwynhewch,' medd, yn freuddwydiol. Mae'r sgrechian yn y cefndir wedi cyrraedd uchafbwynt.

'Diolch, Mam. Caru ti.'

'Dwi'n dy garu di hefyd, cariad. Na! Peidiwch â bwyta'r blodau!'

Ry'n ni'n gyrru trwy ardal fwy diwydiannol nawr. Bob hyn a hyn, caf gip ar yr afon rhwng yr adeiladau.

'Popeth yn iawn yn ôl ar y *ranch*?' hola Noah.

'Popeth yn iawn. Dwi'n meddwl bod Mam ar fin mynd yn dw-lal, ond dwedodd hi fod dim brys i ni ddod 'nôl.'

'Gwych.' Mae Noah yn ciledrych arna i. 'Wel, gwych ein bod ni'n cael aros mas, nid gwych bod dy fam yn mynd yn dw-lal. Ond paid â phoeni – mae'n amhosib mynd yn dw-lal gyda Sadie Lee o gwmpas y lle. Mae hi fel blanced gynnes i gysuro pawb.'

Chwarddaf. 'Mae hi'n swnio fel mam-gu berffaith.'

'Ydy, mae hi.' Mae rhywbeth am y ffordd ddifrifol y dywedodd e hynny sy'n gwneud i mi rythu arno, ond mae'i wyneb yn ddiemosiwn, ac yntau'n canolbwyntio ar yr heol. 'Felly, ar y troad nesa, bydda i'n troi i'r chwith,' medd, 'wedyn, byddwn ni bron yno.'

'Ocê.' O'n cwmpas ni, mae sawl warws llwm yr olwg, heb braidd neb o gwmpas. Alla i ddim gweld unrhyw le cyffrous ac anturus, ond falle, ar ôl i ni droi'r gornel, y byddwn ni yng nghanol ardal fach ddiddorol, yn llawn siopau hen bethau a chaffis.

Yn lle hynny, wrth ddod rownd y gornel, dyma ni'n cyrraedd anialwch diwydiannol, yn llawn biniau sbwriel a'r peli chwyn 'na sydd mewn ffilmiau cowbois. Ocê, a dweud y gwir, alla i ddim gweld peli chwyn, ond dyna'r math o le yw e. Mae Noah yn parcio y tu fas i un warws, sy'n edrych fel tase hi wedi bod yn wag ers blynyddoedd. Mae'r waliau'n adfeilio ac wedi'u gorchuddio â graffiti wedi pylu, sy'n edrych fel hen datŵs. Mae'r rhan fwyaf o'r ffenesti wedi'u gorchuddio â darnau o haearn rhychiog ac mae bariau haearn dros y lleill. Mae hyd yn oed y coed sydd o gwmpas y lle yn edrych yn llwm ac yn ddifywyd ar bwys briciau brown golau'r adeiladau.

'Dwi'n gwybod fod y llc'n cdrych braidd yn ddi-raen,' eglura Noah, 'ond pan fyddi di tu fewn, mae'n gwbl wahanol.'

'Ry'n ni'n mynd mewn ... i fanna?' Syllaf ar yr adeilad. Dim ond mewn golygfeydd brawychus mewn ffilmiau arswyd dwi wedi gweld lle fel hwn o'r blaen – golygfeydd sy'n cynnwys scicos gwyllt a gynnau. Neu, fel y gwelais i unwaith, llif gadwyn.

Chwardda Noah. 'Byddi di'n dwlu ar y lle, wir.'

Dyma fi'n troi i syllu arno. Falle'i fod e wir yn wallgo – ac nid mewn ffordd dda. 'Ond b-beth yw e?' mentraf.

'Dwi'n mynd â ti i gaffi cyfrinachol – i artistiaid,' medd.

Rhaid i mi gyfaddef; mae diddordeb gyda fi nawr. 'Wir?'

'Wir. Does neb yn gwybod 'i fod e 'ma. Does neb yn hysbysebu'r lle. Dim ond trwy wahoddiad y cei di fynd i mewn.'

'Felly sut wyt ti'n gwybod 'i fod e 'ma?' Er bod y syniad o gaffi cyfrinachol i artistiaid, trwy wahoddiad-yn-unig, yn apelio'n fawr, dwi ddim yn siŵr a ydw i'n credu'r stori'n llwyr.

'Roedd gyda Dad stiwdio fan hyn o'r blaen,' medd Noah, gan dynnu'r allweddi o'r taniwr. 'Mae'r adeilad i gyd yn llawn stiwdios i artistiaid. Dechreuodd e yn y saithdegau pan oedd yr adeilad yn wag, pan ddaeth llwyth o artistiaid i sgwatio yma. Wedyn, yn y nawdegau, pan oedd yr awdurdodau'n moyn bwrw'r lle i lawr, daeth y gymuned artistig at 'i gilydd i brotestio ac fe roddodd y maer statws arbennig i'r adeilad.'

'Waw.'

Nodia Noah. 'Dyma'r Efrog Newydd go iawn,' medd yn freuddwydiol. 'Llefydd fel hyn. Dyma fy hoff le yn y byd.'

Daw'r teimlad pilipalod-yn-fy-mola 'nôl, wrth feddwl 'i fod e wedi dod â fi i'w hoff le yn y byd.

'Ac, ro'n i'n meddwl y byddai'n lle perffaith i ddod ar Ddiwrnod Dirgel Hudol – mae'n gwbl gyfrinachol ac mae cacennau 'ma hefyd.'

'Mae'n berffaith,' cytunaf, wrth i Noah wenu.

Mas â ni o'r tryc. Mae'r gwynt rhewllyd mor finiog erbyn hyn nes 'mod i'n crynu.

'Ti'n oer?' hola Noah.

Nodiaf. 'Tamed bach.'

Mae'n tynnu 'i sgarff bant. 'Co.' Dwi'n sefyll yn hollol lonydd wrth iddo fe roi'r sgarff o gwmpas 'y ngwddf. Mae e mor agos ata i fel na alla i dynnu fy llygaid oddi ar y llawr. Yna, dwi'n edrych lan, ac am chwarter eiliad ry'n ni'n syllu i lygaid ein gilydd. A clic – teimaf ran arall ohona i'n uno â rhan ohono fe.

'Dere.' Mae'n rhoi 'i law yn dyner ar waelod 'y nghefn ac yn f'arwain draw at fwlch yn y ffens fetel sy'n amgylchynu'r adeilad.

Ry'n ni'n cropian i lawr drwy glawdd serth, sy'n llawn chwyn a gwair pigog, nes cyrraedd drws metel mawr. Mae hen fysellfwrdd wrth y drws. Mae Noah yn pwyso rhai o'r rhifau, a chlywn sŵn clician. Mae'n tynnu'r drws yn agored ac yn 'y nhywys i mewn. Ry'n ni'n sefyll mewn cyntedd concrit, wedi'i oleuo gan fflwroleuadau llachar sy'n diffodd bob hyn a hyn. Yr unig beth deniadol yw'r graffiti ar y waliau. Ond dyw'r graffiti yma ddim fel y graffiti tu fas; maen nhw'n weithiau celf go iawn, yn furluniau llawn sy'n ymestyn ar hyd y cyntedd.

Mae drws yn agor a daw menyw i'r golwg. Mae hi'n gwisgo ffrog hir *tie-dye* ac mae'i gwallt wedi'i blethu'n dynn, mewn cannoedd o blethau mân. Mae hi mor braf gweld rhywun sy'n edrych mor siriol a lliwgar a chyfeillgar. Dwi'n teimlo'n hapusach.

'Noah,' medd y fenyw wrth 'i weld.

'Heia Dorothy, sut mae pethau?'

'Gwych. Dwi newydd glywed bod dau baentiad gen i wedi cael 'u derbyn i arddangosfa fawr.'

'Newyddion arbennig!' Mae Noah yn rhoi cwtsh i'r fenyw. Yna, mae'n troi ataf i. 'Dyma fy ffrind, Penny. Mae hi wedi dod yma'r holl ffordd o Brydain. Ro'n i eisiau dod â hi i rywle arbennig i gael cinio.'

Mae hi'n gwenu'n gynnes arna i. 'Wel, ry'ch chi wedi dod i'r lle iawn. Croeso i Efrog Newydd, siwgr candi.'

'Diolch.'

'Iawn, wela i chi'ch dau wedyn – mae'n rhaid i fi fynd i gyfarfod gyda'r oriel. Da iawn, Noah. Dwi mor falch ohonot ti.' Mae Dorothy'n rhoi cwtsh arall iddo ac yn dechrau mynd i lawr i'r cyntedd.

Mae Noah wedi cochi. 'Dere, awn ni i gael bwyd.'

Dilynaf e tuag at ddrws ar waelod y cyntedd. Trwy hwnnw, mae grisiau.

'Mae'r caffi i lawr yn y seler,' medd, gan ddal y drws yn agored i mi.

'Pam mae Dorothy'n falch ohonot ti?' holaf, wrth i ni i fynd i lawr y grisiau concrit.

'O, jyst tynnu coes oedd hi,' medd Noah.

'Beth wyt ti'n feddwl?'

'Dwi'n meddwl achos 'i bod hi wedi 'ngweld i gyda ti.'

Edrychaf arno'n ddryslyd.

'Achos dy fod ti'n ferch,' medd, a'i fochau'n dechrau cochi eto. 'Mae hi wastad yn cwyno bod angen i fi gael cariad – ddim dy fod ti'n gariad i fi,' ychwanega'n frysiog, wrth i'w wyneb gochi hyd yn oed yn fwy.

'Na'dw,' cytunaf, ac edrychwn ar ein gilydd am chwarter eiliad.

Mae e'n codi'i ysgwyddau, ac awn yn ein blaenau.

Ond mae goleuni rhyfedd yn lledaenu, o fysedd 'y nhraed at 'y nghorun. Achos er 'i fod e'n Dduw Roc, ac er 'i fod e'n byw mewn gwlad arall, ar gyfandir arall, ac er y bydda i'n mynd adref ymhen deuddydd, a siŵr o fod yn gorfod ffarwelio ag e am byth, mae rhan ohona i eisiau neidio a gweiddi a chwerthin dros bob man. Does ganddo fe ddim cariad.

✦ Pennod Dau ddeg ✦

Pan gyrhaeddwn ni waelod y grisiau, mae Noah yn f'arwain draw at ddrws.

'Bydd hi'n dywyll iawn i ddechrau,' medd. 'Ydy hynny'n iawn?'

Nodiaf, ond mae'n rhaid bod golwg bryderus arna i, achos mae'n cydio yn fy llaw yn syth.

'Paid â phoeni,' ychwanega. 'Mae'n rhaid iddi fod yn dywyll i gael yr effaith iawn.'

'Ocê,' atebaf, heb ddeall o gwbl beth yw'r dwli 'ma, ond mae'n iawn – byddai unrhyw beth yn iawn, y funud hon – gan fod 'i law yn dal fy llaw yn teimlo mor dwym ac mor gryf.

'Barod?' hola.

'Ydw.'

Dyma fi'n 'i glywed e'n pwyso swits ac yn sydyn ry'n ni'n sefyll mewn byd bendigedig o dan y môr a'i donnau. Neu, mae'n teimlo fel tasen ni yno. Mae'r cyntedd i gyd wedi'i baentio i edrych fel gwely'r môr. Mae'r waliau du'n sgleiniog, ac arnyn nhw luniau fflwroleuol o bysgod a chregyn a stribedi emrallt o wymon.

'Cafodd e'i wneud â phaent arbennig,' esbonia Noah, 'fel bod y goleuadau uwchfioled yn y nenfwd yn gwneud iddo oleuo.' Mae'n edrych arna i'n obeithiol. 'Ti'n 'i hoffi e?'

'Dwi'n dwlu arno fe,' meddaf, gan droi'n araf bach i'w weld yn 'i holl ogoniant. Mae pob pysgodyn, pob cragen, pob manylyn bychan yn ddarn o gelf. Mae'n anhygoel.

'Sut mae e'n gwneud i ti deimlo?' hola Noah yn dawel.

Trof i edrych arno. 'Sut mae e'n gwneud i mi deimlo?'

Nodia. 'Ie. Byddai 'nhad wastad yn dweud bod angen i ti ofyn i ti dy hunan – bob amser – sut mae celf yn gwneud i ti deimlo.'

Edrychaf ar y waliau disglair unwaith eto. 'Mae'n gwneud i fi deimlo'n dawel ac yn heddychlon. Ac mae'n gwneud i fi deimlo fel tasen i mewn byd hudol – fel tasen i'n fôr forwyn.' Mae'r tywyllwch yn rhoi hyder i fi ddweud beth dwi'n 'i feddwl, rywsut, yn lle bod yn ofalus a thrio bod yn cŵl.

'Ti'n edrych fel môr forwyn,' medd Noah.

'Wir?'

'Wyt, gyda'r mwng hir, hyfryd 'na o gyrls.'

Gwenaf. Ers blynyddoedd, dwi wedi teimlo'n ansicr ynglŷn â 'ngwallt – 'i fod e'n rhy goch, yn rhy hir, yn rhy gyrliog. Ond nawr dwi'n dechrau meddwl am y tro cyntaf erioed nad yw e'n 'rhy' ddim byd.

'Dwi'n reit falch nad oes 'da ti gynffon pysgodyn, hefyd,' medd Noah, gan wasgu fy llaw.

O ie – ddwedais i 'i fod e'n dal i ddal fy llaw, yn do?

Daw'r teimlad pilipalod-yn-y-bola 'nôl, fel petai'n llawn tylwyth teg, yn symud 'u hadenydd yn gyffro i gyd.

'Ydw, dwi'n falch am hynny hefyd,' meddaf yn dawel.

'Dere 'ma – dwi eisiau dangos rhywbeth i ti.' Caf f'arwain gan Noah ar hyd gwely'r môr, heibio'r llun o gist drysor sy'n gorlifo ag aur, a hen angor a'r enw *Titanic* wedi'i gerfio arno.

'Weli di'r seren fôr 'na?' Pwyntia Noah at seren fôr lachar, gwyrddlas 'i lliw, sy'n gwenu'n llon.

'Gwelaf.'

'Fi baentiodd honna.'

'Beth? Wir? Ti wnaeth hwn i gyd?' Syllaf arno mewn rhyfeddod.

Mae'n siglo'i ben. 'Nage, 'nhad wnaeth e. Ond fe ges i mi baentio'r seren fôr. Dim ond tua deg oed o'n i bryd hynny.'

'Mae'n rhaid bod hynny mor cŵl.'

'Oedd. Wnaeth e ddim gadael i fi weld unrhyw ran ohono fe yn y golau uwchfioled tan iddo fe orffen yr holl beth. Ti'n gwybod i fi ddod â ti 'ma yn y tywyllwch?'

Nodiaf.

'Dyna'n union wnaeth e i fi. Wna i byth anghofio hynny.'

Mae Noah yn gwenu, ond rywsut mae e hefyd yn edrych yn drist.

'Dwi'n siŵr. Wel, wna i ddim anghofio hyn chwaith,' meddaf.

Mae'n syllu arna i a dwi'n teimlo fel tase fe am wneud rhywbeth, ond yna gollynga fy llaw. 'Dere, awn ni i gael cinio.'

Dilynaf e i lawr ar hyd y darlun hudolus, gan geisio dyfalu beth ddigwyddodd. Ben draw'r cyntedd mae llun octopws – a holl liwiau'r enfys yn goleuo'i dentaclau. Wrth i ni i agosáu, galla i glywed sŵn lleisiau'n parablu'n dawel a llestri'n clindarddach.

Gwena Noah yn ddrygionus arna i. 'Ti'n barod?'

'Ydw.'

Estynna am fwlyn sydd hefyd yn drwyn i'r octopws, a'i droi. Mae drws cudd yn agor a Noah yn amneidio arna i i'w ddilyn. Erbyn hyn, dwi ddim yn siŵr iawn beth i'w ddisgwyl. Dwi'n teimlo fel Alys yng Ngwlad y Rhyfeddodau ar ôl iddi gwympo i lawr twll y gwningen. Fyddwn i ddim yn synnu o gwbl tase te parti mawr ar ochr arall y drws.

'O waw!' Wrth i fi ddilyn Noah i'r caffi, mae fy llygaid yn lledu i gael amsugno'r cyfan. Mae'r stafell yn dywyll ac yn llawn hen gadeiriau o bob lliw a llun – dim un yr un peth – yn glystyrau o gwmpas byrddau pren cadarn. Mae canhwyllau'n goleuo pob bwrdd, a'r cwyr yn llifo i lawr ochrau'r canwyllbrennau o hen boteli gwin. Ar wahân i ambell lamp fan hyn a fan draw, dyma'r unig olau. Mae'r waliau wedi'u peintio'n goch tywyll ac yn llawn ffotograffau a phaentiadau mewn fframiau. Nid yn unig bod y lle'n edrych yn anhygoel, mae'n arogli'n anhygoel hefyd – cymysgedd cyfoethog o domatos a pherlysiau a bara ffres o'r ffwrn.

'Wyt ti'n hoffi pasta?' hola Noah.

Nodiaf, yn rhy brysur yn astudio f'amgylchfyd i ddweud dim.

'Cŵl. Fan hyn maen nhw'n gwneud y pasta gorau yn y ddinas. Eidalwr yw'r *chef.* Mae e'n seren. Beth am i ni i gymryd y bwrdd yma?' Mae Noah yn f'arwain draw at fwrdd mewn cornel fach glyd. Eisteddwn ar soffa ledr feddal, yn gwenu ar ein gilydd.

'Diwrnod Dirgel Hudol Hapus,' medd Noah.

'Dyma'r Diwrnod Dirgel Hudol gorau erioed,' meddaf.

'Wel, dyw e ddim wedi gorffen eto,' medd Noah gan gydio yn y fwydlen fach ar ganol y bwrdd a symud yn nes ataf fel bod y ddau ohonom yn gallu'i gweld. Unwaith eto, dwi'n ymwybodol ein bod ni'n agos iawn at ein gilydd. Mae hyn yn 'y nghyffroi i'n llwyr, nes bod yr holl lythrennau ar y fwydlen yn cymysgu â'i gilydd.

'Mae'r lasagne fan hyn yn anhygoel,' medd Noah.

Edrychaf arno, a'r unig beth sydd ar fy meddwl yw'r geiriau: CUSANA FI. Am chwarter eiliad, wrth iddo edrych i'm llygaid a symud 'i ben damaid bach yn nes ataf i, dwi'n pendroni tybed a yw'r un peth ar 'i feddwl yntau. Ond yna daw dyn draw at ein bwrdd, yn sboncio wrth gerdded, gan ddod â'r foment hudol i ben.

'Noah, 'chan!' medd y dyn. Mae e'n dal ac yn denau ac yn gwisgo jîns sy'n isel rownd 'i ganol, a chrys-T sglefrolio. 'Ers slawer dydd. Sut wyt ti?'

'O, ti'n gwybod – prysur,' ateba Noah.

Gwena'r dyn. 'Dwi'n siŵr.'

'Penny, dyma Antonio. Antonio, Penny – mae hi wedi dod yr holl ffordd o Brydain i fwyta yma heddiw felly paid â'i siomi hi.'

'Wir?' Mae'r dyn yn edrych arna i a dwi'n nodio. 'Os felly, mae'n rhaid i chi'ch dau drio 'mheli cig newydd i.' Daw i bwyso ar ymyl ein bwrdd, a chlosio atom. 'Mae'r saws tomatos yn rysáit gyfrinachol ges i gan fam-gu fy mam-gu. Chewch chi ddim byd tebyg iddo y tu fas i'r Eidal.'

'Iawn – swnio'n wych i fi.' Mae Noah yn troi ataf i. 'Beth wyt ti'n feddwl, Penny?'

'Swnio'n grêt.'

Mae Antonio'n edrych ar Noah gan wenu. 'Noah 'chan, mae'r acen 'na'n giwt.'

Mae Noah yn nodio, a finnau'n gwrido.

Ar ôl i Antonio gymryd ein harcheb a diflannu i'r gegin, edrychaf eto o gwmpas y caffi. Dim ond dyrnaid o gwsmeriaid craill sy 'ma – pob un ohonyn nhw'n hipsters mewn jîns tyn a chrysau-T wedi pylu, yn pwyso dros liniaduron neu wedi ymgolli'n ddwfn mewn sgyrsiau. Dyma'r bwyty mwyaf hyfryd o hamddenol i mi'i weld erioed.

'Mae'r lle 'ma mor cŵl,' meddaf, gan feddwl yn uchel.

'Ro'n i'n gwybod y byddet ti'n 'i hoffi e,' medd Noah.

'Oeddet ti? Sut?'

'Achos 'mod i'n 'i hoffi e.'

Codaf ael arno.

'Mae llawer gyda ni'n dau'n gyffredin.'

'Oes e?'

'O oes.' Yna, wrth i fi ddechrau teimlo fel tase rhywbeth arbennig ar fin digwydd, fel tase fe ar fin dweud rhywbeth pwysig iawn wrtha i, mae'n symud oddi wrtha i ar y soffa. 'Dwi jyst yn mynd i'r tŷ bach. Fydda i ddim yn hir.'

Wrth i fi wylio Noah yn cerdded i ffwrdd, cymeraf funud fach i brosesu popeth sydd wedi digwydd. Mae'n rhyfedd achos er na ddylai trychineb rhyngwladol dangos-nicers fel fi fod yn agos at y lle 'ma, gyda'r person 'ma, mae rhywbeth am y ffordd mae Noah a finnau'n 'ffitio' gyda'n gilydd sy'n gwneud i hyn ymddangos yn gwbl naturiol. Penderfynaf yn y fan a'r lle i beidio â phoeni rhagor am sut y 'dylai' pethau fod. Gwyliaf ferch yn cerdded at hen jiwcbocs yn y gornel i roi arian i mewn. Dechreua'r gân 'What a Wonderful World' chwarae a dwi'n teimlo mor hapus – fel tase pob cell yn 'y nghorff wedi troi'n sêr gwib. Dyma 'gân hapus' Dad – yr un y bydd e wastad yn 'i chwarae pan fyddwn ni'n dathlu rhywbeth. Mae hyn yn berffaith – yn gwbl berffaith – a daw dagrau o lawenydd i'm llygaid.

'Mae dy feddwl di'n bell,' medd Noah, wrth ddod 'nôl at y bwrdd.

'Ydy wir,' cytunaf gyda gwên.

'Wyt ti am ddweud wrtha i am beth wyt ti'n breuddwydio?'

'Byddai hynny'n costio'n ddrud i ti.'

'Wir? Faint?' Mae e'n llithro'n ôl ar y soffa, wrth f'ymyl.

'Llawer mwy nag y gallet ti'i fforddio.'

'Nage!'

'Ie.'

Mae Noah yn gwenu arna i. 'Fe ddyweda i wrthot ti beth sydd ar 'y meddwl i, os gaf i geiniog fach gen ti.'

'Wir?' Dwi'n ymbalfalu yn 'y mag am 'y mhwrs, ac yn rhoi ceiniog iddo. 'Bant â ti, 'te.'

'Ro'n i'n meddwl: dwi mor falch i mi roi lifft i'r gwaith i Sadie Lee y bore 'ma. A dwi mor falch i mi aros yn y gwesty i chwarae'r gitâr 'na.'

Mae 'nghalon yn dechrau curo'n wyllt. 'Wyt ti?'

'Ydw. Roedd honna'n gitâr a hanner.'

'O.'

Mae'n gwenu'n ddireidus arna i, cyn edrych i ffwrdd.

Pennod Dau ddeg un

'Dy dro di,' medd Noah, gan roi 'ngheiniog 'nôl i fi.

'Beth?'

'Dy dro di. Rhaid i ti ddweud beth sydd ar dy feddwl di nawr.'

'Ond fe ddwedais i wrthot ti – mae fy meddyliau i'n werth llawer mwy na cheiniog.'

'O na.' Mae Noah yn gwgu arna i ac yn siglo'i ben. 'Pan fydd person wedi dweud 'i feddyliau wrthot ti, mae'n rhaid i ti wneud yr un peth – am yr un pris yn union. Dyna'r rheolau.'

'Mae 'na reolau?' Dwi'n esgus edrych yn grac ond mae 'mhen i'n llawn parablu nerfus. Sut alla i ddweud wrtho fe mai CUSANA FI oedd ar 'y meddwl i? Bydd e'n credu 'mod i'n wallgo. Mae'n rhaid i fi feddwl am rywbeth arall. Ond dwi ddim yn un dda am feddwl am bethau clyfar i'w dweud wrth fechgyn. Dyma fi'n atgoffa fy hunan i beidio â thrafod chwain.

'Dere,' medd Noah, gan amneidio at y geiniog yn fy llaw. Mae fy meddwl yn hollol wag. Alla i ddim meddwl am ddim ond y gwir. 'Ro'n i'n meddwl ... bod heddiw'n ddiwrnod hollol berffaith.' *O Dduw Mawr, oes rhaid i ti fod mor ddifrifol?* medd y llais bach yn fy mhen.

Nodiaf 'y mhen, yn methu edrych arno, rhag ofn 'mod i wedi

camddeall y sefyllfa'n llwyr.

'Dwi'n meddwl ... ' medd Noah.

'Dyma nhw! Peli cig!

Dyma'r ddau ohonom ni'n neidio wrth glywed llais Antonio. Mae'n taro dwy ddysgl dwym ar y bwrdd. Mewn sefyllfa wahanol, bydden nhw'n edrych yn anhygoel, ond ar y funud hon, mae'n gas 'da fi'r peli 'na gyda'u saws cyfrinachol hurt a'r dail basil dwl ar 'u pennau. Pam na allai e fod wedi aros am funud fach? Pam na allwn i glywed beth roedd Noah ar fin 'i ddweud? I wneud pethau'n waeth, mae Antonio wedyn yn aros gyda ni am ryw BUM MUNUD i ddweud popeth wrthon ni am 'i hen hen fam-gu a sut roedd hi'n tyfu'r *"to- may- toes"* anhygoel a sut y byddai pobl yn tyrru o bob cwr o Napoli i gael dim ond cegaid o'i saws arbennig. Erbyn iddo fynd 'nôl i'r gegin – o'r diwedd – mae'r foment wedi diflannu'n llwyr. Lapiaf rywfaint o sbageti o gwmpas fy fforc ond wrth i mi 'i rhoi yn 'y ngheg, mae hanner y sbageti'n cwympo i lawr. Wrth gwrs, dyna'r foment mae Noah yn edrych arna i.

'Sut mae dy beli cig di?' hola.

'Mmm, yn dda,' mwmialaf, yn ceisio – ac yn methu – edrych yn cŵl gyda chwe modfedd o sbageti'n hongian mas o 'ngheg fel teulu o fwydod. Cyn gynted ag y mae e'n edrych 'nôl i lawr ar 'i fwyd 'i hunan, ceisiaf sugno'r sbageti lan trwy 'nannedd. Ac ar y foment honno, mae'r gân oedd ar y jiwcbocs yn gorffen a chaiff y tawelwch 'i lenwi â sŵn sugno ofnadwy. Fy sŵn sugno ofnadwy *i*, wrth i'r sbageti saethu lan i 'ngheg, gan dasgu saws tomato dros fy wyneb. Mae Noah yn edrych arna i. Ond yn lle gwneud sbort am 'y mhen, neu deimlo cywilydd o fod ar yr un bwrdd â fi, mae'n rhoi llwyth o sbageti ar 'i fforc ac yn 'i sugno lan yn yr ffordd â fi. Mae diferyn mawr o saws yn glanio ar ganol 'i dalcen. Mae'r ddau ohonom ni'n edrych ar ein gilydd ac yn dechrau chwerthin yn afreolus, ac ar y foment honno dwi ddim jyst yn meddwl bod Noah yn hollol anhygoel o olygus ac yn Dduw Roc – dwi wir yn 'i *hoffi* hefyd, ac mae hynny'n bwysicach byth.

''Co,' medd, gan godi'i napcyn. 'Gad i fi sychu hwnna.'

Ac mae'n symud yn nes ac yn sychu'r saws tomato sydd dan fy llygaid. Ac ar f'amrant. Ac ar 'y nhalcen. Ac ar 'y ngên. Ac ar 'y ngwefus ucha. Ac ar 'y ngwefus isaf. Ac ...

'O ddifri?' meddaf, yn syllu arno. 'Oedd 'na saws dros fy wyneb i gyd?'

Mae'n siglo'i ben. 'Nac oedd. Dwi jyst yn hoffi sychu wynebau merched. Paid â phoeni – mae'n arfer cwbl ddiniwed, yn ôl fy seicolegydd.'

Gan chwerthin, codaf fy napcyn fy hun a sychu'r saws o'i dalcen yntau.

'Aha, tithe'n hoffi gwneud yr un peth,' medd Noah, gan chwerthin. 'Ddwedais i wrthot ti bod gyda ni lawer yn gyffredin.'

Ry'n ni'n rhoi'r napcyns i lawr ac yn troi'n ôl at ein bwyd. Mae llawenydd pur wedi treiddio trwy 'nghorff i gyd erbyn hyn. Mae hyd yn oed bysedd 'y nhraed yn dawnsio'n llon.

'Felly, ai artist yw dy dad o hyd?' holaf, yn benderfynol o ddod i wybod cymaint â phosib am Noah. Dyw e ddim yn ateb yn syth, felly dwi'n troi i edrych arno fe. Mae e wedi stopio bwyta ac mae'n syllu i lawr ar 'i blât. 'Nage, ddim nawr. Mae 'nhad ... wedi marw. Mae Mam wedi marw hefyd.'

Rhoddaf 'y nghyllell a'm fforc i lawr, yn teimlo'n ofnadwy. 'Mae'n wir ddrwg 'da fi. Do'n i ddim yn sylweddoli.'

'Dwi'n gwybod. Paid â becso.' Ond mae Noah yn edrych yn drist ofnadwy a dwi eisiau cicio fy hunan am ofyn y fath gwestiwn. 'Buon nhw farw bedair blynedd 'nôl. Felly, ti'n gwybod, dwi'n gallu siarad am y peth nawr.'

'O.' I ddechrau, dwi'n hollol fud. Alla i ddim meddwl am unrhyw beth i'w ddweud. Alla i ddim dechrau dychmygu'r profiad o golli un rhiant, heb sôn am ddau. Mae'r syniad yn frawychus. 'Felly, ti'n byw gyda Sadie Lee?'

'Ydw, fi a fy chwaer fach, Bella.'

'Mae chwaer 'da ti?'

'Oes.' Mae wyneb Noah yn meddalu'n syth.

'Faint yw 'i hoedran hi?'

'Pedair – bron yn bump.'

'Pedair? Ond ...'

'Dim ond babi oedd hi pan farwon nhw.'

'O – mae hynny mor drist!'

'Dwi'n gwybod. Ond mae Sadie Lee yn fam wych iddi hi a dwi'n trio bod yn frawd mawr arbennig iddi hi hefyd.'

Mae'n gwthio'i blât oddi wrtho ac yn edrych yn ddwys arna i. 'Cawson nhw'u lladd mewn damwain sgio – *avalanche*. Ar ôl iddo fe ddigwydd, ro'n i fel tasen i'n gweld y byd mewn ffordd gwbl wahanol. Ti erioed wedi cysgu a chael breuddwyd ffantastig ac yn sydyn, mae'r freuddwyd yn troi'n hunllef?'

Nodiaf – mae'r rhan fwyaf o 'mreuddwydion i fel 'na'n ddiweddar.

'Wel, dyna sut oedd 'y mywyd i bryd hynny. Cyn y ddamwain, roedd popeth yn saff ac yn sbort ac yn hyfryd, ond wedyn, ar ôl hynny, roedd popeth yn frawychus. Dyna pam 'mod i'n deall yn iawn sut oeddet ti'n teimlo yn y tryc. Mae dy ddamwain di wedi dangos i ti pa mor fregus y gall bywyd fod.'

'Ydy!'

Mae Noah yn symud yn agosach ataf. 'Iawn, dwi'n mynd i ddweud rhywbeth eithaf *embarrassing* wrthot ti, ond, beth yw'r ots? Dwi newydd dy weld di'n tasgu saws tomato hen hen fam-gu Antonio dros dy wyneb.' Dechreua ffidlan gydag ymyl 'i napcyn. 'Es i'n nerfus iawn ar ôl i Mam a Dad farw. Ro'n i'n ofnus – yn poeni bod rhywbeth yn mynd i ddigwydd i Bella neu Sadie Lee. Roedd rhaid i fi tsecio bob munud 'u bod nhw'n iawn, pan nad o'n i gyda nhw. Aeth y peth yn dipyn o boen. Do'n i ddim yn gallu ymlacio pan oedden ni ddim gyda'n gilydd.'

'Ti'n dal i deimlo fel 'na?'

'Na'dw, diolch i Dduw. Sylweddolodd Sadie Lee fod rhywbeth yn bod ac fe drefnodd hi i mi weld cwnselydd.'

'Wnaeth hynny dy helpu di i wella?'

'Do. Hynny, a sgrifennu.'

Cofiaf am yr hen lyfr nodiadau yn y tryc. 'Pa fath o sgrifennu?'

'Jyst beth sydd ar fy meddwl, f'ofnau – y math yna o beth. Mae rhoi pethau mewn du a gwyn yn dda, rywsut.'

Dwi'n deall yn iawn. Mae hyn yn f'atgoffa i o'r ffordd mae'r blog wedi fy helpu i'n ddiweddar.

'Ti'n 'y nghofio i'n dweud wrthot ti yn y tryc fod pethau'n gwella gydag amser?'

'Ydw.'

'Dwi'n cofio Sadie Lee yn dweud hynny wrtha i ar ôl i Mam a Dad farw, ac ar y pryd roedd hynny'n 'y ngwylltio i, ond mae'n wir. Yn hollol wir.'

Mae'n dal 'y nwylo ac yn gwenu arna i. 'Wyt ti eisiau gwybod rhywbeth ddywedodd y cwnselydd wrtha i, oedd yn help mawr?'

'Ydw. Plis.'

'Paid ag ymladd yn 'i erbyn.'

'Beth wyt ti'n feddwl?'

'Pan fyddi di'n teimlo panig, paid ag ymladd yn 'i erbyn e. Mae hynny'n gwaethygu'r sefyllfa, filiwn o weithiau. Jyst dwed wrthot ti dy hun, "Ocê, dwi'n teimlo'n bryderus ar y funud, ond mae hynny'n iawn".'

'Ac mae hynny'n gweithio?'

'Fe weithiodd e i fi. Roedd 'y nghwnselydd yn gofyn i fi ddychmygu f'ofn, i mewn yn 'y nghorff. Roedd rhaid i fi roi lliw a siâp iddo fe, a byddai hi'n dweud, "Eistedda gydag e, a gwylia beth sy'n digwydd".'

'A beth fyddai'n digwydd?'

'Byddai'r ofn yn pylu ac yn diflannu.'

'Waw.'

Ry'n ni'n eistedd yn dawel am foment.

'Wel, ddim fel hyn ro'n i am i'r cinio 'ma fynd,' medd Noah yn ddigalon. 'Sori.'

'Paid â bod yn ddwl; mae e wedi bod yn grêt. Mae hyn wedi fy helpu i – lot fawr. Does 'da ti ddim syniad. Ro'n i wedi bod yn poeni 'mod i'n mynd yn wallgo'.'

Gwena Noah. 'Dwyt ti ddim yn wallgo – ddim o gwbl. Wel, dim ond mewn ffordd dda iawn.'

Gwenaf arno yntau. 'Tithau hefyd.'

Mae fy ffôn yn dechrau canu yn 'y mag. Hoffwn i 'i hanwybyddu. Hoffwn i aros yn saff yn fy swigen fach gyda Noah, ond alla i ddim.

'Sori, well i fi ateb. Falle bod Mam yn wynebu argyfwng arall.'

'Wrth gwrs,' medd Noah.

Ond alla i weld ar y sgrin mai Elliot sy 'na. Gyda phwl o euogrwydd, trof fy ffôn ar y peiriant ateb. Gwna i esbonio'r cyfan wedyn – dwi'n siŵr y gwnaiff e ddeall. Rhoddaf fy ffôn 'nôl yn 'y mag. 'Mae'n iawn. Dim ond Elliot oedd e.'

'Pwy yw Elliot?'

'Fy ffrind gorau. Mae e yma gyda ni. Mae e mas gyda Dad, yn gweld yr atyniadau i gyd.'

'Ti'n siŵr nad oes rhaid i ti'i ffonio fe'n ôl?'

'Na, mae'n iawn. Wela i e wedyn.'

Mae Noah yn gwenu arnaf. 'Cŵl.'

'Hei, bobl! Sut oedd y peli?'

Wir?! Mae Antonio'n sboncio draw at ein bwrdd, â gwên fawr ar 'i wyneb. Erbyn hyn, dwi eisiau'i foddi e yn saws 'i hen hen fam-gu.

'Ro'n nhw'n arbennig,' medd Noah.

'Yn arbennig iawn,' meddaf, gan rygnu 'nannedd.

'Awesome!' Eistedda Antonio ar ymyl ein bwrdd. Dwi eisiau ochneidio dros bob man. 'Felly, Noah, ti wedi bod yn brysur, boi!'

'Do.' Tynna Noah 'i waled o'i boced. 'Mae'n flin 'da fi, ond mae'n rhaid i ni fynd. Mae'n rhaid i fi fynd â Penny 'nôl.'

Dechreua Antonio glirio ein llestri wrth i Noah dynnu pentwr o bapurau doler o'i waled. 'Popeth yn iawn, ond dewch 'nôl yn fuan, chi'n clywed? Mae'n dda eich gweld chi yma.'

Mae Noah yn gwenu ac yn codi o'r bwrdd. Wrth i mi'i ddilyn, teimlaf gymysgedd o ryddhad a siom. Dwi'n drist wrth orfod gadael y lle hudolus 'ma, ond yn falch bod hynny'n golygu y caf i Noah i gyd i fi fy hunan eto.

Ry'n ni'n ffarwelio ag Antonio ac yn mynd 'nôl i'r cyntedd tanddwr. Y tro yma, dyw e ddim yn cynnau'r golau'n syth.

'Dwi'n falch iawn 'mod i wedi cael y cyfle i fynd ar Daith Ddirgel Hudol gyda ti, Penny,' medd, mor dawel fel 'mod i brin yn 'i glywed.

'Dwi'n falch hefyd,' sibrydaf wrtho.

Yna, wrth iddo estyn y tu ôl i mi i gynnau'r golau, mae'i law'n taro fy llaw yn ysgafn. Ac er mai cyffyrddiad bychan bach oedd e, fel taflu briwsionyn i bwll hwyaid, mae tonnau trydanol yn symud trwy 'nghorff i gyd.

Pennod Dau ddeg dau

Mae camu allan i oerfel golau dydd fel cael ein dihuno o drwmgwsg. Rhaid cau fy llygaid rhag y golau gaeafol am ennyd. Yna, edrychaf ar Noah, sy'n edrych arna i. Mae popeth yn teimlo'n wahanol. Fel tasen ni wedi mynd i mewn i'r hen warws yn ddau unigolyn, ar wahân, a dod mas â chwlwm tyn yn ein clymu. Mae e'n gwenu.

'Ti'n moyn mynd i rywle arall?'

Wrth i mi nodio, mae'i ffôn yn canu. Estynna amdani o'i boced. 'Sadie Lee sy 'na,' medd wrtha i cyn cymryd yr alwad.

'Hei Mam-gu! Ydy, mae popeth yn iawn. Pam, beth sy'n bod? O, iawn. Dim problem. Wela i chi wedyn.' Daw'r alwad i ben ac ochneidia.

'Popeth yn iawn?' holaf, a theimlad digalon yng ngwaelod fy stumog.

'Ydy. Ond maen nhw eisiau i ni ddod nôl. Mae dy fam eisiau gweld y tiara ac mae Sadie Lee eisiau i fi fynd â hi i nôl Bella o'r feithrinfa.' Mae'n crafu'i esgid ar y llawr. 'Alla i dy weld di 'to cyn i ti fynd? Tan bryd fyddi di yma?'

'Dim ond tan ddydd Sul.' Am siom. Fory bydda i'n brysur drwy'r dydd a thrwy'r nos gyda'r briodas ac fe fyddwn ni'n gadael am y maes awyr yn gynnar fore Sul. Fydd dim amser i fi weld Noah eto.

'Pryd ddydd Sul?'

'Ben bore.' Edrychaf i lawr ar y llawr.

'Na! Felly dyma ni?'

Nodiaf. Ond mae 'mhen yn llawn cwestiynau crac. All hyn i gyd ddim dod i ben nawr! Sut alla i gwrdd â rhywun mor ddoniol a charedig, sydd mor 'iawn' i fi, a chael dim ond diwrnod gydag e? Mae hyn mor annheg.

'Wel, bydd rhaid i fi weld os alla i ddod draw i Brydain ar 'y ngwyliau nesa,' medd Noah gyda gwên. Gwenaf innau, er bod hynny'n ymdrech anferth. Llusgwn ein traed yn ôl at y tryc.

Yr holl ffordd adref i'r gwesty, dwi'n ddigalon. Ar yr wyneb, mae popeth yn iawn. Mae Noah yn sylwebu wrth yrru ac ry'n ni'n siarad am ddim byd o bwys, ond y cyfan sydd ar 'y meddwl yw, *Mae hyn mor annheg!* Erbyn i ni gyrraedd maes parcio tanddaearol y gwesty, dwi'n teimlo fel tasen i eisiau crio dros bob man.

'Ti'n gwybod beth yw "digwyddiad sbardunol?" hola Noah wrth danio'r injan.

Siglaf 'y mhen.

'Dyna'r pwynt ar ddechrau ffilm pan mae rhywbeth yn digwydd i'r arwr sy'n newid 'i fywyd e am byth. Ti wedi gweld *Harry Potter*, on'd wyt ti?'

Nodiaf.

'Wel, y digwyddiad sbardunol yn y ffilm yw pan fydd Hagrid yn dweud wrth Harry Potter y bydd e'n ddewin mawr ryw ddiwrnod ac yn rhoi gwahoddiad iddo fe ddod i Hogwarts.'

'O, iawn.'

Edrycha Noah i lawr ar 'i goesau, fel tase cywilydd arno fe. 'Dwi'n meddwl taw dyna wyt ti i fi.'

'Beth? Dewin?'

'Nage! Digwyddiad sbardunol.'

Ciledrychaf arno. Yng ngolau gwan y maes parcio, mae'i wyneb yn fwy trawiadol nag erioed. 'Beth wyt ti'n feddwl?' holaf, yn methu credu'i eiriau.

'Dwi'n meddwl, falle bod hyn yn ddechreuad rhywbeth o bwys.'

Eisteddwn mewn tawelwch.

'Dwi'n meddwl falle mai ti yw 'Nigwyddiad Sbardunol innau hefyd,' mentraf, gyda gwên fach.

Pan awn ni 'nôl i stafelloedd y briodas, dwi'n synnu na all Mam na Sadie Lee sylwi'n syth bod rhywbeth wedi digwydd. Dwi'n teimlo mor gyffrous ac mor fyw; mae'n syndod nad ydw i'n goleuo fel un o'r pysgod yn y murlun. Ond mae'r ddwy'n rhy brysur yn rhoi'r addurniadau olaf ar y gacen briodas – gŵr a gwraig wedi'u gwneud o eisin, yn gwisgo dillad yn steil y dauddegau.

'Mae Elliot a Dad 'nôl,' medd Mam, 'maen nhw lan yn 'u stafelloedd.'

'Iawn.' Edrychaf ar Noah ac mae e'n edrych arna i, ac mae'n teimlo fel tase gwefr drydanol yn llifo rhyngom ni.

'Wyt ti'n barod i fynd â fi i nôl Bella?' hola Sadie Lee Noah. Teimlaf bwl o dristwch wrth feddwl amdano'n gadael, ond mae'r boen yn lleihau wrth feddwl am rywbeth arall: ni yw digwyddiadau sbardunol ein gilydd. Mae hyn yn golygu y bydd rhaid i fi'i weld e eto.

'Iawn 'te,' medd Noah, gan roi gwên gyfrin arbennig i fi. 'Roedd heddi'n hwyl, on'd o'dd e?'

'O'dd.' Dyma fi'n gwrido.

Mae'n codi'i freichiau'n uchel fel tase fe am roi cwtsh i fi, ond am ryw reswm – Duw a ŵyr pam – dwi'n rhoi pump uchel iddo fe. Dwi erioed wedi rhoi pump uchel i neb yn 'y mywyd!

'O!' Mae Noah yn gweld fy llaw ac yn 'i tharo â'i law 'i hun. Yna mae'n cydio yn fy llaw ac yn 'y nhynnu ato, fel bod ein hysgwyddau ni'n taro yn erbyn 'i gilydd, mewn rhyw ffordd rapiwr *gangsta*. 'Ffonia i ti wedyn,' sibryda yn 'y nghlust.

Nodiaf, gan obeithio na wnaiff e sylwi ar fy wyneb fflamgoch.

Ac yna, mae e a Sadie Lee wedi mynd. Cyn i mi gael cyfle i ddangos y tiara i Mam, mae'i ffôn hi'n canu.

'Haia, Cindy,' medd, gan godi'i haeliau. 'Dyma'r tiara,' meimiaf, gan roi'r bocs i lawr ar gownter y gegin. 'Dwi'n mynd lan i fy stafell.'

Mae Mam yn nodio, a bant â fi.

Erbyn i mi gyrraedd y lifft, mae tecst wedi cyrraedd oddi wrth Noah.

> Diolch am ddiwrnod arbennig.
> Siaradwn ni wedyn. N

Dyma ddechrau ar neges 'nôl ato'n syth.

> Diolch i TI xxx

Edrychaf ar y testun gan wgu. Mae tair cusan yn llawer gormod. Yn enwedig gan na wnaeth e roi'r un gusan i fi. Dwi'n dileu'r cusanau. Nawr mae'r tecst yn edrych yn sych ac yn swta.

Ychwanegaf emoji wyneb hapus. Ond nawr mae'n edrych yn rhy anaeddfed. Beth am wyneb yn wincio? Na, na, mae hynny'n llawer rhy awgrymog. Dyma ddileu'r wyneb yn wincio ac ychwanegu P am Penny. Nawr mae'n edrych fel taswn i jyst yn copïo'i neges e. Rhaid i fi ddangos gwreiddioldeb a steil. Aiff y lifft lan dair gwaith, ond dwi'n dal i sefyll yno, yn teipio ac yn dileu, yn teipio ac yn dileu. Sut alla i greu argraff wreiddiol ac aeddfed heb ymddangos yn rhy frwdfrydig nac yn rhy ffurfiol? Yn y diwedd, dyma benderfynu ar: 'Diolch i TI, Penny' gydag emoji bawd lan ... oedd yn syniad gwych, tan i fi bwyso 'anfon.'

Ar ôl cyrraedd fy stafell, af yn syth at y drws sy'n cysylltu fy stafell i â stafell Elliot.

'Ti 'na, Elliot?'

Agoraf y drws yn llydan agored. Mae Elliot yn gorwedd ar 'i fola, yn cysgu'n drwm. Caeaf y drws yn ofalus ac af draw at 'y ngwely. Yna, gorweddaf ac edrych ar y nenfwd. Dwi ddim eisiau i'r teimlad yma ddod i ben. Caeaf fy llygaid a gwasgu un o'r clustogau wrth i mi ail-fyw pob moment o'r dydd yn 'y mhen. *Diolch, diolch, diolch,* sibrydaf wrth Dduw'r Digwyddiadau Sbardunol.

Yna, ar ôl sylweddoli 'mod i wedi cyffroi llawer gormod i fynd i gysgu, af draw at 'y nghês i nôl 'y gliniadur. Gan osgoi f'e-bost a'r rhwydweithiau cymdeithasol yn ofalus, af yn syth i'r blog a mewngofnodi. Erbyn hyn, mae dros 400 o sylwadau ar y blog ynglŷn ag wynebu ofnau. Dwi'n pwyso 'hoffi' i bob un ac yn ateb y ferch oedd yn pryderu am 'i mam yn yfed.

Yna, dechreuaf deipio blog newydd.

22 Rhagfyr

Dim Pryder – Hyder!

Helô, Bawb!

Waw, ry'ch chi i gyd mor anhygoel. Dwi wedi bod yn darllen eich sylwadau ar y postiad dwetha ac maen nhw'n gwneud i fi grio – ond mewn ffordd dda iawn.

Ro'n i'n arfer teimlo 'mod i ar 'y mhen fy hun yn llwyr cyn i fi ddechrau'r blog yma. Ro'n i'n arfer teimlo bod neb yn 'y neall i (ar wahân i Wici wrth gwrs). Ond dwi'n sylweddoli, ar ôl darllen eich sylwadau, bod cannoedd – a falle hyd yn oed filoedd (!) – ohonoch chi yn 'y neall i i'r dim.

Ac mae hynny'n gwneud i mi deimlo mor hapus.

Ac an-unig (*ydy 'an-unig' yn air...?!*).

Ac, er 'mod i weithiau'n teimlo mai fi yw'r unig berson sy'n cael trafferth gyda'r peth 'ma ry'n ni'n 'i alw'n 'fywyd,' dyw hynny ddim yn wir.

Diolch am fod mor onest am eich ofnau – ac am fod mor ddewr wrth 'u hwynebu nhw.

Plis, daliwch ati i ddiweddaru eich sylwadau. Dwi'n siŵr y byddan nhw'n helpu pawb arall i wynebu'u hofnau nhw hefyd.

Ond, ffrindiau ... mae rhywbeth wedi digwydd ers i mi wynebu f'ofn a chamu ar yr awyren.

Rhywbeth gwirioneddol anhygoel.

A dwi eisiau rhannu'r peth gyda chi gan fod y Foment Esgid Wydr ro'n i'n sôn wrthoch chi amdani wedi dod yn wir.

Ddim yn y ffordd ro'n i'n meddwl y byddai hi – fyddwn i byth wedi dychmygu y byddai pethau'n digwydd fel hyn!

Achos mae'r hyn ddigwyddodd nesaf yn gwneud i fi feddwl falle, wrth wynebu eich ofnau gwaethaf, eich bod chi'n camu i mewn i ryw fath o fydysawd paralel hudolus lle mae pob math o bethau'n bosib – achos 'mod i wedi cwrdd â bachgen.

Bachgen dwi'n 'i hoffi'n fawr.

A dwi'n meddwl 'i fod e wir yn fy hoffi i!

Ac i holl ddilynwyr newydd y blog 'ma (*diolch, gyda llaw!!*), falle byddech chi am edrych ar fy hen flogbostiadau – Dim Dêt i Mi a Cwympo i Dwll i weld nad yw'r math yma o beth yn digwydd i fi. Byth! Fi yw'r terch sy'n cwympo i mewn i dyllau ac yn siarad dwli fel person dw-lal o flaen bechgyn. D'yn nhw byth yn fy hoffi i – ddim fy hoffi i go iawn.

Maen nhw eisiau bod yn ffrind i mi, a dim byd mwy. Neu chwarae ymladd gyda fi. Neu wneud hwyl am 'y mhen.

Ond y bore 'ma, cwrddais i â bachgen sydd fel tase fe'n fy *hoffi* i go iawn. (Fe wna i'i alw e'n *Fachgen Brooklyn*). Ac mae'n teimlo'n anhygoel achos bod dim rhaid i fi esgus bod yn rhywun arall. Doedd dim angen i fi esgus bod yn cŵl. Dwi wedi bod yn fi fy hun – ac mae e'n dal i fy hoffi i.

Yn gynharach heddiw ro'n i mewn car gyda Bachgen Brooklyn, yn dechrau teimlo'n bryderus eto – o'i flaen e.

Ond doedd e ddim yn meddwl 'mod i'n rhyfedd. A dweud y gwir, roedd e'n wirioneddol hyfryd ac fe roddodd e gyngor da i fi. Dwi am rannu'i gyngor e gyda chi.

Yn gyntaf, dwedodd e wrtha i fod amser yn gwella pethau, a does dim byd yn para am byth, ddim hyd yn oed y pethau gwaethaf posib. Ac fe ddylai e wybod. Ychydig flynyddoedd yn ôl, fe gollodd e ddau o'r bobl agosaf ato fe. Dywedodd e hefyd, pan gollodd e'r bobl hynny, fe ddechreuodd e deimlo'n bryderus iawn am golli anwyliaid eraill. Yn y diwedd, aeth e i weld cwnselydd. Rhoddodd hi ymarfer iddo fe'i wneud pan fyddai e'n dechrau poeni am rywbeth.

Yn syml, pryd bynnag fyddwch chi'n dechrau pryderu neu'n ofni rhywbeth, ddylech chi ddim ymladd yn erbyn y teimlad. Mae angen i chi jyst ... gwylio'r peth yn eich corff.

Felly, os yw eich ofn chi'n gwneud i chi deimlo tensiwn mawr yn eich pen, neu deimlo fel tasech chi am chwydu, neu'n gwneud eich brest chi'n dynn, mae'n rhaid i chi ddychmygu'r peth fel tase siâp iddo fe, a rhoi lliw iddo fe. Ac yna, meddwl i chi'ch hunan 'i fod yn iawn i deimlo'n bryderus a gadael iddo fod, ac fe wnaiff e ddechrau pylu a diflannu.

Dwi heb drio hwn fy hunan eto, ond yn ôl Bachgen Brooklyn, mae'n help mawr iddo fe. Felly, i bawb sydd wedi sgrifennu am deimlo'n bryderus ynglŷn â gwahanol bethau, pam na wnewch chi roi cynnig ar hynny eich hunan y tro nesaf y byddwch chi'n teimlo fel hyn? Fe wna i hynny hefyd, ac yna gallwn ni adrodd 'nôl fan hyn ar y blog.

Pwy a ŵyr beth ddigwyddith i fi a Bachgen Brooklyn yn y dyfodol – dim ond am ddiwrnod arall dwi yma, yn anffodus!

Ond dwi'n teimlo bod rhywbeth arbennig iawn wedi digwydd rhyngom ni.

Felly alla i ddim credu mai dyma'r diwedd, ac na fydda i'n 'i weld e eto.

Wnaeth y tywysog ddim rhoi'r gorau wrth chwilio am Sinderela, naddo? Daliodd ati i chwilio a chwilio tan iddo fe ddod o hyd iddi hi a'i hesgid wydr.

Achos pan fyddwch chi'n dod o hyd i rywun sydd wir yn eich hoffi chi fel r'ych chi, a'ch bod chi wir yn 'i hoffi e neu hi fel y maen nhw, mae'n rhaid i chi wneud popeth allwch chi i beidio â'u colli nhw.

Dwi'n eich caru chi'n fawr a dwi mor ddiolchgar i chi am eich holl gefnogaeth.

Daliwch ati i sgrifennu am wynebu eich ofnau – a daliwch i gredu mewn straeon tylwyth teg.

Merch Ar-lein, yn mynd oddi ar-lein xxx

Pennod Dau ddeg tri

'Beth, yn enw Godzilla, wyt ti wedi bod yn 'i neud?'

Agoraf fy llygaid i weld Elliot yn rhythu arnaf trwy bâr o sbectol â ffrâm sêr a streipiau.

'Faint o'r gloch yw hi?' mwmialaf, yn edrych draw at y ffenest. Mae hi'n dywyll tu fas nawr ac mae tyrau Efrog Newydd yn wincio'n ddisglair fel ffenest siop gemydd. Mae'n rhaid 'mod i wedi cysgu weddill y prynhawn.

'Mae'n bryd i ti ddweud wrtha i beth ddiawl wyt ti wedi bod yn 'i wneud.' Mae Elliot yn taflu'i hunan lawr ar 'y ngwely. 'Pwy yw Bachgen Brooklyn?'

'O.' Edrychaf ar 'y ngliniadur ar y gobennydd ar 'y mhwys i a daw'r cyfan 'nôl i'm meddwl. Mae'n rhaid bod Elliot wedi darllen y blog.

'Gwrddais i â fe bore 'ma. 'I fam-gu sy'n arlwyo ar gyfer y briodas.'

'Beth, a ti nawr mewn cariad?'

'Na'dw, dwi ...'

Tynna Elliot 'i ffôn o'i boced a dechrau darllen rhywbeth ar y sgrin. '"Achos pan fyddwch chi'n dod o hyd i rywun sydd wir yn eich hoffi chi fel ry'ch chi, a'ch bod chi wir yn 'i hoffi e neu hi fel maen nhw, mae'n rhaid i chi wneud popeth allwch chi i beidio â'u colli nhw.'"

Dwi'n gwingo. Mae'n swnio dros ben llestri'n llwyr wrth i Elliot ddarllen y geiriau yn 'i lais mwyaf sarcastig. Mae e hefyd yn teimlo braidd yn afreal gan 'mod i bellach wedi cysgu. Falle mai breuddwydio'r holl beth wnes i?

'Ti wedi bod yn yfed?' Edrycha Elliot arna i dros 'i sbectol fel rhyw ddoctor cas.

'Na'dw!'

'Wedi dy hudo gan ryw gwlt gwallgo?'

'Na'dw!'

'Felly sut alli di fod mewn cariad â'r boi 'ma os mai newydd gwrdd ag e wyt ti?'

'Dwi ddim mewn cariad ag e.' Dechrcua siom dreiddio trwy 'nghorff fel niwl rhewllyd. 'Fe wnaethon ni hala'r rhan fwyaf o'r diwrnod gyda'n gilydd ac roedd 'na gysylltiad dwfn rhyngom ni.' O Dduw Mawr, dwi nawr yn swnio fel rhyw actores Hollywood ddwl yn cael 'i chyfweld ar *Oprah*.

Mae Elliot yn gwgu cymaint nes 'mod i'n disgwyl i'w sbectol gwympo bant. 'Roedd 'na gysylltiad dwfn rhyngoch chi?'

'Oedd. Mae gyda ni lawer yn gyffredin.'

'Felly, beth yw 'i oedran e?'

'Deunaw.'

'Ble mae e'n mynd i'r coleg?'

'Dyw e ddim.'

'Felly beth mae e'n neud?'

'Dim byd. Dwi ddim yn gwybod. Dwi'n meddwl 'i fod e ar flwyddyn "gap". Dwi'n dechrau teimlo fel tasen i'n cael 'y nghroesholi gan un o rieni Elliot (sy'n gyfreithwyr).

'Reit, felly ti wedi cwrdd â'r bachgen perffaith i ti, ond wnest ti ddim holi beth mae e'n neud.'

'Dim ond am ychydig oriau ro'n i gydag e.'

Gwena Elliot. Gwên hollwybodus. Mae'n dechrau 'ngwylltio i nawr – pam mae e'n bod mor gas? Ac i feddwl 'mod i wedi edrych ymlaen cymaint i ddweud wrtho fe am Noah.

'Doedd 'na ddim llawer o siarad mân,' mentraf.

'O, wir. Felly ydy dy rieni di'n gwybod amdano fe?'

'Nac ydyn! Ddigwyddodd dim byd.' Edrychaf mewn braw ar Elliot – well iddo fe beidio â dweud wrthyn nhw.

'Sut alli di ddweud bod dim byd wedi digwydd pan wyt ti wedi rhoi'r cyfan ar y we?'

Eisteddaf lan yn syth, yn rhythu arno'n grac. 'Dwi ddim wedi rhoi'r cyfan ar y we. Wnes i flogio amdano fe, dyna'i gyd. Ro'n i'n meddwl y gallai helpu pobl sy'n wynebu'u hofnau. Rhoddodd e gyngor da iawn i fi.'

Rhytha Elliot 'nôl arna i. 'Beth am y ffordd helpais i ti ar yr awyren? Pam na wnest ti flogio am hynny?'

Yn sydyn, dwi'n gweld beth yw'r broblem. Mae Elliot yn genfigennus gan na wnes i sôn amdano fe. 'O, Elliot, dwi wastad yn blogio amdanat ti. Beth am y tro 'na helpaist ti fi i ddewis ffrog ar gyfer prom yr ysgol? A'r diwrnod roddaist ti ddeg uchaf o gynghorion i fi, ar sut i edrych yn cŵl ar ôl cwympo? Gwnes i flogio amdanyn nhw, on'd do?'

Ond mae Elliot yn rhythu'n bwdlyd ar y gwely. 'Alla i ddim credu dy fod ti wedi blogio amdano fe cyn dweud wrtha i,' mae'n mwmial. 'Taswn i wedi cwrdd â rhywun oedd yn fy hoffi i fel 'na, byddwn i wedi dweud wrthot ti'n gyntaf.'

Nawr dwi'n teimlo'n wael. Dwi'n pwyso mlaen ac yn 'i gyffwrdd ar 'i fraich. 'Wnes i drio dweud wrthot ti. Ro'n i'n ysu i siarad â ti drwy'r dydd, ond pan gyrhaeddais i 'nôl, roeddet ti'n cysgu.'

Mae Elliot yn edrych arna i. 'Allet ti fod wedi 'nihuno i. Ac fe allet ti fod wedi fy ffonio i 'nôl gynnau.'

_ 'Mae'n ddrwg 'da fi.' Dwi'n teimlo'n hollol siomedig nawr. 'Does dim pwynt pwdu am y peth – wna i 'mo'i weld e 'to, siŵr o fod.'

Mae tawelwch hir, lletchwith cyn i Elliot roi'i law ar fy llaw. 'Sori. Ond pan weles i'r blog diweddara, ro'n i'n teimlo'n rhyfedd – fel tasen i wedi cael 'y ngadael mas.'

'Fyddwn i byth yn gallu d'adael di mas o ddim byd. Ti yw fy ffrind gorau.' Dwi'n rhoi cwtsh mawr iddo.

Er 'mod i ac Elliot yn deall ein gilydd nawr, mae'n anodd peidio â theimlo braidd yn fflat. Ro'n i eisiau siarad am bopeth gydag e, i gael ail-fyw'r diwrnod hudolus eto ac eto, ond sut alla i wneud hynny os fydd y cyfan yn 'i neud e'n grac? Cyn i'r un ohonom ni gael cyfle i ddweud gair arall, dyma gnoc ar y drws.

'Hei, ferch annwyl dy dad,' bloeddia Dad mewn acen Americanaidd ffug sydd hyd yn oed yn waeth nag un Ollie. 'Awn ni am swper?'

Ddylen ni fod wedi cael sbort amser bwyd. Ry'n ni'n mynd i Chinatown, i fwyty o'r enw The Cheery Chopsticks, lle mae'r staff gweini fel actorion pantomeim. Roedd popeth fel perfformiad mawr gyda nhw, o'r ffordd wnaethon nhw ein helpu ni i dynnu ein cotiau, i'r ffordd arbennig ddaethon nhw â'r bwyd i'n bwrdd ni. Ond allen i ddim ymlacio. Er bod Elliot yn ymddwyn yn hollol normal eto, a Mam ddim ar bigau'r drain am y briodas ac yn edrych mlaen at y diwrnod mawr, y cyfan oedd ar 'y meddwl oedd, _ddylwn i ddim bod wedi blogio am Noah_. Roedd ymateb Elliot wedi rhoi siglad i fi. Dyw e erioed wedi bod yn negyddol am unrhyw flog dwi wedi'i bostio ers i fi ddechrau sgrifennu Merch Ar-lein. Falle bod sgrifennu'r blog braidd yn ddwl a dros ben llestri. Falle 'mod i wedi gweld gormod yn 'y niwrnod gyda Noah. Falle mai dychmygu'r cysylltiad rhyngom ni wnes i. Erbyn i fi gyrraedd 'nôl i'r gwesty, dwi'n benderfynol o ddileu'r blog cyn gynted ag y cyrhaedda i fy stafell. Gyda phob cam ar hyd y carped trwchus, y cyfan sy ar 'y meddwl yw, *Dileu, dileu, dileu.*

'Beth yw hwnna tu fas i dy stafell di?' medd Mam.

Dileu, dileu, dileu. 'Beth?'

'Wnest ti archebu *room service* ?' hola Dad.

'*Room service* od iawn,' medd Elliot dan 'i anadl.

Edrychaf lan a gweld bocs cardfwrdd ar y llawr wrth 'y nrws.

'O-o! Ti ddim yn credu mai bom yw e, wyt ti?' medd Elliot, gan edrych arnom ni â llygaid fel soseri.

Gwgaf arno. 'Pam fyddai rhywun yn rhoi bom tu fas i fy stafell i?'

Mae Elliot yn codi'i ysgwyddau. 'Dim syniad. Falle nad o'n nhw'n dy dargedu di'n uniongyrchol. Falle'u bod nhw wedi dewis stafell ar hap.'

Siglaf 'y mhen. Er mod i'n un o'r bobl fwyaf anlwcus a thrwsgl ar y ddaear, dwi'n credu bod cael bom tu fas i fy stafell braidd yn anghredadwy.

'Dim bom yw e,' medd Dad. 'Mae rhywun wedi'i adael e yno trwy gamgymeriad siŵr o fod. Gallwn ni ffonio'r dderbynfa i weld ydyn nhw'n gwybod unrhyw beth amdano fe. O ...'

Gwyliaf wrth i Dad godi'r bocs. 'Beth yw e?'

'Mae e i ti – drycha.'

Mae 'nghalon yn dechrau curo fel drwm. Tybed ai rhywbeth gan Noah yw e? Pwy arall sy'n gwybod 'mod i yma?

Af draw at Dad a chymryd y bocs oddi wrtho. Mae'r label mewn llawysgrifen ar y top yn dweud, *I Penny, Diwrnod Ti'n-Gwybod-Beth-Hapus! N*

'Oddi wrth bwy mae hwn?' medd Dad, gan edrych yn amheus.

'Noah,' meddaf dan f'anadl, a 'mochau i'n fflamgoch yn syth.

'Pwy?' hola Dad.

'Noah,' meddaf eto.

'Ie, clywais i'r tro cyntaf, ond pwy yw Noah?'

'Ŵyr Sadie Lee,' esbonia Mam. 'Aeth Penny gydag o i nôl y tiara arall heddiw.'

'Felly, beth sydd yn y bocs?' Gofynna Dad, gan godi'i aeliau.

'Dim syniad,' atebaf. Maen nhw i gyd yn syllu arna i, yn aros i mi'i agor e. 'Dwi'n mynd i'r gwely,' meddaf. 'Dwi wedi blino'n lân.'

Mae Dad yn edrych ar Mam ac yn codi'i aeliau eto. Mae hi'n gwenu arno ac yn ysgwyd 'i phen fel tase hi'n dweud, *Mae'n iawn.* Ffiw, meddyliaf.

'Wela i chi yn y bore,' meddaf, gan estyn 'y ngherdyn allwedd o 'mag yn gyflym.

'Ie, ben bore,' medd Mam.

'Ond –' cychwynna Elliot ddweud rhywbeth.

'Nos da!' Meddaf, gan sleifio trwy'r drws a'i gau yn dynn cyn i neb gael cyfle i ddweud gair arall.

Mae 'nghalon yn dal i guro'n drwm: beth allai e fod? Edrychaf ar fy ffôn i weld a yw Noah wedi tecstio ond does dim byd. Agoraf dop y bocs ac edrych i mewn. Gwelaf lond pen o wallt browngoch ac ebychaf – y ddol!

Sylwaf hefyd ar amlen wedi'i thapio i mewn i'r caead. Agoraf e a thynnu nodyn mas.

Annwyl Penny,

Es i'n ôl i'r siop, ac wrth i fi gerdded heibio'r ddol fe ddywedodd hi wrtha i mai'i breuddwyd fawr hi yw cael 'i mabwysiadu gan ferch garedig o Brydain, â gwallt a brychni haul ciwt fel hi. Roedd hi'n ymbil mor daer fel

na allwn i wrthod – er bod hynny'n golygu siarad â'r
Perchennog Siop o Uffern ddwywaith mewn diwrnod.
Y tro yma, dywedodd wrtha i, 'Fachgen, dwyt ti ddim
braidd yn rhy hen i chwarae gyda doliau?' Dywedais
wrtho fe 'mod i'n gobeithio bod yr oedran cywir ar gyfer
rhywbeth, rhywbryd – priodas, doliau, beth bynnag. Doedd
e ddim yn rhy hapus.
Dwi hefyd yn amgáu darn o gacen siocled fyd-enwog Sadie
Lee (i wneud yn siŵr dy fod ti'n cadw at reolau'r Diwrnod
Dirgel Hudol ac yn cael cacen gyda phob pryd bwyd).
N

Tynnaf y ddol mas, ynghyd â slabyn anferth o gacen wedi'i
lapio mewn ffoil. Rhoddaf y ddol i eistedd ar 'y ngobennydd.
Mae hi'n edrych yn hapusach yn syth, yn syllu arna i drwy'i
llygaid gwydrog gwyrdd. Yna, daw'r teimlad pilipala-yn-y-bola
yn 'i ôl, fel bod holl straen y noson yn dechrau diflannu. Mae
Noah yn wirioneddol hyfryd ac mae e'n fy hoffi i. Wnes i ddim
dychmygu'r cysylltiad o gwbl.

Pennod Dau ddeg pedwar

Dwi ar fin tecstio Noah pan glywa i gnoc ysgafn ar y drws rhyngof i ac Elliot.

'Pen, ga i ddod i mewn?' clywaf Elliot yn galw.

'Wrth gwrs,' atebaf.

Mae'r drws yn agor ac Elliot yn cerdded draw ata i. Mae e'n gwisgo'i byjamas, cap Yankees y ffordd anghywir, a dim sbectol, sy'n gwneud i'w wyneb edrych hyd yn oed yn deneuach.

'Haia,' medd, gan edrych yn gyflym ar y gwely, yn amlwg i geisio gweld beth oedd yn y bocs. Mae'i lygaid yn taro ar y ddol. 'Na!' ebycha. 'Ai dyna beth anfonodd e atat ti?'

Nodiaf, ac er 'mod i'n trio bod yn cŵl, alla i ddim peidio â gwenu o glust i glust.

'Mae hi'n brydferth!' Eistedda Elliot i lawr ar y gwely, a'i chodi.

'Dwi'n gwybod. Welon ni hi yn y siop hen bethau gynnau – pan aethon ni i nôl y tiara. Ddwedais i wrtho fe fod teganau amddifad wastad yn 'y ngwneud i'n drist. Anfonodd e nodyn i ddweud 'i bod hi eisiau i fi'i mabwysiadu hi.' Dwi'n gwrido mewn embaras wrth aros i Elliot wneud rhyw sylwadau sarcastig, ond dyw e ddim. Mae'n dal i wenu ar y ddol ac yn mwytho'i gwallt.

'Drycha ar y ffrog 'na. Mae'n rhaid 'i bod hi'n Fictoraidd. Ti'n gwybod faint gostiodd hi?'

Dwi'n ysgwyd 'y mhen.

'Fyddai hi ddim wedi bod yn rhad. Nid Barbie yw hi, cariad.'

'Dwi'n gwybod.'

'O, Dduw Mawr! Fe wnaeth hala'r gacen 'na hefyd?' Mae llygaid Elliot yn lledu hyd yn oed yn fwy wrth weld cacen Sadie Lee.

'Ie. 'I fam-gu wnaeth hi. Mae hi'n gogyddes arbennig.'

Mae Elliot yn rhoi'r ddol 'nôl ar y gobennydd ac yn gwenu arna i.

'Ocê, ocê, dwi'n dechrau gweld sut allai hyn fod yn gariad ar yr olwg gynta.' 'Wel?'

'Beth?'

'Dwed y cyfan wrtha i.'

Felly ry'n ni'n mynd dan y cwilt, a dwi'n dechrau dweud wrtho fe am 'y niwrnod hudolus gyda Noah. Wrth sôn am 'i law'n symud yn erbyn fy llaw i, mae Elliot yn dechrau chwifio'i ddwylo'n gyffrous. Ond penderfynaf beidio â dweud wrtho fe am y 'Digwyddiad Sbardunol'. Cyfrinach Noah a finnau yw hynny.

'Bendi-fflipin-gedig!' ebycha Elliot wrth i fi gyrraedd diwedd fy stori. 'Os mai bechgyn fel 'na yw bechgyn Brooklyn, dwi'n ymfudo yma cyn gynted â phosib!'

Chwarddaf a thorri darn o gacen Sadie Lee, a'i roi yn 'y ngheg. Mae'n feddal fel melfed ar 'y nhafod.

'Sori am fod yn real surbwch gynne,' medd Elliot. 'Dwi'n deall yn iawn nawr pam oeddet ti wedi cyffroi gymaint.'

Wrth iddo fe ddweud hyn, dwi'n meddwl am y blog. Yng nghanol cynnwrf y parsel wrth Noah, anghofiais i'n llwyr am 'i ddileu.

'Mae'n iawn,' meddaf. 'Ddylwn i fod wedi dweud wrthot ti amdano fe cyn blogio.'

Ry'n ni'n edrych ar ein gilydd nawr ac yn gwenu, a dwi'n teimlo rhyddhad. Mae popeth yn normal rhyngom ni eto.

'Iawn, dwi'n mynd i adael i ti gael ychydig o gwsg,' medd Elliot, gan godi oddi ar y gwely. 'Mae diwrnod mawr o dy flaen di.'

'Mae'n ddrwg 'da fi. Dwi heb weld llawer arnat ti.'

'Paid â becso. Dwi wedi bod yn cael amser gwych gyda dy dad, a fory ry'n ni'n mynd i weld y Statue of Liberty, *ac* ar daith ysbrydion.'

'Taith ysbrydion?'

'Ie. Bydd hi'n wych – mae hyd yn oed yn cynnwys ymweliad â bedd ugain mil o bobl gafodd 'u lladd gan y dwymyn felen.'

Dechreuaf chwerthin. 'Cŵl ... dwi'n credu.'

Ar ôl i Elliot fynd 'nôl i'w stafell, cydiaf yn fy ffôn a blanced o'r gwely, a mynd i eistedd yn y gadair freichiau wrth y ffenest. Unwaith eto, mae'r olygfa'n cipio f'anadl. Ac unwaith eto, caf y teimlad alla-i-ddim-credu-bod-hyn-yn-digwydd-i-fi. Lapiaf y flanced amdanaf a chwtsho yn y gadair. Yna cliciaf rif Noah i'w ffonio. Gyda chanu grwndi hir y sŵn ffôn Americanaidd, teimlaf yn fwy nerfus. Diolch byth, mae'n ateb ar ôl dim ond tri chaniad.

'Helô,' medd yn dawel.

'Helô. Diolch o galon i ti am y ddol.' Teimlaf yn lletchwith – yn rhy ffurfiol ac yn rhy gwrtais.

'Croeso. Felly, dwed wrtha i, Miss Penny, wyt ti ar bwys ffenest ar hyn o bryd?'

'Ydw! Reit ar bwys ffenest.'

'Wyt ti wedi gweld y lleuad?'

'Nac ydw – aros funud.' Agoraf y llenni a sbecian mas. Mae lleuad anferth, berffaith grwn yn hofran yn union uwchben adeilad yr Empire State. Ond nid 'i maint na'i siâp sy'n fy rhyfeddu – ond 'i lliw. Mae'n felyngoch llachar. 'Waw, mae'n edrych yn anhygoel. Pam mae hi mor oren?'

'Wel, ro'n i'n meddwl falle bod dynion bach gwyrdd o'r gofod wedi'i phaentio hi neu rywbeth, ond yn ôl Sadie Lee, llygredd yn yr atmosffer sy'n achosi hynny.'

'O. Dwi'n meddwl bod gwell gyda fi'r syniad am y dynion bach gwyrdd o'r gofod.'

'A finnau. Beth bynnag – gwranda. Gan dy fod ti wedi gwneud rhywbeth rhyfedd iawn i fi –'

'Beth ti'n feddwl?'

'Wel, dwi ddim fel arfer yn prynu hen ddoliau tsieina, ti'n gwybod.'

Dyma fi'n chwerthin.

'Dwi'n meddwl 'i bod hi ond yn deg i ti 'ngweld i unwaith eto cyn i ti fynd,' aiff yn 'i flaen.

'Grêt – ond pryd?'

'Beth am i fi alw heibio ar ôl y derbyniad? Mae Sadie Lee yn dweud bydd popeth wedi bennu erbyn hanner nos. Mae gyda fi rywbeth cŵl iawn ar y gweill ...'

Meddyliaf yn syth am Mam a Dad. Rywsut neu'i gilydd, dwi ddim yn meddwl y gwnân nhw adael i fi fynd mas i Efrog Newydd am hanner nos gyda bachgen dwi newydd 'i gwrdd.

'Does dim eisiau i ti boeni – fyddwn ni ddim yn gadael y gwesty,' medd Noah, fel tase fe'n darllen fy meddwl.

'Byddwn i wrth 'y modd.' Daw'r geiriau mas mor gyflym fel 'u bod nhw'n swnio fel un gair. Lapiaf y flanced yn dynnach o 'nghwmpas, gan ddychmygu 'mod i ym mreichiau Noah.

'Felly, wela i ti fory 'te,' medd Noah yn dawel.

'Ie. Wela i ti fory.'

'Nos da, Penny.'

'Nos da, Noah.'

Rhof fy ffôn i lawr gan anadlu'n ddwfn. Yna edrychaf mas ar awyr Efrog Newydd a rhythu'n syn ar y lleuad anhygoel. Teimlaf mor wahanol –a dim jyst cwrdd â Noah neu fod yn Efrog Newydd yw'r rheswm am hynny. Ond am y tro cyntaf erioed dwi'n teimlo fel tasen i'n gyfrifol am 'y mywyd fy hun – 'mod i'n rheoli fy ffawd fy hun. Dwi ddim jyst yn ymateb i beth mae pawb arall yn 'i ddweud neu yn 'i wneud. Gyda Noah yn ddigwyddiad sbardunol i mi, dwi – o'r diwedd – yn sgrifennu fy sgript fy hun.

Pennod Dau ddeg pump

Pan ddihunaf i'r bore wedyn, mae teimlad-bore-Nadolig gyda fi. Fel tasen i – cyn agor fy llygaid – yn gwybod bod rhywbeth hyfryd yn mynd i ddigwydd, er nad ydw i'n cofio beth yw e. Ac yna, mewn eiliadau, daw'r cyfan 'nôl i mi. Noah – dwi'n mynd i weld Noah. Agoraf fy llygaid a gweld y ddol yn syllu arna i. Cwympodd hi rywbryd yn ystod y nos ac mae hi nawr yn gorwedd, yn fy wynebu i ar y gobennydd.

'Bore da!' meddaf wrthi hi, gan 'mod i wedi cyffroi cymaint nes 'mod i'n siarad â dol. 'Gysgaist ti'n dda?'

Dychmygaf y ddol yn ateb, *'Naddo, a dweud y gwir. Cysgais i'n ofnadwy gan fod fy llygaid i wedi'u gludo ar agor. Sut faset ti'n cysgu tase dy lygaid di wedi'u gludo ar agor?*

Iawn, well i fi godi.

Dwi'n cael cawod, ac yna'n eistedd ar 'y ngwely â thywel o gwmpas 'y ngwallt gwlyb ac yn agor 'y ngliniadur. Dwi'n teimlo'n nerfus iawn wrth i mi aros i'r blog lwytho. Beth os oedd 'y narllenwyr yn credu bod y blog diwethaf yn ddwl a dros ben llestri? Beth os oes 'na sylwadau negyddol?

Ond doedd dim angen i fi boeni – mae'r holl sylwadau'n fwy caredig nag erioed, a'r rhan fwyaf yn cynnwys emojis bach â chalonnau coch, ac yn gofyn am fwy o fanylion am Fachgen Brooklyn.

Dwi ar fin gweld a yw Elliot ar ddi-hun pan ga i neges destun. *Plis, plis, plis gaiff hon fod gan Noah*, ymbiliaf yn dawel. Wrth i fi godi fy ffôn, sylwaf ar y ddol yn syllu arna i o'r gobennydd. Dwi'n dychmygu'i bod yn rowlio'i llygaid ac yn dweud, '*O'r mawredd.*' Dwi'n anadlu'n ddwfn ac yn ceisio bod yn cŵl, ond wrth i fi weld bod y neges gan Noah, mae'r pilipalod yn dihuno yn 'y mola.

> Breuddwydiais i 'mod i'n mynd â ti o gwmpas Ffrog Newydd a bod pob man yn troi'n gacen. Beth yw ystyr hyn?! N

Tecstiaf 'nôl yn gyflym.

> Wyt ti wedi cael dy daro gan Felltith y Diwrnod Dirgel Hudol ... ? Swnio'n anhygoel. Dychmyga tase adeilad yr Empire State yn troi'n gacen!

> Wyt ti wedi edrych tu fas eto?

Nac ydw, pam? Ydy'r lleuad wedi troi'n wyrdd?

Af draw at y ffenest ac agor y llenni. Mae plu eira meddal yn cwympo blith draphlith o'r awyr. Mae'r adeiladau islaw yn edrych fel tase rhywun wedi taenu siwgr eisin drostyn nhw.

O waw – mae'n edrych mor hardd!

Ydy – mae'n teimlo'n Nadoligaidd nawr!
Mwynha dy ddiwrnod a wela i ti am hanner nos!

Tithau hefyd!

Er 'mod i'n credu mai hwn fydd y diwrnod mwyaf araf a diflas erioed gan 'mod i wedi cyffroi cymaint i weld Noah, mae'r briodas yn llawer o hwyl. Wrth i'r gwesteion ddechrau cyrraedd, mae'r stafell yn dechrau edrych yn debycach i *Downton Abbey* bob eiliad. Mae'r dynion yn edrych mor olygus yn 'u siwtiau llwyd a du, tair rhan, â'u gwalltiau wedi'u cribo 'nôl yn slic. Ac mae'r menywod yn drawiadol dros ben. Mae pob ffrog o steil y dauddegau, mewn lliwiau tawel a hudolus – lafant, emrallt a phorffor fel eirin. Satin a les yw 'u defnydd, ac mae addurniadau cywrain drostyn nhw i gyd.

Mae hyd yn oed y plant mewn gwisgoedd ffansi, yn edrych fel doliau tsieina yn 'u coleri mawr a'u bŵts uchel, botymog. Mae'n anodd peidio â theimlo'n ddigalon wrth edrych i lawr ar 'y ngwisg innau, sef ffrog ddu mewn defnydd caled a ffedog wen startslyd ar 'i phen.

Tra bod y ffotograffydd proffesiynol yn tynnu lluniau ffurfiol o'r gweision priodas a'r gwesteion, dwi'n sleifio o gwmpas gyda 'nghamera bach, yn tynnu lluniau annisgwyl a diddorol. Llwyddaf i gael lluniau agos o'r manylder ar rai o'r ffrogiau a llun ciwt dros ben o'r ddwy forwyn fach yn sibrwd wrth 'i gilydd. Yna, wrth i bawb ruthro i'w seddi ar ôl clywed bod y briodferch ar fin cyrraedd, tynnaf lun rhamantus o Jim ar ben yr eil, yn edrych yn nerfus, yn obeithiol ac yn olygus wrth aros am Cindy.

Yn y diwedd, penderfynon nhw beidio â gwneud acenion Seisnig wrth ddweud 'u llwon, a dwi'n falch am hynny. Mae'r llwon mor brydferth a theimladwy ac yn llawn manylion bach personol, fel Cindy'n gado peidio â chwyno am Jim yn gwylio pêl-fas a Jim yn gaddo dysgu mwynhau teledu realaeth. Erbyn diwedd y seremoni, dwi'n llefain y glaw.

Wrth i'r gwesteion ddechrau mwynhau'r brecwast priodas, mae Mam yn 'y nhynnu i'r naill ochr. Mae'i llygaid yn ddisglair ac ae mae hi'n gwenu o glust i glust.

'Pen, wnei di byth ddyfalu beth sy wedi digwydd! Mae rhywun wedi gofyn i fi drefnu parti thema. Yma yn Efrog Newydd.'

'Beth? Pryd?'

'Wythnos nesaf.' Edrycha Mam draw at fwrdd y pâr priod. 'Weli di'r brif forwyn briodas – y fenyw fawr â'r gwallt mwy? Wel, mae'i pharti pen blwydd hi'n dri deg y diwrnod cyn Nos Galan ac mae hi wedi gofyn i fi'i helpu i drefnu thema *mods and rockers* iddo fe.'

'Waw! Ond – ry'n ni'n hedfan adre fory!' Daw teimlad oer, diflas drosta i wrth feddwl am Mam yn aros yma, a'r gweddill ohonom ni'n dathlu'r Nadolig gartre, hebddi hi.

'Mae hi wedi dweud y gwnaiff hi dalu i ni i gyd aros yma'n hirach – i ddathlu'r Nadolig a'r Flwyddyn Newydd yn Efrog Newydd. Ac fe wnaiff hi dalu i ni aildrefnu'r awyren hefyd. Mae'r bobl hyn yn anhygoel o gyfoethog, Pen – dyw arian ddim yn rhwystr o gwbl.'

Arhosaf yn f'unfan wrth geisio prosesu'r newyddion. Ry'n ni'n mynd i aros yma dros y Nadolig?

Mae Mam yn nodio. 'Ydyn. Dwi wedi ffonio Dad ac mae e'n hollol hapus am y peth.'

Dwi'n dechrau teimlo'n gyffrous, ond wedyn, mae fy meddwl fel tase'n chwilio am resymau pam na allai hyn ddigwydd o gwbl – pam 'i fod yn rhy dda i fod yn wir. 'Ond beth am Tom? A beth am Elliot?'

'Gall Elliot aros hefyd,' medd Mam gyda gwên. 'Wel, gobeithio y gall e; bydd rhaid i ni ffonio'i rieni. A bydd Tom yn iawn. Decstiodd e bore 'ma i ofyn gall e dreulio'r Nadolig gyda Melanie a'i theulu.'

Dwi'n teimlo mor gynhyrfus nawr nes 'mod i bron â dawnsio'r conga drwy'r stafell fwyta. Ond wrth weld yr holl bethau y gallwn i faglu drostyn nhw, dwi'n penderfynu peidio.

Bydda i'n treulio'r Nadolig a'r Flwyddyn Newydd yn Efrog Newydd. Bydda i'n gallu gweld Noah. Sut allai pethau fod yn well?

'Ac mae Sadie Lee wedi'n gwahodd ni i dreulio'r Nadolig gyda hi, yn 'i chartre yn Brooklyn,' medd Mam. Dwi'n syfrdan. Mae hyn hyd yn oed yn well. Triliwn o weithiau'n well.

Mae Elliot a Dad yn ymuno â ni yn y derbyniad gyda'r nos. Mae Elliot yn edrych yn anhygoel mewn siwt *vintage* a chrafat. Edrychaf ar 'y ngwisg morwyn eto gan ochneidio. Fyddwn i byth wedi dewis gwisgo hon i weld Noah – dwi'n teimlo mor ddiflas a di-liw, ond o leiaf dwi'n edrych yn gredadwy yn fy rôl.

Ry'n ni'n amgylchynu Cindy a Jim wrth iddyn nhw ddechrau'u dawns gyntaf fel gŵr a gwraig. Mae Cindy wedi newid i ffrog *flapper* fendigedig o'r 1920au – ffrog o sidan glas â gwawr arian iddi. Mae hi'n newid lliw dan belydrau'r goleuadau, fel grisial gwerthfawr. Wrth i mi wylio'r band yn chwarae cordiau cychwynnol 'Unchained Melody', mae croen gŵydd drosta i wrth feddwl am ddoe, pan welais i Noah am y tro cyntaf yn eistedd ar y llwyfan hwnnw yn y tywyllwch. Dim ond tair awr sydd tan hanner nos. Ciledrychaf ar y cloc hardd ar y wal, a theimlaf fel Sinderela – ond 'mod i'n edrych mlaen at hanner nos, yn hytrach na'i ofni.

'Penny, pam nad wyt ti wedi newid?' sibryda Mam yn 'y nghlust.

Trof i'w hwynebu. 'Beth ti'n feddwl? I beth?'

Mae Mam yn gwgu. 'Ro'n i'n meddwl 'mod i wedi dweud wrthot ti am y ffrog. Ddwedais i ddim wrthot ti amdani?'

Edrychaf arni'n syn.

'O'r mawredd mawr! Mae'n rhaid 'mod i wedi bod mor brysur. Anghofiais i'n llwyr.' Mae Mam yn cydio yn fy mraich.

'Lawr staer, yn fy stafell i, mae 'na ffrog i ti.'

'Pa fath o ffrog?'

Gwena Mam. 'Gei di weld.'

'Ond does dim rhaid i mi gadw at y thema 'ma?'

'Fe fyddi di.' Mae gwên chwareus ar wyneb Mam erbyn hyn, wrth roi'i cherdyn allwedd i mi.

'Iawn, 'te.'

Trof i fynd – a thynnu llun cyflym o un o'r morynion bach wrth wneud hynny, yn cropian dan un o'r byrddau, yn cydio mewn coes cyw iâr.

Wrth gerdded i mewn i stafell Mam a Dad, dechreuaf chwerthin. Mae ochr Dad o'r stafell bron yn wag, heblaw am gopi o fywgraffiad chwaraeon ar y bwrdd wrth 'i wely a'i gês yn pwyso'n daclus yn erbyn y wal. Mae ochr Mam yn edrych fel tase corwynt wedi'i bwrw – corwynt o ddillad a cholur. Camaf yn ofalus drwy'r annibendod, draw at y gwely.

Yno, yn gorwedd ar ben y dillad gwely, mae ffrog *flapper* hardd. Mae hi wedi'i gwneud o sidan emrallt, a llinynnau hardd o arian o gwmpas 'i godre. Mae band gwallt o'r un lliw ar y gwely, a phâr o esgidiau du 'Mary Jane'. Alla i ddim credu mai ffrog i mi yw hi, ond mae nodyn wedi'i binio arni'n dweud : I PENNY.

Dwi'n teimlo mor gyffrous. Prin y galla i anadlu. Ond, wrth gwrs, mae'r llais bach yn 'y mhen yn dechrau corddi. *Beth os na fydd hi'n dy ffitio di? Beth os na fydd hi'n dy siwtio di?* Ond, wrth i fi godi'r ffrog, mae'r ofnau'n tawelu. Dwi'n straffaglu i dynnu'r ffrog startshlyd, ac yn tynnu'r ffrog dros 'y nghroen. Mae'r defnydd mor feddal nes rhoi croen gŵydd i fi wrth iddi lithro dros 'y nghorff. Dwi'n ebychu wrth weld f'adlewyrchiad yn y drych hir. Mae'r ffrog yn ffitio i'r dim ac yn gwneud i fi edrych fel oedolyn ac mor ... wel, mor *ddiddorol*, fel seren ffilm o'r oes o'r blaen. Gwisgaf f'esgidiau cyn edrych ar 'y ngwallt. Ro'n i wedi'i glymu mewn bynsen i edrych fel morwyn, ond dyw'r steil hwnnw ddim yn edrych yn iawn gyda'r ffrog hon. Dwi'n 'i ysgwyd yn rhydd ac yn cydio ym mrwsh gwallt Mam, sydd ar y bwrdd gwisgo. Ar ôl 'i ddofi, dwi'n rhannu'r gwallt yn ddwy bleth ac yn gosod y plethau ar 'y mhen gyda phinnau. Yna, dwi'n gwisgo'r band gwallt. I orffen yr edrychiad, rhaid eistedd wrth fwrdd gwisgo Mam a chael rhywfaint o *eyeliner* a mascara. Tamaid bach o bowdr a chwistrelliad o bersawr, a dyna ni.

Af draw at y drych mawr i weld fy hunan am y tro olaf.

Yn sydyn, daw ôl-fflach i'm meddwl o'r diwrnod ro'n i'n paratoi i gwrdd ag Ollie, a pha mor nerfus ac ansicr ro'n i'n teimlo. Nawr dwi'n edrych arna i fy hunan ac yn methu stopio gwenu. Mae'n anodd credu mai dim ond wythnos oedd ers hynny – mae'n teimlo fel oes arall. A dwi'n teimlo fel person arall. Person newydd sbon. Codaf 'y mag a cherdded at y drws.

★ ★ Pennod Dau ddeg chwech ★ ★

Wrth gyrraedd 'nôl i stafelloedd y briodas, gwelaf Mam a Dad ac Elliot yn eistedd wrth fwrdd yng nghornel stafell y derbyniad.

'Cariad!' medd Mam.

Mae Dad yn rhythu arna i. 'Ti'n edrych yn ...'

'Fflaper-tastig!' ebycha Elliot.

'Diolch!' Dwi'n troelli ac mae'r addurniadau ar waelod y ffrog yn agor allan fel ffan. Af i eistedd gyda nhw. 'Diolch o galon, Mam.'

'Mae fy merch fach i'n tyfu lan,' medd Dad yn hiraethus.

'Dad!' ebychaf, yn gwrido mewn embaras.

'Iawn, mae'n rhaid i mi drio ffonio Mam a Dad eto,' medd Elliot. 'Croeswch bopeth y gwnân nhw adael i fi aros dros y Nadolig.'

Mae Mam a finnau'n croesi ein bysedd. Mae Dad yn gwneud llygaid croes.

'Wel, mae Sadie Lee yn dweud wrtha i fod Noah yn galw heibio i dy weld di wedyn,' medd Mam, yn syth ar ôl i Elliot adael.

Nodiaf.

'Hmm, dwi'n credu y dylwn i gwrdd â'r Noah 'ma,' medd Dad.

'Gei di gyfle pan fyddwn ni'n treulio diwrnod Nadolig gydag e,' yw ateb Mam.

Wrth glywed hyn, daw côr o angylion i ganu yn 'y mhen. Yna, sylweddolaf mai fy ffôn sy'n gwneud y sŵn. Tecst oddi wrth Noah.

Oes 'na unrhyw siawns y gelli di ddianc o'r parti'n gynnar? Dwi ddim fel arfer yn hoffi ffarwelio'n hir, ond mae'r tro yma'n wahanol. (Ddwedais i wrthot ti dy fod ti'n gwneud i fi ymddwyn yn rhyfedd!) N

Pa mor gynnar?

Nawr?

Wyt ti yma?!!

Ydw – yn y maes parcio. Jyst rho wybod – ddof i draw i gwrdd â ti yn y gegin ...

Mae Mam a Dad yn paratoi i ddawnsio.

'Noah oedd hwnna,' meddaf. 'Mae e yma'n barod. Fyddai hi'n iawn i fi fynd i'w weld e yn y gegin?'

'Wrth gwrs,' medd Mam.

'Dere mewn ag e,' medd Dad dros 'i ysgwydd wrth iddo arwain Mam i'r llawr dawnsio. 'Dwi'n siŵr na fyddai ots gan Cindy a Jim.'

Diflannaf i'r gegin a dod o hyd i Sadie Lee yn sychu un o'r cownteri dur anferth. Prin ydw i wedi'i gweld hi drwy'r dydd am 'i bod hi wedi bod yn sownd yma, yn cadw trefn ar yr holl fwyd.

'Helô,' meddaf.

'Helô, siwgr candi,' medd Sadie Lee gan droi ata i, yn gwenu o glust i glust. Mae'i hwyneb yn wridog ac mae ambell gudyn gwyn wedi dianc o'r fynsen ar 'i phen, ond ar wahân i hynny mae hi'n edrych mor smart ag arfer. Sylla arna i, o 'nghorun i'm sawdl. 'On'd wyt ti'n edrych yn fendigedig!'

'Diolch, dyma 'ngwisg ar gyfer y parti nos.'

'Mae'n brydferth iawn, ydy wir. Gad i mi weld.' Mae hi'n symud yn agosach i edrych ar fanylder yr addurniadau ar fy ffrog.

'Ti'n edrych fel llun sydd gen i gartre o Mam-gu. Roedd hi'n un o'r flapper girls gwreiddiol. Arswyd! Bydd llygaid Noah yn saethu o'i ben pan welith e ti.'

Wrth glywed 'i enw, dyma fi'n gwrido ac yn dechrau teimlo'n lletchwith iawn. 'Mae e newydd anfon tecst i ddweud 'i fod e 'ma – yn y maes parcio.'

Nodia Sadie Lee, gan wenu'n chwareus. 'Dwi'n gwybod. Mae e ar 'i ffordd lan.'

'Diolch am ein gwahodd ni i dreulio'r Nadolig gyda chi.'

'O cariad, byddwn ni'n falch iawn o'ch cael chi. Dwi'n dwlu

cael llond tŷ ar ddiwrnod Nadolig. Bydd pethau jyst fel ...' Mae hi'n distewi, a minnau'n dyfalu mai meddwl am rieni Noah y mae hi.

'Ro'n i'n flin iawn i glywed am ... am y ddamwain,' meddaf yn dawel, gan obeithio nad oedd hynny'n rhywbeth rhy hy i'w ddweud.

Mae hi'n gwenu'n drist. 'Ddwedodd Noah wrthot ti?'

Nodiaf.

'Mae e wedi cymryd atat ti'n fawr, ti'n gwybod.'

Gwenaf arni. 'Dwi ... dwi wir yn 'i hoffi e hefyd.'

Symuda Sadie Lee yn agosach, ac mae tôn ddifrifol i'w llais. 'Dwi mor falch 'i fod e wedi dod o hyd i ferch y gall e siarad â hi'n iawn. Mae e dan ... '

'Hei, sut mae pethau? O, waw!' Trof i weld Noah yn syllu arna i, â'i lygaid fel soseri.

'Beth ddwedais i wrthot ti!' medd Sadie Lee, gan roi pwt bach i'm hasennau'n ysgafn. 'Mae'i lyged e bron â neidio o'i ben.'

'Ti'n edrych yn – urddasol!' medd Noah, yn dal i sefyll yn stond ger y drws.

'Diolch,' atebaf yn swil. 'Tithau hefyd.'

Mae Noah yn gwisgo jîns tyn du a siaced ledr ddu dros hwdi llwyd golau. Mae'i wallt yn edrych yn feddalach ac yn fwy sgleiniog nag oedd e ddoe, fel tase fe newydd gael 'i olchi, ac mae'i lygaid yn fwy siocledaidd nag erioed. Wrth iddo fe wenu mae'r pantiau bach ciwt yn dychwelyd i'w fochau. Mae'n edrych mor olygus – alla i ddim penderfynu rhwng rhoi cwtsh iddo fe, neu dynnu llun ohono fe.

'Ydy hi gyda chi?' medd, gan giledrych yn gyflym ar Sadie Lee, cyn edrych eto arna i.

'Wrth gwrs,' medd hithau, gan estyn basged bicnic wiail sydd dan y cownter.

'Pendroni o'n i,' medd Noah, mewn rhyw lais crand, 'tybed a fyddech mor garedig â dod am bicnic gyda mi.'

'Picnic?'

'Ie – ond nid picnic cyffredin fydd hwn,' eglura, a'i lygaid yn disgleirio'n ddireidus.

'O na?' holaf yn chwareus.

'Nage. Sôn am bicnic golau leuad ydw i.'

Mae 'nghalon i'n suddo'n syth. Wnaiff Mam a Dad fyth roi caniatâd i mi adael y gwesty.

'Ar deras to cyfrinachol,' ychwanega Noah, 'reit tu ôl i ni yn y gegin 'ma.'

'Wir?'

'Wir.'

Dechreua Sadie Lee chwerthin.

'Byddai hynny'n fraint,' atebaf. Edrychaf ar Sadie Lee. 'Wnewch chi ddweud wrth Mam a Dad ble ydw i, plis? Maen nhw yn y derbyniad, fwy na thebyg yn dawnsio'n ddwl ac yn gwneud ffyliaid ohonyn nhw'u hunain.'

'Wrth gwrs, siwgr candi.' Mae'n edrych ar Noah, yn bryderus. 'Ond wnaiff Penny ddim rhewi mas fan'na, yn y ffrog 'na?'

Mae'n ysgwyd 'i ben. 'Peidiwch â phoeni Mam-gu, dwi wedi meddwl am bopeth.'

'Nawr pam nad yw hynny'n fy synnu i?' medd Sadie Lee gan chwerthin. 'Iawn 'te, mwynhewch – a phaid â'i chadw hi mas yn rhy hir. D'yn ni ddim eisiau i'w rhieni hi feddwl bod rhywun wedi'i herwgipio hi.'

Aiff Sadie Lee i mewn i stafell y derbyniad, gan adael Noah a finnau ar ein pennau ein hunain.

'Felly,' medd, gan ddod â'r fasged draw ata i.

'Felly.' Dwi'n teimlo mor hunanymwybodol nes bod rhaid i fi edrych ar y llawr.

'Taset ti'n gallu gwahodd unrhyw gymeriad dychmygol i bicnic, pwy fydde ti'n ddewis?'

Gwenaf. Mae cwestiynau difyr Noah yn ffordd wych o dorri'r garw. 'Augustus Waters o *The Fault in Our Stars*,' atebaf. 'Er mwyn i mi ddod â fe'n ôl yn fyw.'

'Ateb gwych,' medd Noah. 'Byddwn i'n dod â'r llipryn 'na o *Twilight* – er mwyn i fi allu'i ladd e.'

Dyma fi'n chwerthin ac edrych ar Noah, gan deimlo rhyw fath o gryndod y tu mewn i fi wrth i'n llygaid ni gwrdd. Mae'r cryndod mor bwerus nes cipio f'anadl. Mae yntau'n gwenu ac yn edrych i ffwrdd. 'Mae hi mor braf dy weld di eto.'

'Croeso,' atebaf. Dwi ddim yn siŵr iawn pam ddwedais i hynny. Wel ydw, dwi yn gwybod – achos 'mod i'n Embaras Rhyngwladol dan felltith y Duw Digwyddiadau Lletchwith.

'Croeso?'

'Nage.'

'Beth – does dim croeso i mi?' Mae Noah yn symud 'i ben i'r ochr ac yn gwenu arna i.

'Oes, wrth gwrs – jyst – do'n i ddim yn bwriadu dweud hynny. Dwi ddim yn gwybod beth ...' Trof i ffwrdd, fel na all e deimlo gwres tanbaid fy wyneb. 'Beth ro'n i eisiau'i ddweud oedd, diolch.'

'Croeso!' medd Noah yn uchel, ac mae'r ddau ohonom ni'n dechrau chwerthin. 'Dere,' medd, a 'nhywys i tuag at ddrws. Ro'n i wedi tybio mai cwpwrdd oedd e, ond mae'n arwain at gyntedd, sy'n arwain at allanfa dân. 'Sadie Lee ddwedodd wrtha i am y lle 'ma,' eglura. 'Dyma fe mae staff y gegin yn dod mas i smygu,' gwena'n swil arna i, 'sy'n gwneud i'r lle swnio braidd yn ych-a-fi – ond paid â phoeni – fe wna i'n siŵr ein bod ni'n cael amser arbennig. Ac, er nad ydw i am guddio'r ffrog 'na, dw i ddim chwaith am i ti gael niwmonia.' Mae'n tynnu hwdi mawr meddal o'i fag – mor fawr nes bron â chyrraedd 'y mhengliniau.

'Hmm.' Mae Noah yn gwgu. 'Sut all yr hwdi 'na edrych gymaint yn well amdanat ti nag y mae e amdana i?'

Ac, mewn chwinciad, mae e wedi tanio fy hyder, sydd nawr yn tyfu fesul eiliad.

Mae Noah yn agor yr allanfa dân ac ry'n ni'n camu mas i do concrit eang wedi'i amgylchynu gan reilen fetel uchel. Aiff â fi draw at ofod yn y wal, lle mae'n gosod y flanced fawr o'i dryc.

'Ar eich ôl chi, madam,' medd, gan amneidio arna i i eistedd. Mae'n eistedd gyferbyn â fi ac yn agor y fasged. Mae'n tynnu fflasg mas, a chwpan yr un, yna, dau blât a chyllyll a ffyrc crand a pharseli amrywiol wedi'u lapio mewn ffoil. Gwyliaf e'n dadbacio'r parseli ffoil i ddatgelu amrywiaeth o fwyd bys a bawd blasus yr olwg, mefus mewn siocled a chacennau bach, sy'n tynnu dŵr i'r dannedd. Yn goron ar y cyfan, mae gyda fe ddwy gannwyll a bocs o fatsys. 'Syniad Sadie Lee oedd hyn, mae'n rhaid,' medd â gwên. 'Mae'r fenyw 'na mor rhamantus.' Mae'n cynnau'r canhwyllau ac ry'n ni'n eistedd yno am ennyd, yn gwenu ar ein gilydd, cyn edrych i ffwrdd.

'Ro'n i'n gobeithio y byddai hi'n noson glir,' medd Noah, gan syllu lan ar yr awyr dywyll, 'yn gobeithio y gallen ni weld y lleuad eto.'

'Sdim ots. Mae hyn yn berffaith.'

Yn bell, bell islaw, gallaf glywed sŵn Efrog Newydd, ond ry'n ni mor uchel i fyny nes bod y seirenau a'r cyrn i gyd mor dawel â chân yr adar.

'Meddwl o'n i,' medd Noah, gan agor y fflasg, a'r ager yn ymdroelli ohoni i'r awyr oer, 'falle y gallen ni sgrifennu at ein gilydd pan fyddi di gartref – a defnyddio Skype – a negeseuon ar-lein?' Mae'n edrych arnaf ac yn ochneidio. 'Drycha, Penny, mae'n drueni ofnadwy dy fod ti'n mynd fory.'

Gwenaf. Dyw Sadie Lee ddim wedi dweud wrtho fe ein bod ni'n aros. Tybed wnaeth hi hynny'n fwriadol er mwyn i fi allu dweud wrtho fe?

'Does dim rhaid i ti edrych mor hapus am y peth,' medd Noah, gan ysgwyd 'i ben.

'Dwi ddim,' meddaf, gan wenu hyd yn oed yn fwy.

'Wir? Mae'n edrych felly i fi!'

'Dwi ddim yn hapus achos 'mod i'n gadael – dwi'n hapus achos 'mod i *ddim* yn gadael. Ddim fory, beth bynnag. Mae rhywun wedi gofyn i Mam drefnu parti, yma yn Efrog Newydd, y diwrnod cyn Nos Galan. Ry'n ni'n aros yma tan y flwyddyn newydd!'

Mae Noah yn gegrwth. 'Ti'n jocan?'

'Na'dw.'

Amneidia arna i i symud yn agosach ato. 'Dere 'ma.'

Codaf ar 'y mhengliniau a symud draw. Wrth i fi agosáu ato, mae'n cydio yn 'y nwylo. Dwi'n teimlo'n benysgafn wrth ddychmygu beth sydd i ddod.

'Ac wyt ti'n gwybod beth yw'r peth gorau am hyn?' holaf.

'Nid dyna'r peth gorau?'

Ysgydwaf 'y mhen. 'Nage, y peth gorau yw bod Sadie Lee wedi'n gwahodd ni i dreulio'r Nadolig gyda chi!'

Dechreua Noah chwerthin. 'Ie, dyna'r peth gorau, yn bendant.'

Yna, mae'i wyneb yn difrifoli. Mae'n edrych arna i ac mae teimlad rhyfedd – tynnu a gwingo – yng ngwaelod fy stumog.

'Felly ...' medd.

'Felly ...' meddaf innau, fel carreg ateb, a 'nghalon yn curo fel drwm.

Mae e mor agos nawr fel y galla i weld diferyn o inc ar ochr 'i wyneb. Mae'i law yn cau'n dynnach o amgylch fy llaw, a minnau'n symud yn nes ato, nes bod ein hwynebau'n ddim ond centimedrau ar wahân. *Mae e'n mynd i 'nghusanu i! Ydy e'n mynd i 'nghusanu i? Beth ddylwn i neud?*

Caeaf fy llygaid i geisio rhwystro unrhyw deimlad o banig. Ac yna teimlaf 'i wefusau ar 'y ngwefusau i – yn ysgafn fel dwy bluen – a dwi'n teimlo fy hunan yn 'i gusanu e'n ôl. Rywsut, yn wyrthiol, dwi fel tasen i'n gwybod beth i'w wneud. Ac yna, mae'n gollwng fy llaw a galla i deimlo'i freichiau cryf yn lapio o 'nghwmpas i, yn 'y nhynnu i hyd yn oed yn agosach. Wrth i'r gusan ddyfnhau, dwi'n teimlo fel tasen i'n toddi i mewn iddo fe. Ac yna mae fy ffôn yn dechrau canu. Dwi'n gadael i'r alwad fynd i'r peiriant ateb, ac mae Noah yn 'y nal i'n dynn.

'Ti'n gweld – ddwedais i. Ti yw 'Nigwyddiad Sbardunol,' medd yn dawel bach.

Nodiaf, ac ry'n ni'n symud ar wahân, er, dwi'n sylwi bod ein coesau ni'n dal i gyffwrdd yn 'i gilydd. 'Well i mi tsecio fy ffôn,' meddaf, yn poeni falle bod Dad wedi mynd yn dw-lal achos 'mod i mas gyda Noah.

Ond galwad oddi wrth Elliot yw'r un gollais i. Af i'r peiriant ateb i wrando ar 'i neges.

'Penny! Ble wyt ti? Mae dy fam yn dweud dy fod ti wedi sleifio bant i rywle gyda dy dywysog. Wnei di plis, plis ddod 'nôl cyn gynted â phosib? Dere â fe hefyd; dwi'n siŵr na fydd ots 'da'r Brady's. Mae'n drychineb. Mae fy rhieni dwl 'n gwrthod gadael i fi aros. Maen nhw'n mynnu bod yn rhaid i fi hedfan 'nôl adre erbyn y Nadolig – ar 'y mhen y'n hunan – alli di gredu'r peth?!' Mae tawelwch byr, nes bod 'y nghalon i'n dechrau suddo. 'Oni bai ... Penny, wnei di ddod adre gyda fi?'

✦✦ *Pennod Dau ddeg saith* ✦

Mae'n rhaid bod y sioc a'r braw ar fy wyneb yn amlwg, achos yn syth ar ôl i fi roi'r ffôn i mewn yn 'y mag, dwi'n gweld Noah yn syllu'n bryderus arna i.

'Beth sy'n bod?' medd. 'Rwyt ti'n edrych fel tase rhywun newydd ddweud wrthot ti mai celwydd yw Siôn Corn. Mae e'n bodoli, gyda llaw, ond mae rhai oedolion yn benderfynol o sbwylio'n hwyl ni.'

Dyma fi'n chwerthin, ond mae'n swnio'n rhyfedd. 'Fy ffrind i, Elliot,' meddaf. 'Mae'n rhaid iddo fe fynd adre fory. Dyw 'i rieni ddim yn fodlon iddo fe aros. Maen nhw eisiau iddo fynd adre erbyn y Nadolig.'

Ochneidia Noah. 'Trueni.'

Mae'r ddau ohonom yn eistedd eto, a Noah yn codi'r fflasg. 'Te melys?'

Nodiaf, er nad ydw i'n gwybod yn union beth yw 'te melys'. Alla i ond meddwl am gwestiwn Elliot – ydw i am fynd adre gydag e? Mae'r syniad yn fy rhwygo i. Er 'mod i'n casáu meddwl am Elliot yn gorfod hedfan adre ar 'i ben 'i hunan, mae'r syniad o adael Mam a Dad a Noah hyd yn oed yn waeth.

Mae Noah yn pasio'r cwpan i fi, a dwi'n cymryd llymaid.

Dyw e ddim yn debyg i unrhyw fath o de dwi erioed wedi'i gael o'r blaen. Mae blas lemwn arno fe, ac mae'n felys – fel lemonêd twym.

'Un arall o fwydydd arbennig Sadie Lee,' medd Noah. 'Yn Ne Carolina – sef y lle y cafodd hi'i magu – maen nhw'n 'i yfed e drwy'r amser yn yr haf, gydag iâ. Dyma'i fersiwn hi ar gyfer gaeaf Efrog Newydd.'

Cymraf lymaid arall a cheisio mynd 'nôl i hwyl y picnic, ond does dim pwynt. Alla i ddim stopio meddwl am Elliot. Edrychaf ar Noah. 'Allwn ni fynd i mewn i'r parti? At Elliot. Ddywedodd e fod angen iddo fe siarad â fi.'

Daw fflach o siom dros wyneb Noah a dwi'n teimlo'n ddiflas. Ond alla i ddim cadw Elliot i aros, yn enwedig ar ôl iddo fe fod mor grac â fi ddoe.

Nodia Noah. 'Iawn. Cer di i'w weld e. Af i adre.'

'Na! All di ddim dod gyda fi? Dwi ddim eisiau i ti fynd.'

Mae Noah yn ysgwyd 'i ben. 'Alla i ddim mynd i briodas rhywun heb wahoddiad. A beth bynnag, wela i ti fory.'

'Dwi'n gwybod, ond fydd dim ots gan y Brady's. Maen nhw'n gwpwl hyfryd. Ddweda i wrthyn nhw mai ti yw ŵyr Sadie Lee. Alla i ddweud dy fod ti ... gyda fi.'

Mae Noah yn codi'i aeliau ac yn gwenu'n ddrygionus.

'*Gyda* ti, ife?'

'Ie. Plis dere gyda fi.'

Mae'n ysgwyd 'i ben eto. 'Gwranda. Pan ddes i yma heno, ro'n i'n meddwl 'mod i'n dod i ffarwelio â ti. Nawr, ti'n mynd i fod yma am wythnos arall, felly mae popeth yn iawn. Does dim ots gyda fi aros tan fory. Cer di i dreulio amser gyda dy ffrind. Does dim angen i fi fod yn y ffordd.'

'Fyddet ti ddim yn y ffordd, byddet ... '

Mae Noah yn rhoi'i fysedd ar 'y ngwefusau. 'Shhh.'

'Ond y picnic ... '

'Allwn ni gael picnic bob dydd pan fyddi di'n aros gyda ni,' gwena. 'Cer i weld dy ffrind.'

Ochneidiaf. 'Iawn.'

'Ond yn gyntaf ...'

Mae Noah yn 'y nhynnu tuag ato ac yn 'y nghusanu eto, yn dal 'y mhen yn 'i ddwylo ac yn mwytho 'ngwallt.

'Wow!' medd, wrth i ni wahanu i anadlu.

'Cusan dda!' meddaf, achos wrth gwrs, alla i ddim gwneud unrhyw beth o bwys fel cusanu *go iawn* heb ddweud rhywbeth hurt.

'Ie,' medd Noah, â disgleirdeb direidus yn 'i lygaid. '*Cusanwr da.*'

Chwarddaf, ac edrych i ffwrdd. Ac er bod fy wyneb yn goch fel tân, does dim ots 'da fi. Dyna'r gwahaniaeth gyda Noah – alla i fod yn Miss Embaras Rhyngwladol, ond does dim ots, achos bod dim ots gydag e.

'Dere,' medd, 'awn ni'n ôl i mewn.'

Pan af i mewn i'r parti, mae 'ngwefusau'n dal ar dân ers ein cusan. Ond wrth weld Elliot, mae'r teimlad yn diflannu a 'nghalon i'n suddo. Mae'n eistedd wrth y bwrdd ar 'i ben 'i hunan, yn edrych fel tase'r byd ar ben.

'Ble wyt ti wedi bod?' hola'n syth ar ôl i fi eistedd.

'Sori, roedd Noah eisiau mynd am bicnic ac – '

'Picnic?'

'Ie, ond paid â phoeni –'

'Felly ble mae e nawr?' medd Elliot gan dorri ar 'y nhraws a syllu i gyfeiriad y drws.

'Mae e wedi mynd adre.'

'Beth? Pam? Doedd dim eisiau iddo fe wneud hynny.

Ddwedais i wrthot ti am ddod ag e 'ma.'

'Doedd e ddim am ddod heb wahoddiad.'

'Ond fyddai dim ots 'da nhw – fe yw ŵyr Sadie Lee.'

'Dwi'n gwybod ond ... beth bynnag, beth ddigwyddodd? Beth ddwedodd dy rieni?'

'Aethon nhw'n benwan.' Mae Elliot yn edrych i lawr ar y bwrdd ac yn dechrau chwarae â'r lliain bwrdd. 'Ddwedon nhw fod dim hawl 'da fi i aros yn Efrog Newydd dros y Nadolig, a'u bod nhw heb gytuno i hynny – fel bod hwn yn ryw achos cyfreithiol maen nhw'n gweithio arno. Byddai'n well gyda nhw i mi hedfan adre ar 'y mhen 'y'n hunan nag aros yma gyda chi, am 'u bod nhw'n moyn 'Nadolig Teuluol'. Ond ...' mae Elliot yn oedi, fel tase fe am gael ryw effaith ddramatig – 'fe ddwedon nhw, taset ti'n dod adre gyda fi, byddai croeso i ti dreulio'r Nadolig gyda ni.'

'O ... dwi ...'

'Aha, mae'r crwydryn 'nôl!' medd Dad, wrth daflu'i hun ar y sedd wrth f'ochr. Mae'i wyneb yn goch ac mae'n fyr 'i anadl. Mae'n amlwg bod tipyn o ddawnsio dwl wedi bod yn digwydd tra o'n i tu fas. Mae Mam yn eistedd wrth 'i ochr. Dyw hi ddim yn edrych mor goch a chwyslyd ond mae hi'n ddawnswraig dda ers 'i dyddiau yn y theatr.

'Penny, ble mae Noah?'

'Mae e wedi mynd adre,' atebaf.

Mae Mam yn gwgu. 'Yn barod? Pam na wnest ti ofyn iddo fe ymuno â ni? Dwi'n siŵr na fyddai ots gan y Brady's – fe yw ŵyr Sadie Lee, wedi'r cyfan.'

Iyffach! Os clywa i hynny unwaith eto! 'Mae'n iawn. Roedd eisiau cwmni ar Elliot – i drafod 'i rieni.'

'O, ie.' Mae Dad yn ysgwyd 'i ben ac yn edrych ar Elliot. 'Trueni mawr. Fydd y Nadolig ddim yr un peth hebddot ti.'

Mae Elliot yn nodio'i ben ac yn ochneidio, cyn troi ata i. 'Felly, beth wyt ti'n feddwl, Pen?'

'Dwi ddim yn gwybod.' Rhythaf ar bawb yn dawnsio, fel tasen i'n chwilio am ysbrydoliaeth. Sut alla i ddod mas o'r twll 'ma heb frifo Elliot?

'Beth mae hi'n feddwl am beth?' hola Dad.

'Mae Mam a Dad wedi dweud bod croeso i Penny dreulio'r Nadolig gyda ni, os daw hi adre gyda fi fory.'

Mae Elliot yn edrych ar Dad yn obeithiol.

Dw innau'n edrych ar Mam ac mae hi'n codi'i haeliau. Dwi'n canolbwyntio'n ddwys ac yn trio anfon neges seicig merch/mam ati hi, i ymbil arni i beidio â gadael i fi fynd.

'Dwi'n gwybod na fydd un o brydau parod fy rhieni'n gallu cystadlu â gwledd epig dy dad,' medd Elliot, gan droi ataf i, 'ond fyddwch chi ddim yn cael un o'r rheina eleni beth bynnag, na fyddwch? Cinio Nadolig mewn gwesty fydd hi.'

'Ond ...' dechreuaf.

'Fyddwn ni ddim yn treulio'r Nadolig yn y gwesty,' medd Mam yn ofalus, 'ond yn aros gyda Sadie Lee.'

Mae llygaid Elliot yn agor led y pen. 'Sadie Lee?'

'Ie,' medd Mam, 'y fenyw wnaeth y bwyd ar gyfer y briodas. Mae hi wedi'n gwahodd ni i dreulio'r Nadolig yn 'i chartre hi.'

'O. Dwi'n gweld,' medd Elliot yn ddigalon.

'Ac ry'n ni wir eisiau Penny i ddod gyda ni,' medd Dad yn dawel.

'Ydyn, bydd hi'n ddigon drwg peidio â chael Tom gyda ni'r Nadolig yma,' medd Mam wedyn.

Teimlaf don o ryddhad. Nawr does dim angen i fi ddweud wrth Elliot 'mod i ddim eisiau mynd adre gydag e; galla i feio fy rhieni.

'Mae'n iawn, dwi'n deall,' medd Elliot yn dawel.

'Dim ond am wythnos fyddwn ni'n aros,' meddaf.

'Wyth diwrnod,' medd Elliot yn gyflym.

'Iawn, wyth diwrnod. Galla i siarad â ti drwy Skype.'

'Ti'n siŵr na fyddi di'n rhy brysur?' hola dan 'i anadl.

'Hei, ein cân ni!' ebycha Dad wrth i 'When a Man Loves a Woman' ddechrau chwarae. Mae'n llamu ar 'i draed ac yn estyn llaw i Mam. 'Madam, a fyddech cystal?'

'Anrhydedd,' medd Mam, gan ddal 'i law.

Wrth 'u gwylio nhw'n mynd i ddawnsio, gwenaf. Fel arfer, mae'u gweld nhw'n ymddwyn fel hyn yn gwneud i fi deimlo'n hiraethus, fel tasen nhw'n perthyn i ryw Glwb Cyplau na wna i byth ymuno ag e. Ond nawr, mae'u gwylio nhw'n f'atgoffa i o Noah ac yn gwneud i fi deimlo'n gynnes braf.

'Byddai'n well i fi fynd i ddechrau pacio,' medd Elliot, gan darfu ar fy synfyfyrio.

'Helpa i ti,' meddaf, yn ceisio dweud rhywbeth, *unrhyw beth*, i wneud i Elliot deimlo'n well. 'Allen ni gael gwledd ganol nos, falle? Mae parsel o fwyd picnic gyda fi.'

'Does dim chwant bwyd arna i,' medd Elliot.

'Ddim hyd yn oed mefus mewn siocled?'

'Ddaeth e â mefus mewn siocled i ti?'

Nodiaf yn nerfus, ddim yn hollol siŵr pa fath o ymateb gaiff hyn, gan fod Elliot mewn hwyliau mor ddrwg.

'Wir, oes unrhyw wendidau gyda'r boi 'ma?'

'Dwi'n siŵr bod llwythi ohonyn nhw,' meddaf, er nad ydw i'n credu hynny mewn gwirionedd.

'Hmm. Iawn, dere mlaen.'

Ar ôl pacio cês Elliot, mae'i hwyliau'n gwella o'r diwedd.

'Sori,' medd, gan daflu'i hunan ar 'i wely. 'Ro'n i jyst mor siomedig na fyddwn i'n treulio'r Nadolig gyda chi. Ond mae hynny siŵr o fod yn beth da. Dim ond hen gwsberen fyddwn i tasen i'n aros.'

'Na, fyddet ti ddim.' Eisteddaf ar y gwely wrth 'i ochr.

'Drycha, y peth yw, mae Noah a finnau'n byw tua deg mil o filltiroedd bant ... '

'Pedair mil, a dweud y gwir.'

'OK, pedair mil, ond mae hynny'n dal yn fwy na chefnfor cyfan, felly dyw hyn ddim yn mynd i effeithio ar ein cyfeillgarwch ni o gwbl. Mae jyst yn ...'

'Gariad gwyliau?' hola Elliot yn obeithiol.

'Ie, cariad gwyliau.'

Ond, wrth i Elliot wenu a nodio, daw rhywbeth annifyr i'm meddwl i. Dyma'r tro cyntaf erioed i mi ddweud celwydd wrtho fe, drwy'r holl flynyddoedd ry'n ni wedi bod yn ffrindiau.

Pennod Dau ddeg wyth

Darllenais erthygl mewn cylchgrawn unwaith oedd yn dweud bod ystyr gudd i bob breuddwyd. Er enghraifft, os ydych chi'n breuddwydio eich bod chi'n rhedeg lan rhiw ond byth yn cyrraedd i'r top, mae'n golygu eich bod chi'n sownd mewn rhyw foment yn eich bywyd, ac os ydych chi'n breuddwydio bod eich dannedd chi'n cwympo mas mae'n golygu eich bod chi'n teimlo'n ansicr – neu a ydy hynny'n golygu eich bod chi'n feichiog ...? Alla i ddim cofio. Beth bynnag, mae pobl, rhyw fath o ddoctoriaid breuddwydion, yn gallu dadansoddi eich breuddwydion chi a dweud beth yw 'u hystyr nhw. Wrth i fi ddihuno ar Noswyl Nadolig, dwi'n meddwl tybed beth ar wyneb y ddaear fyddai'r doctor breuddwydion yn 'i feddwl o 'mreuddwyd i neithiwr. Yn fras, ro'n i'n sownd ar drên gyda Megan ac Ollie, a phob tro ro'n ni'n mynd trwy orsaf, byddai'r gyrrwr yn cyhoeddi ffaith anffodus amdana i. Felly, yn lle dweud, 'Foneddigion a boneddigesau, rydym ar fin cyrraedd ...' byddai'n dweud pethau fel, 'Foneddigion a boneddigesau, oeddech chi'n gwybod fod Penny Porter unwaith wedi dangos 'i nicers i'r byd a'r betws?' A byddai Megan ac Ollie'n eistedd gyferbyn â fi, yn chwerthin nes 'u bod nhw'n wan. A phob tro y byddwn i'n trio codi i adael, bydden nhw'n 'y ngorfodi i eistedd. Ac yna, byddai'r gadair ro'n i'n eistedd arni'n troi'n gacen, fel bod eisin siocled dros 'y mhen-ôl i gyd.

Dwi'n codi i eistedd ac yn cynnau'r lamp wrth 'y ngwely. Mae'n gas 'da fi freuddwydion. Dwi'n casáu'r ffordd y gallwch chi anghofio am yr holl bethau a phobl sydd wedi rhoi loes i chi, ond wedyn gall breuddwyd ddod â'r cyfan 'nôl. Codaf y ddol tsieina o'r gobennydd wrth f'ochr, a'i chwtsho. Mae'n rhyfedd meddwl am Megan ac Ollie eto. Yn sydyn, dwi'n ysu i edrych ar Facebook ac YouTube i weld a yw pobl yn dal i siarad am y fideo. Yna, diolch byth, dwi'n pwyllo. Pam fyddwn i am wneud hynny i fi fy hunan? Yn enwedig gan 'mod i wedi gwneud cystal ers dod yma, a rhoi'r cyfan i gefn fy meddwl. Edrychaf o gwmpas fy stafell a daw pwl o dristwch drosta i. Dyma 'more olaf yn y Waldorf Astoria. Mae'n siŵr bod hyn yn swnio'n rhyfedd, ond dwi'n teimlo'n hoff iawn o'r stafell yma. Dyma le dechreuodd 'y mywyd droi'n chwedl hud a lledrith. Dyma le sylweddolais i y galla i reoli beth sy'n digwydd i mi. Penderfynaf dynnu lluniau ohoni, er mwyn i mi fedru trysori'r atgofion hyn am byth.

Yn gyntaf, tynnaf lun o 'ngwely, a'r ddol yn eistedd yn syn ar ben pentwr o glustogau. Yna tynnaf lun o'r stafell gyfan o wahanol onglau. Yna, yn olaf, tynnaf lun o'r olygfa o'r ffenest ac un o'r gadair â blanced drosti, i f'atgoffa i o'r noson y siaradais i â Noah ar y ffôn, pan oedd y lleuad yn oren.

Erbyn i mi orffen, dwi'n teimlo'n llawer gwell. Mae edrych ar y stafell drwy'r camera, yn llythrennol, wedi fy helpu i newid fy ffocws. Megan ac Ollie, y ddrama ... mae popeth a ddigwyddodd yn y gorffennol. Mae'n rhaid i fi ganolbwyntio ar y presennol, sef Efrog Newydd a Noah.

Wrth i'r cynnwrf gynyddu, dwi eisiau dawnsio.

Cydiaf yn nheclyn y teledu a'i droi ymlaen. Mae MTV

yn chwarae caneuon Nadoligaidd yn ddi-baid. Dechreuaf ddawnsio o gwmpas y stafell yn gwrando ar 'Santa Claus is Coming to Town'. Dwi'n dawnsio ac yn dawnsio tan i fi ysgwyd hen waddod diflas y freuddwyd mas o 'nghorff. Yna, cwympaf ar y gwely gan wenu ar y ddol.

'Nadolig Llawen,' sibrydaf wrthi, yn fyr f'anadl.

Diolch byth, mae Elliot yn hapus braf y bore 'ma.

'Dwi wedi meddwl am gynllun,' medd wrtha i'n gyfrinachol. 'Cynllun mor ddieflig nes y byddai hyd yn oed y Riddler yn cochi.'

'Beth yw e?' sibrydaf, gan arllwys surop masarn dros 'y nghrempogau.

'Cynllun: Deg Ffordd i Ddistrywio Nadolig fy Rhieni Creulon,' medd, gyda fflach yn 'i lygaid. 'Erbyn i mi orffen, byddan nhw'n difaru gwneud i fi adael Efrog Newydd.'

Dechreuaf chwerthin. 'Beth wyt ti'n mynd i wneud?'

'Rhif un: dweud wrthyn nhw 'mod i wedi penderfynu gadael yr ysgol a symud i fyw mewn cymuned hipis. Rhif dau: dweud wrthyn nhw, o hyn mlaen, mai f'enw hipi yw Dŵr Glaw, ac na fydda i'n ateb i unrhyw enw arall.'

Erbyn i Elliot gyrraedd rhif deg yn 'i gynllun dieflig ('Dweud wrthyn nhw bod gen i gariad sy'n *Hell's Angel* Americanaidd o'r enw Hank') ry'n ni'n lladd ein hunain yn chwerthin. Mae Mam a Dad, sydd wedi bod yn brysur yn siarad am y cynlluniau ar gyfer y parti, yn syllu arnom ni nawr.

'Beth sy mor ddoniol?' medd Dad gyda gwên.

'Dwi ddim yn credu 'mod i eisiau gwybod,' medd Mam.

'Cred fi, dwyt ti ddim,' atebaf, yn gwenu'n ddrygionus ar Elliot.

Ar ôl brecwast, ry'n ni'n gadael ein cesys yn nerbynfa'r gwesty ac yn mynd ag Elliot i'r maes awyr. Wrth i'r tacsi gyrraedd y fynedfa, edrychaf ar Elliot yn bryderus.

'Fyddi di'n iawn, yn hedfan ar dy ben dy hunan?'

Nodia a gwenu. 'A dweud y gwir, dwi'n edrych 'mlaen at hynny. Bydd yn gwneud i fi edrych yn ddirgel ac yn ddiddorol. Galla i ddychmygu'r teithwyr eraill yn meddwl, *Pwy yw'r dyn ifanc yma, yn teithio ar 'i ben 'i hunan? Beth yw 'i hanes e?*'

Dyma fi'n chwerthin ac yn ysgwyd 'y mhen. 'Wel, ti'n bendant wedi gwisgo'n addas i greu'r argraff 'na.' Mae Elliot yn gwisgo'i hoff siwt *vintage*, sef siwt streipiog, lwyd tywyll, sgidiau *brogue* sgleiniog a wats boced ar gadwyn – a'i gap New York Yankees. Rywsut, mae'n llwyddo gwneud i hyn edrych yn hollol cŵl.

Mae Elliot yn rhoi cwtsh i mi. 'Bydda i'n gweld d'eisiau di, Pen-Pen.'

'Bydda i'n gweld d'eisiau di hefyd.'

'Mwynha dy ffling.'

'Na, o ddifri.' Mae Elliot yn symud 'nôl ac yn edrych arna i. 'Ti'n haeddu cael tamed bach o sbort ar ôl *popeth* rwyt ti wedi bod drwyddo'n ddiweddar.'

Mae dagrau'n cronni'n fy llygaid. 'Diolch.'

'A dwi eisiau gwybod popeth cyn gynted ag y byddi di gartre.'

Chwarddaf a nodio. 'Iawn.'

Ac yna, daw galwad am awyren Elliot.

Gwyliaf e'n camu drwy'r gât, yn llawn teimladau cymysg: tristwch o'i weld e'n gadael a chynnwrf wrth feddwl am yr hyn oedd i ddod.

'Ti'n iawn?' hola Dad, a 'nhynnu ato i gael cwtsh.

Nodiaf.

'Dwi newydd gael tecst gan Sadie Lee,' medd Mam. 'Mae hi am i fi ddweud wrthoch chi'i bod hi newydd bobi brownis a bod croeso i ni gyrraedd pryd bynnag sy'n gyfleus i ni.'

Teimlaf fy ffôn i'n dirgrynu, ac mae 'nghalon yn neidio wrth weld neges newydd oddi wrth Noah.

> **Bore da! Dwed wrtha i, sut mae dy sgiliau addurno coed? N**

Gyda gwên, atebaf yn gyflym.

> **Chwedlonol. Fi yw Pencampwraig Hongian Addurniadau Brighton – ers tair blynedd. ☺**

> **Dim ond tair? Dyna siom. Bydd rhaid i hynny wneud y tro. Digwyddiad Sbardunol, brysia draw. Mae angen dy help di arna i a Bella.**

I ddechrau mae fy meddwl yn wag wrth weld enw Bella, ond yna cofiaf – mae gan Noah chwaer.

*

Yn y tacsi ar y ffordd i'r maes awyr, ro'n i wedi bod yn canolbwyntio cymaint ar gadw Elliot yn hapus fel na wnes i deimlo'n bryderus o gwbl, ond mae teithio i'r gwesty i nôl ein cesys yn fater gwahanol. Wrth i ni ddod yn nes at y Waldorf, dwi eisiau neidio o'r tacsi a cherdded yr holl ffordd i Brooklyn. Wrth i fi fynd i mewn i'r gwesty i gael cip olaf ar y cyntedd crand, dwi'n siarsio fy hun i gallio. 'Galli di wneud hyn,' meddaf yn dawel bach. 'Ti yw Ocean Strong.' Ond dyw f'enw arwrol ddim yr un fath heb Elliot. Meddyliaf amdano'n eistedd ar 'i ben 'i hun ar yr awyren a theimlo tristwch dwfn. Yna cofiaf am yr ymarfer ddywedodd Noah wrtha i amdano.

'Barod, Pen?' medd Dad, wrth iddo fe a gweinydd ddod draw atom gyda'n cesys, sy'n bentwr tal ar ben troli.

Nodiaf. 'Ydw.'

Cyn gynted ag yr af i'n ôl i'r tacsi, ceisiaf ddychmygu'r rhan yn 'y nghorff sy'n teimlo'n bryderus. Yn ôl yr arfer, yn 'y ngwddf mae'r tyndra. Caeaf fy llygaid a cheisio'i ddychmygu fel lliw a siâp. Gwelaf ddwrn coch yn gwasgu 'ngwddf. I ddechrau, mae hynny'n gwneud i fi deimlo'n waeth a dwi eisiau agor fy llygaid, ond gorfodaf fy hunan i anadlu'n ddwfn a gadael iddo fod yno. Does dim byd yn digwydd. Mae'r tensiwn yn 'y ngwddf yn dal yno; dyw e ddim yn well – ond dyw e ddim wedi gwaethygu chwaith. Anadlaf yn ddwfn eto. *Mae'n iawn*, meddaf wrth ddelwedd y dwrn coch. *Does dim ots gyda fi dy fod ti yno.* Cymeraf anadl ddofn arall. Yn y cefndir, gallaf glywed Mam a Dad yn clebran â'r gyrrwr tacsi, ond dwi'n canolbwyntio'n llwyr ac yn methu clywed beth maen nhw'n ddweud. Ceisiaf ddychmygu'r dwrn tensiwn eto, a'r tro hwn mae'r lliw coch wedi troi'n binc. Mae'n llai hefyd. *Mae'n iawn*, meddaf wrtho eto. Dechreua weddill 'y nghorff ymlacio. Nawr mae'n teimlo fel tase cwlwm yn fy llwnc yn hytrach na dwrn. Cymeraf anadl arall ac mae'n haws y tro hwn. *Mae'n iawn*, dywedaf drosodd a throsodd yn 'y mhen. *Mae'n iawn.*

Wrth i fi ganolbwyntio ar ddelwedd y cwlwm, mae'n diflannu tan 'i bod yn wyn fel eira – cyn diflannu'n llwyr.

'Penny, edrycha ar y bont,' medd Mam, gan wasgu fy llaw.

Agoraf fy llygaid a gweld ein bod ni ar Bont Brooklyn yn barod, ar fin mynd o dan y bwa cyntaf. Ar ochr arall yr afon, saif tyrau Brooklyn yn gadarn ac yn frown o flaen yr awyr las golau. Mae 'mhanig wedi mynd, fel cwmwl yn hofran heibio i'r haul.

Ar ôl cyrraedd Brooklyn, mae'r tacsi'n troi i lawr stryd gefn goediog, mewn ardal i breswylwyr. Mae pedwar llawr i bob tŷ, ac maen nhw wedi'u gwneud o gerrig brown. Ry'n ni'n stopio o flaen tŷ hanner ffordd i lawr y stryd, â rhes o risiau serth yn arwain at ddrws coch llachar. Mae torch o gelyn ac uchelwydd ar ganol y drws, a Siôn Corn bach carreg yn sefyll ar ben y grisiau, yn gwenu arnom ni.

'O, mae'n edrych mor hyfryd,' medd Mam, yn mynegi f'ymateb innau.

Ond, wrth ddod mas o'r tacsi, daw pryder i'm meddwl. *Beth os na fyddi di a Noah yn dod mlaen? Beth os bydd hi'n lletchwith iawn treulio'r Nadolig gydag e?* Ond cyn i mi arteithio fy hunan yn fwy, mae'r drws yn agor a daw merch fach mas ar wib. Mae cudynnau cyrliog o'i gwallt brown tywyll, sgleiniog yn sboncio o gwmpas 'i hwyneb. Mae'n edrych arna i'n swil gyda'i llygaid brown enfawr.

'Ydych chi wedi dod yma dros y Nadolig?' medd, yn yr acen Efrog Newydd fwyaf ciwt erioed.

'Ydyn wir,' medd Dad.

Daw Sadie Lee mas ar y grisiau. Mae hi'n gwisgo ffedog flodeuog – â blawd drosti i gyd – dros 'i ffrog. 'Helô!' medd yn llawn cyffro. 'Croeso! Croeso!'

Daw Noah mas yn syth ar 'i hôl, ac mae ein llygaid yn cwrdd yn syth.

'Heia,' medd yn dawel.

'Heia,' atebaf. Yna, dechreuaf ffysian â 'nghês, i guddio fy swildod.

'Gad i fi symud hwnna,' medd Noah, gan sboncio i lawr y grisiau.

Wrth weld Dad, mae'n sefyll yn stond. 'Helô, Noah ydw i,' medd, gan estyn 'i law.

'Braf cwrdd â ti, Noah,' medd Dad, yn siglo'i law. 'Rob ydw i.'

Ochneidiaf mewn rhyddhad. Mae popeth yn iawn, hyd yn hyn.

'Ti yw Penny, ife?' hola Bella wrth i fi ddringo'r grisiau ar ôl Noah.

'Ie. Ac mae'n rhaid mai Bella wyt ti.'

Mae hi'n nodio ac yn gwenu'n swil cyn troi at Noah. 'Ti'n iawn, Noah.'

'Shhh,' medd Noah yn syth.

'Yn iawn am beth?' holaf.

'Mae hi'n edrych yn union fel môr-forwyn,' medd Bella.

'Ro'n i'n meddwl dy fod ti'n gallu cadw cyfrinach!' medd Noah, gan wenu arna i.

Mae tŷ Noah yn edrych yn gysurus, fel rhywbeth o ffilm deuluol Americanaidd. Mae'r cyntedd yr un maint â lolfa gyffredin. Mae cloc tad-cu hardd yn sefyll yn y gornel ar bwys grisiau llydan.

Cawn ein harwain gan Noah a Sadie Lee trwy fwa ar y chwith i gegin enfawr – sydd hefyd yn gartrefol. Mae arogl cyfoethog brownis siocled yn llenwi fy ffroenau.

'Felly, byddwch chi'n cysgu yn y stafell sbâr,' medd Sadie Lee wrth Mam a Dad. 'A, Penny, alli di rannu gyda Bella.'

'Gei di fod ar y bync top,' medd Bella wrtha i'n ddifrifol. 'Dwi ddim yn hoffi'r bync top, rhag ofn i mi gwympo mas.'

'Bydd y bync top yn grêt,' meddaf, gan wenu arni.

Mae hi'n cydio'n fy llaw. 'Licet ti ddod i weld?'

'Os gweli di'n dda.' Edrychaf ar Noah ac mae'n gwenu arna i.

'Iawn, ond peidiwch â bod yn hir. Mae gyda ni goeden i'w haddurno, chi'n cofio?'

'O, ydyn!' medd Bella gan wichian, wrth 'y nhynnu i'w stafell. 'Dere!'

Mae stafell Bella ar ail lawr y tŷ. Mae hi'n f'arwain i ar draws y landin at ddrws ac arno arwydd wedi'i wneud â llaw, yn dweud: DIM MYNEDIAD I FWYSTFILOD! (NA MOCH.)

'Noah wnaeth hwnna i fi,' esbonia Bella. 'Mae'n gas gen i fwystfilod – a moch – felly bydd hwnna'n 'u stopio nhw rhag dod i mewn.'

'Syniad da,' meddaf, yn ceisio edrych yn ddifrifol.

Dwi'n credu mai stafell Bella yw'r stafell wely orau erioed i blentyn. Ar y brif wal, mae murlun o gymeriadau enwog byd hud a lledrith, fel Eira Wen a'r corachod, Dumbo, yr eliffant, a Hugan Fach Goch.

'Dadi wnaeth hwnna i fi pan ges i 'ngeni,' medd Bella, gan sylwi arna i'n syllu arno. 'Ond nawr mae Dadi yn y nefoedd.'

'Mae'n ddrwg iawn 'da fi am hynny,' meddaf, gan fynd i lawr ar 'y nghwrcwd o'i blaen.

'Mae Mam yno hefyd,' medd wedyn, mewn ffordd ddidaro. 'Dwi'n meddwl falle'i bod hi'n angel.'

'Dwi'n siŵr 'i bod hi,' atebaf.

'Dyma 'ngwely i,' medd Bella, gan droi a phwyntio at wely bync ar bwys y wal gyferbyn â ni. Mae llenni o amgylch y gwely gwaelod i gyd.

'Gwely cŵl,' meddaf, yn gwbl ddiffuant. 'Dwi'n dwlu ar y

llenni.'

'Finnau hefyd,' medd Bella. 'Weithiau dwi'n esgus mai pabell yw'r gwely. Dwi'n hoffi dy lais di.'

'Diolch.'

'Rwyt ti'n swnio'n union fel y Dywysoges Kate. Dwi'n caru'r Dywysoges Kate.'

Llusgaf 'y nghês draw at y gwagle yng nghornel y stafell ac estynnaf grys chwys.

'Ife honna yw dy ddoli di?' medd Bella, gan edrych ar y ddol tsieina sy'n gorwedd rhwng y dillad.

'Ie.'

'Cŵŵŵl!' Mae Bella'n rhedeg draw at 'i gwely ac yn plymio drwy'r llenni. Mae hi'n ailymddangos â doli glwt brydferth yn 'i breichiau. 'Dyma Rosie,' medd, gan ddal y ddol wrth ymyl 'y nol innau. 'Allan nhw fod yn ffrindiau?'

'Gallan, wrth gwrs.' Tynnaf y crys chwys dros 'y mhen.

'Helô, Rosie ydw i,' medd Bella, mewn llais bach gwichlyd. 'Beth yw enw dy ddoli di?' hola, gan droi ataf i.

'O. Does gyda hi ddim enw eto.'

'Does gyda hi ddim enw?' Mae Bella'n edrych arna i'n siomedig, fel tasen i wedi cyflawni'r drosedd waethaf erioed yn erbyn doliau.

'Pam na wnei di roi un iddi hi?' holaf, yn ceisio gwneud iawn am y peth.

'Iawn 'te.' Mae Bella'n gwgu am funud, ac yna'n codi fy nol. 'Fi yw'r Dywysoges Hydref, 'medd mewn llais crand. 'Hydref yw enw Noah i ti,' sibryda wrtha i. 'Ond dwi ddim i fod i ddweud wrthot ti. Wyt ti'n caru Noah?' Mae hi'n gwyro'i phen.

'O, wel, dim ond newydd gwrdd â'n gilydd ydyn ni felly – '

'Dwi'n meddwl 'i fod e'n dy garu di,' medd Bella gan dorri ar 'y nhraws. 'Roedd e'n ysgrifennu cân amdanat ti neithiwr.

Dyw e erioed wedi sgrifennu caneuon am ferched eraill. Roedd Mam-gu'n dweud 'i fod e'n ymddwyn fel tase fe'n "glaf o gariad". Mae hynny'n golygu bod cariad bron â'ch gwneud chi'n dost. Dyna ddwedodd Mam-gu wrtha i.'

Y tro yma, alla i ddim stopio fy hunan rhag chwerthin. A'r mwyaf dwi'n chwerthin, yr anoddaf yw hi i stopio. Dwi'n teimlo mor hapus nes 'mod i'n benysgafn. Mae gan Noah enw arbennig i fi. Roedd e'n sgwennu cân amdana i! Mae Sadie Lee'n dweud 'i fod e'n 'glaf o gariad'!

Mae Bella'n chwerthin nawr hefyd – mor galed nes bod 'i chyrls yn tasgu dros bob man.

'Beth ar wyneb y ddaear sy'n digwydd fan hyn?'

Mae'r ddwy ohonom yn neidio wrth glywed llais Noah – ond yn dal i chwerthin.

'Paid â dweud wrtho fe,' sibryda Bella drwy bwl o chwerthin.

'Wna i ddim,' sibrydaf yn ôl.

'Ydych chi'ch dwy'n mynd i fy helpu i i addurno'r goeden 'ma neu beth?'

'Ydyn, ydyn, ydyn!' gwaedda Bella wrth redeg o'r stafell.

'Wel, mae'r ddwy ohonoch chi wedi dod yn ffrindiau,' medd Noah, gan edrych arna i'n chwilfrydig.

Nodiaf a cherdded ato.

'Dwi mor falch dy fod ti yma,' medd.

'A finnau,' atebaf, ac am eiliad, dwi'n meddwl 'i fod e am 'y nghusanu i. Ond yna, mae Bella'n rhuthro 'nôl ar draws y landin ac yn dal dwylo'r ddau ohonom ni.

'Dewch mlaen, y malwod!'

Wrth i Noah wenu a chodi'i ysgwyddau i ymddiheuro am gynnwrf 'i chwaer fach, mae rhyw deimlad yn 'y nharo i yn 'y nghalon. Teimlad tebyg iawn i gariad.

Pennod Dau ddeg naw

Mae'r goeden Nadolig mor dal â'r stafell fyw a bron mor llydan â'r ffenest fawr y mae hi wedi'i gosod ynddi. Mae'i nodwyddau'n drwchus ac yn sgleiniog ac yn llenwi'r aer ag arogl pîn bendigedig. Mae Mam a Dad wedi mynd mas i wneud rhywfaint o siopa Nadolig munud olaf, felly mae Noah, Bella a finnau'n addurno'r goeden ag addurniadau o hen gist sydd wedi gweld dyddiau gwell. Mae hi'n llawn peli ac addurniadau gwydr – y rhai harddaf dwi erioed wedi'u gweld.

Wedi deall, mae stori unigryw gan bob addurn. Wrth i ni'u hongian ar y goeden, mae Sadie Lee'n eistedd gerllaw mewn cadair siglo, gan ddweud hanes pob un. 'Prynodd Mama'r Siôn Corn yna i fi, y flwyddyn ces i 'mhen blwydd yn un ar bymtheg. Dy dad-cu oedd piau'r dyn eira 'na – roedd e'n 'i alw'n Stanley. Ces i'r carw mewn parti yn yr eglwys yn Charleston.'

Cyn hir, mae'r holl addurniadau wedi'u gosod ar y goeden.

'Paid ag anghofio am y rhain,' medd Sadie Lee, gan roi bocs i Bella.

'Ffyn candi!' ebycha Bella.

Mae'r bocs yn llawn ffyn streipiog gwyrdd, coch a gwyn. Maen nhw'n sgleiniog ac yn llachar, ac mae arogl mintys arnyn

215

nhw. Yn ofalus, ry'n ni'n dechrau'u bachu nhw ar ganghennau'r goeden.

'Iym!' medd Bella, gan roi un ohonyn nhw yn 'i cheg.

'Hei, pwy sy'n fochyn bach?' medd Noah gan wenu.

'Do'n i ddim yn trio,' medd Bella. 'Cwympodd y ffon i 'ngheg i.'

Dechreuwn chwerthin ac mae Noah yn rhoi ffon i mi. Mae'n blasu fel tamaid o roc Brighton.

'Ydy hi'n bryd rhoi'r angel yn 'i lle?' hola Bella Sadie Lee.

'Ydy wir, siwgr candi.'

Mae Noah yn nôl parsel o bapur sidan coch o'r gist. Yn ofalus iawn, mae'n 'i agor i ddatgelu angel hardd â gwallt tonnog melyn, mewn ffrog sidan liw ifori. Mae dwy adain euraid yn agor mas ar 'i chefn. Dringa Noah ar ben cadair, a gosod yr angel yn ofalus ar ben y goeden.

Dechreua Bella guro'i dwylo mewn cynnwrf.

'Ga i ddiffodd y golau nawr, Mam-gu?'

'Cei siŵr, cariad bach.'

Ry'n ni'n aros i Bella gropian 'nôl o gwmpas cefn y goeden.

'Nadolig Llawen!' bloeddia, wrth i'r goeden ddod yn fyw mewn fflach o oleuadau pefriog. Mae hi mor hardd – alla i ddim siarad hyd yn oed.

'Nadolig Llawen,' sibryda Noah yn 'y nghlust, gan roi'i law o gwmpas 'y nghanol.

Cwtshaf yn 'i erbyn, yn gynnes i gyd wrth feddwl mai hwn fydd y Nadolig gorau erioed.

Dim ond y prynhawn hwnnw dwi'n sylweddoli nad oes gen i anrheg Nadolig i unrhyw un. Dyw Noah ddim yn edrych yn awyddus iawn i fynd i siopa, felly af mas i'r siopau lleol gyda Sadie Lee. Prynaf gannwyll ag arogl pwmpen a phethau i'r bath i Mam, llyfr coginio Americanaidd i Dad, llyfr am dywysogesau i Bella a set o lwyau cymysgu pren prydferth i Sadie Lee – pan nad yw hi'n edrych. Penderfynaf edrych mewn siop gerddoriaeth am anrheg i Noah, gan feddwl mai dyna'r syniad gorau i rywun â thatŵ bar cerddoriaeth ar 'i arddwrn.

Ond wrth i mi fynd i mewn i'r siop, sylweddolaf 'mod i ddim hyd yn oed yn gwybod pa fath o gerddoriaeth mae'n 'i hoffi. Ac *yna* dwi'n ystyried y ffaith nad ydw i'n gwybod rhyw lawer amdano fe, a dweud y gwir – ac yn cael pwl bach o banig. Sut alla i deimlo mor gryf am rywun dwi newydd 'i gwrdd? Dyw e ddim yn gwneud synnwyr.

'Pa fath o gerddoriaeth mae Noah yn 'i hoffi?'

Mae hi'n chwerthin yn syth. 'Mae'r crwt 'na'n hoffi bron pob math o gerddoriaeth. Dwi ddim yn jocan – gallai droi chwiban trên yn ddarn o gerddoriaeth! Ond tase'n rhaid dewis rhywbeth, byddwn i'n mynd am hen gerddoriaeth – ar feinyl. Mae'n dwlu ar feinyl.'

Af bant i gefn y siop lle mae rhesi ar ben rhesi o recordiau. Gwenaf wrth ymbalfalu drwyddyn nhw, a'u harogli nhw. Mae'r arogl bron cystal ag arogl llyfrau. Ond ddim cweit. Yn y diwedd dwi'n dewis record gan rywun o'r enw Big Bill Broonzy, dim ond achos 'mod i'n hoffi'r enw. Af â'r record draw at y cownter i dalu.

'Dewis gwych!' medd y dyn y tu ôl i'r cownter â gwên lydan.

'Diolch,' meddaf, yn teimlo'n falch iawn 'mod i wedi mynd i hen siop recordiau yn Brooklyn a dewis rhywbeth gwych – hyd yn oed os oedd hynny trwy hap a damwain.

Mae gwên y dyn yn lledu. 'Acen giwt. O ble wyt ti'n dod?'

'O Brydain.'

'Nage!' Mae'n dal fy llaw ac yn 'i siglo'n frwd. 'Wel, am fendigedig.'

Edrychaf ar 'i *dreadlocks*, sy'n dechrau britho, a'r benglog arian ar gadwyn o gwmpas 'i wddf. Mae golwg mor ddiddorol arno fe.

'Fyddech chi ...? Ga i ...? Fyddai hi'n iawn i fi dynnu llun ohonoch chi?'

Mae'n gwenu'n syth. 'Wrth gwrs. Beth licet ti i fi wneud?' Mae'n dechrau gwthio'i frest mas.

'Dim ond fel oeddech chi, yn edrych ar y record. Byddai hynny'n grêt,' meddaf.

Mae'r dyn yn ail-greu'i ystum a dwi'n tynnu'r llun. 'Diolch.'

'Dim problem.' Mae'n rhoi cerdyn busnes i fi o bentwr ar y cownter. 'A phan ei di'n ôl i Brydain, galli di ddweud wrth bobl dy fod ti wedi cwrdd â Slim Daniels.'

'Fe wna i,' meddaf, yn llawn hyder newydd, ffres. Nid merch ysgol ddwl, sydd wastad yn gwneud camgymeriadau ydw i bellach. Dwi'n ferch sy'n gwneud dewisiadau gwych mewn siopau recordiau yn Brooklyn ac yn tynnu lluniau o bobl ag enwau fel Slim Daniels. All dim byd chwalu fy hapusrwydd – dim hyd yn oed y foment ddwl pan dwi bron â dymchwel arddangosfa wrth gerdded am 'nôl.

Ar ôl i Sadie Lee a minnau gyrraedd gartref, mae Mam yn chwarae 'Tywysogesau' gyda Bella yn y lolfa, a Dad a Noah yn y gegin, yn paratoi ychydig o lysiau ar gyfer y cinio Nadolig fory. Maen nhw'n chwerthin fel pethau dwl wrth i ni gerdded i mewn. Mae hyn yn dda – yn dda iawn.

'Ro'n i'n meddwl gwneud rhywbeth ysgafn i swper heno,' medd Sadie Lee, gan wisgo'i ffedog. 'Dy'n ni ddim eisiau gorwneud pethau cyn y wledd fory.'

'Syniad da,' medd Dad. 'Rhowch wybod os oes angen help gydag unrhyw beth.'

'Byddai hynny'n hyfryd,' medd Sadie Lee. 'Ro'n i'n meddwl gwneud salad cyw iâr Cesar.'

'Un o 'mhrydau arbennig,' medd Dad yn falch.

'Ie,' meddaf, 'alla i ddim aros.'

'O na,' medd Sadie Lee, gan droi ata i. 'Mae arna i ofn na fyddi di'n bwyta gyda ni.'

'Digon gwir,' medd Noah.

'Beth?' Edrychaf ar Sadie Lee, yna Dad ac yna Noah. Maen nhw i gyd yn gwenu arna i fel tase rhyw jôc breifat rhyngddyn nhw. 'Pam na fydda i'n bwyta gyda chi?'

'D'yn ni ddim eisiau i ti fwyta gormod cyn y diwrnod mawr,' medd Noah.

'Ro'n ni'n meddwl y byddai hi'n well i ti fynd heb fwyd am y pedair awr ar hugain nesaf,' medd Dad.

'Beth?!'

Mae Noah yn dechrau chwerthin yn afreolus. 'Paid ag edrych mor bryderus. Fyddi di ddim yn cael swper am ein bod ni'n mynd i gael Picnic Rhif Dau.'

'Ydy popeth yn barod?' hola Sadie Lee.

Mae Noah yn nodio ac yn cydio yn fy llaw. Felly, os hoffech chi ddod gyda fi, madam, fe wna i'ch tywys at y flanced bicnic.'

Edrychaf arnyn nhw gan chwerthin. 'Iyffach, roedd hynna'n gas!'

Dilynaf Noah mas drwy'r cyntedd ac i lawr rhes o risiau i mewn i seler y tŷ.

Mae'r seler fel ein lolfa ni gartre, yn edrych yn gartrefol braf. Mae dwy soffa feddal â chlustogau a blancedi drostyn nhw i gyd, a theledu sgrin fflat anferthol ar y wal. Ar y byrddau, mae dwy lamp lafa'n twymo, gan daflu golau oren, cysurlon dros y stafell. Ond mae'r seler yn llawer mwy na'n lolfa ni, ac yn ymestyn draw hyd y tŷ. Ar y pen pellaf un, galla i weld bwrdd pŵl. Mae'r flanced wedi'i gosod o flaen y ddwy soffa, ac mae plateidiau o'r bwyd picnic mwyaf anhygoel erioed wedi gosod arni.

'Mae'n edrych yn ffantastig!' meddaf, gan droi at Noah.

'Wel, meddwl o'n i fod angen gwneud tamaid bach mwy o ymdrech ar ôl ddoe,' medd, gyda gwên.

Eisteddwn i lawr ar y flanced.

'Gyrhaeddodd dy ffrind di'n ôl yn saff?' hola Noah.

Sylweddolaf nad ydw i wedi trafferthu edrych ar fy ffôn ers i ni gyrraedd. Dylai Elliot fod wedi cyrraedd erbyn hyn. Cofiaf fod fy ffôn lan lofft yn 'y mag a dwi'n ystyried mynd i'w nôl hi, ond dwi ddim wir eisiau tarfu ar y picnic yr eildro, yn enwedig gan fod Noah wedi mynd i'r fath ffwdan.

'Do, dwi'n credu.'

'Da iawn.' Mae Noah yn edrych lan ar y teledu cyn edrych yn ôl arna i. 'Meddwl o'n ...'

'Ie?'

'Pan ... pan oedd fy rhieni'n dal yn fyw, roedd gyda ni draddodiad bach Noswyl Nadolig a hoffwn i 'i neud e eto – gyda ti.'

'Wrth gwrs. Beth yw e?'

'Bydden ni wastad yn gwylio'r ffilm *It's a Wonderful Life* gyda'n gilydd.'

Gan fod *It's a Wonderful Life* yn un o fy hoff ffilmiau erioed, does dim angen meddwl ddwywaith. 'Byddwn i wrth 'y modd!'

Mae Noah yn rhoi'r ffilm ymlaen, ac ry'n ni'n eistedd ar y llawr, yn pwyso yn erbyn y soffa, a'r picnic wedi'i daenu o'n blaenau ni.

Dwi wastad wedi dwlu ar hen ffilmiau du a gwyn. Fel lluniau du a gwyn, maen nhw'n llawn awyrgylch, ac yn llawer mwy dramatig. Mae Noah yn closio tuag ata i nes bod ein hysgwyddau'n cyffwrdd. Dwi ddim yn credu y gallen i deimlo'n fwy bodlon 'y myd.

A dyna sut mae pethau tan ddiwedd y ffilm pan mae James

Stewart ar y bont yn galw ar 'i angel gwarcheidiol, i ddweud nad yw e eisiau marw; 'i fod e eisiau byw eto a gweld 'i wraig a'i blant. Yn sydyn, dwi'n teimlo Noah yn pellhau oddi wrtha i. Trof i edrych arno. Drwy fflachiadau'r teledu, gwelaf fod 'i foch yn wlyb – fel tase deigryn yno.

'Noah? Ti'n iawn?'

Mae'n sychu'i wyneb yn gyflym â chefn 'i law. 'Ydw, wrth gwrs. Mae'n rhaid bod rhywbeth yn fy llygaid.' Dwi'n eistedd yn f'unfan, ddim yn siŵr beth i'w wneud na'i ddweud. Yna mac'n 'y nharo i: faint mae'r ffilm yma'n golygu i Noah.

Dwi'n cropian o gwmpas nes 'mod i'n 'i wynebu. 'Ife ... wyt ti'n meddwl am dy rieni?'

Mae Noah yn hollol lonydd am eiliad, ond yna mac'n nodio'i ben, cyn syllu i lawr ar 'i goesau. 'Tyffach, am ffordd o greu argraff ar ferch, Noah,' medd, 'dechrau crio drosti hi i gyd.'

Dwi ddim yn siŵr beth i'w wneud. Yna mae'i lygaid yn codi am ennyd, ac mae'n hanner gwenu. Ond, bron yn syth ar ôl i'n llygaid gwrdd, mae'n troi i ffwrdd eto, yn llawn embaras. Dwi eisiau rhoi cwtsh iddo fe ond dwi ddim yn siŵr ai dyna fyddai orau.

'Mae'n iawn, wir,' mentraf, gan afael yn 'i freichiau'n ofalus.

'Ro'n i'n meddwl y byddwn i'n iawn,' medd Noah, yn dal i grymu'i ben.

'Ro'n i'n meddwl y byddai'n neis, gwylio'r ffilm eto ...'

'Ife dyma'r tro cyntaf i ti'i gwylio hi, ers ...?'

Nodia'i ben. Dwi eisiau'i gysuro, ond alla i ddim dod o hyd i'r geiriau iawn. Mae popeth mae e wedi bod drwyddo'n ofnadwy – mor enfawr. Dwi ddim yn credu y byddai'r holl eiriau yn y byd yn gallu gwella pethau.

Mae Noah yn ochneidio. 'Syniad hurt.'

'Na, ddim o gwbl. Roedd e'n syniad hyfryd.'

'Ti'n credu hynny? Pam?'

'Achos 'i fod yn ffordd o gofio dy rieni – a'u cadw nhw'n fyw.'

Ar y sgrin, mae James Stewart nawr yn rasio drwy'r eira, yn gweiddi 'Nadolig Llawen' wrth bawb a phopeth.

'Byddai Mam wastad yn dechrau crio fel babi yn y rhan 'ma,' medd Noah gan chwerthin braidd yn drist, 'a byddai Dad wastad yn cusanu'i boch hi, ac yn sychu'r dagrau.'

Heb feddwl, dwi'n plygu mlaen ac yn dechrau cusanu wyneb Noah. Mae'i ddagrau'n hallt ar 'y ngwefusau.

'Paid poeni,' sibrydaf a'i ddal yn dynn. 'Paid poeni.'

Pennod Tri Deg

'Penny! Penny! Mae e wedi bod!'

Wrth glywed sŵn llais Bella, codaf ar f'eistedd yn 'y ngwely a rhwbio fy llygaid, i geisio gweld trwy'r tywyllwch dudew. Yn sydyn, mae pelydryn tenau'n disgleirio ar fy wyneb, ac yn 'y nallu.

'Mae e wedi bod!' medd Bella eto. Yna, symuda'i thortsh i ffwrdd i ddatgelu'i hwyneb bach yn sbecian arna i o dop yr ysgol ar waelod 'y ngwely.

'Pwy sy wedi bod?'

'Siôn Corn, wrth gwrs.'

'O.' Af 'nôl i orwedd, gan wenu ar y nenfwd.

'Dihuna!' medd Bella. 'Mae'n rhaid i ni weld beth mae e wedi dod i ni.'

'Iawn. Dwi'n dod nawr.'

Estynnaf dan 'y ngobennydd am fy ffôn i weld faint o'r gloch yw hi. Hanner awr wedi pump! Dwi hefyd yn gweld bod gyda fi neges destun newydd, a daw teimlad o ryddhad drosof. Erbyn i fi edrych ar fy ffôn neithiwr, roedd Elliot wedi anfon tri tecst ata i am 'i daith adre a faint roedd e'n casáu'i rieni. Ro'n i'n teimlo'n ofnadwy am ateb mor hwyr. Ond wrth agor fy negeseuon testun, dwi'n gweld mai wrth Ollie mae'r neges.

> Nadolig Llawen, Penny! Gobeithio bo ti'n cael amser gwych yn Efrog Newydd. Edrych mlaen at dy weld di pan fyddi di gartre. Ollie xx

Beth? Pam mae Ollie'n anfon tecst ata i? A pham mae e'n edrych mlaen at 'y ngweld i? Yna dwi'n cofio'r lluniau ar y traeth. Mae e siŵr o fod jyst eisiau i mi dynnu rhagor o luniau proffil ohono fe. Hmm. Dyma roi'r ffôn 'nôl dan 'y ngobennydd.'

'Diogi, diogi – dere mlaen!' mae Bella'n galw arnaf o'r bync gwaelod a dwi'n gallu'i theimlo hi'n taro fy matres.

'Iawn, iawn.'

Dringaf i lawr yr ysgol a sbecian drwy'r llenni i mewn i wely Bella. Mae hi'n eistedd, wedi croesi'i choesau, yn disgleirio'i thortsh ar ddwy hosan sydd o'i blaen. Pan wela i'r lympiau a'r siapiau cyfarwydd yn y sanau, daw'r hen deimlad cyffrous cyfarwydd 'nôl. Mae'n siŵr nad y'ch chi byth yn tyfu'n rhy hen i Siôn Corn.

'Do'n i ddim yn meddwl 'mod i'n mynd i gael unrhyw beth eleni,' medd Bella wrtha i, wrth i fi fynd i mewn i'r bync gwaelod.

'Pam?'

'Achos 'mod i wedi gwneud rhywbeth drwg iawn yn yr ysgol,' sibryda, 'a ro'n i'n meddwl falle bod Siôn Corn wedi 'ngweld i'n 'i neud e, ond mae'n rhaid na wnaeth e.'

'O wel, dwi'n siŵr nad oes ots gan Siôn Corn os wyt ti'n

ddrwg bob nawr ac yn y man. Mae'n anodd iawn bod yn dda drwy'r amser.'

'Ti'n gweud wrtha i!' medd Bella gan ochneidio'n ddramatig – nes 'mod i eisiau'i mabwysiadu hi yn y fan a'r lle.

Ar ôl gwagio ein sanau – roedd f'un i'n llawn losin lliwgar, swigod bath persawrus ac angel wydr brydferth – perswadiaf Bella y dylen ni fynd 'nôl i'r gwely. Ond, wrth i fi orwedd yn y tywyllwch, mae fy meddwl yn llawer rhy brysur i gysgu. Mae'r neges oddi wrth Ollie wedi rhoi siglad i fi, a dwi'n dechrau poeni achos bod Elliot heb ateb y tecst. Mae'n ganol dydd ym Mhrydain nawr, felly mae'n rhyfedd iawn nad yw e wedi anfon neges ata i, i ddymuno Nadolig Llawen. Gobeithio nad yw e'n grac gyda fi am gymryd cymaint o amser i'w ateb e.

Roedd Noah yn ymddiheuro o hyd am fod yn ypset ynglŷn â'i rieni neithiwr. Yn y diwedd, roedd rhaid i fi'i atgoffa fe i mi grio drosto fe i gyd ar ôl dim ond awr ers i ni gwrdd, felly ro'n ni'n gyfartal nawr. Ond, a dweud y gwir, mae'n teimlo fel llawer mwy na hynny. Pan y'ch chi'n dechrau crio o flaen rhywun, pan y'ch chi'n dangos eich ochr fwyaf tyner a bregus, mae'n dangos eich bod chi'n ymddiried ynddyn nhw. Mae'n rhyfedd iawn, achos er nad ydw i'n gwybod llawer am Noah o hyd, ar lefel ddyfnach dwi'n teimlo fel tasen i'n 'i nabod e ers oes. Ai dyma sut mae'n teimlo pan fydd pobl yn siarad am gwrdd ag 'enaid hoff cytûn'?

Yn sydyn, teimlaf ysfa i sgrifennu blog newydd. Sleifiaf i lawr o'r bync, agor fy nghês a thynnu 'ngliniadur mas. Mae Bella nawr yn cysgu'n sownd yn 'i gwely, yn cwtsho'r tedi newydd ddaeth Siôn Corn iddi hi. Tynnaf 'i chwilt drosti, cyn mynd â'r gliniadur i'r bync, a dechrau mewngofnodi i'r blog.

25 Rhagfyr

Ydych chi'n credu mewn 'Enaid Hoff Cytûn?'

Helô bobl!

Nadolig Llawen!

Gobeithio eich bod chi'n cael Nadolig da, ble bynnag y'ch chi, a gyda phwy bynnag y'ch chi.

Mae llawer ohonoch chi wedi gofyn i mi sgrifennu mwy am Fachgen Brooklyn a hoffwn i gael eich cyngor chi, felly dyma ni.

Dwi wastad wedi meddwl bod y syniad o eneidiau hoff cytûn – y syniad bod rhywun mas 'na'n arbennig i chi – yn swnio'n cŵl ac yn rhamantus, ond do'n i byth yn dychmygu y byddai'n gallu digwydd i fi.

Gallwn i ddychmygu bod rhywun – o blith y saith biliwn o bobl ar y ddaear – yn berffaith i mi, ond o nabod fy lwc i, byddai'n byw yng nghanol fforest law yn yr Amazon neu anialwch yn Ethiopia a fyddai'n llwybrau ni byth yn croesi.

Ond yna cwrddais i â Bachgen Brooklyn.

Ac mae'r peth rhyfeddaf erioed wedi digwydd.

Er mai dim ond ers ychydig ddyddiau dwi'n 'i nabod e, mewn llawer o ffyrdd, ac mewn llawer o ffyrdd pwysig, mae'n teimlo fel tasen i'n 'i nabod e erioed.

Felly, dwi'n dal ddim yn gwybod pwy yw 'i hoff fand, na'i hoff flas hufen iâ, ond dwi'n gwybod y gallwn i ddweud unrhyw beth wrtho fe.

A dwi'n gwybod y galla i grio o'i flaen e a dangos 'y ngwendidau ac na fydd e'n 'y marnu i o gwbl.

A dwi'n gwybod y gall e grio o mlaen i a dangos 'i wendidau i mi ac na fydda i'n 'i farnu e chwaith – mae'n gwneud i fi 'i hoffi hyd yn oed yn fwy.

Mae hi mor anodd esbonio sut dwi'n teimlo. Y ffordd orau o ddweud hyn yw 'mod i'n teimlo – pan dwi yn 'i gwmni – 'mod i wedi cwrdd â'r person gorau i mi.

Fel Sinderela a'i thywysog.

Neu Barbie a Ken.

(Hmm, dwi ddim yn siŵr a yw honna'n enghraifft dda, ond ry'ch chi'n gwybod beth dwi'n 'i feddwl.)

Oes rhywun yn gallu uniaethu â hyn?

Oes unrhyw un ohonoch chi wedi teimlo fel hyn o'r blaen?

Y'ch chi'n credu mai fe yw fy enaid hoff cytûn?

Ydw i'n lwcus iawn, ac wedi cwrdd â'r bachgen perffaith i mi? A pheidio â gorfod straffaglu trwy fforest law neu anialwch i ddod o hyd iddo fe?!

Plis, rhowch eich barn yn y bocs sylwadau isod.

Llawer o gariad,

Merch Ar-lein, yn mynd oddi ar-lein xxx

O.N. Os y'ch chi heb sylweddoli eto, dwi'n dal yma – yn Efrog Newydd! Ry'n ni wedi cael aros yma tan Ddydd Calan. Ac ry'n ni'n aros yng nghartref Bachgen Brooklyn!! Gall straeon hud a lledrith ddod yn wir ☺

Pennod Tri deg un

Ar ôl postio'r blog, dwi'n dechrau llithro i gysgu pan glywaf sŵn 'ping' neges destun. Elliot sy'n dod i'm meddwl gyntaf, wrth i fi ymbalfalu am fy ffôn. Ond oddi wrth Noah y mae'r neges.

> Ydy Siôn Corn wedi bod ...?

> O ydy, ro'n i a Bella lan am 5.30 yn twrio drwy ein sanau! ☺

> Alla i ddim credu bo chi di neud 'ny hebdda i! Dere i gwrdd â fi yn y gegin.

Tystiolaeth mai Noah yw f'enaid hoff cytûn

1. Galla i grio o'i flaen e.
2. Mae e'n gallu crio o mlaen i.
3. Bob tro dwi'n 'i weld e, mae'n teimlo fel tase darn arall o'r jig-so yn cael 'i osod yn 'i le.
4. Mae fel tasen ni'n 'bâr sy'n matsio'. (*Fel llenni ond yn llawer mwy rhamantus!*)
5. Pan fydd e'n gofyn i fi gwrdd ag e yn y gegin ben bore, dwi ddim yn ffysian am wyneb di-golur a gwallt anniben. Dwi jyst yn tynnu fy onesie llewpard amdanaf ac yn mynd yn syth yno.

Yn y gegin, mae Sadie Lee a Dad wedi cyfuno'u sgiliau coginio gwych ac mae arogl anhygoel yn dod oddi yno. Mae Noah yn eistedd wrth y ford bren yn y gornel, yn gwisgo top pêl-fas a throwsus loncian. Cyn gynted ag y mae e'n 'y ngweld i, mae'n rhoi gwên anhygoel o giwt i fi ac yn estyn cadair i mi eistedd ar 'i bwys e.

'Nadolig Llawen, Penny!' medd, wrth i fi eistedd. 'Siwt neis.'

'Diolch. Ro'n i'n meddwl y byddai gwisg llewpard yr eira'n addas iawn ar ddiwrnod Nadolig.'

'Penny!' medd Dad a Sadie Lee gyda'i gilydd, gan droi oddi wrth y ffwrn fawr i 'nghroesawu i. 'Nadolig Llawen!'

Tase heddiw'n ffilm Nadolig, y bore 'ma fyddai'r *montage* o olygfeydd dros-ben-llestri o hapus, a sŵn clychau'n canu yn y cefndir. Ry'n ni i gyd yn chwerthin ac yn tynnu coes ac yn cymharu ein hanrhegion o gwmpas y bwrdd brecwast. Yna, mae Noah a finnau'n mynd ati i adeiladu tywysoges eira i Bella yn yr ardd gefn, a daw Dad i ymuno â ni i daflu peli eira. Yr olygfa nesaf yw Mam a minnau'n helpu Sadie Lee i baratoi tua miliwn o sbrowts. Yr unig beth sydd ddim cweit yn berffaith yw'r ffaith nad ydw i wedi clywed gair wrth Elliot. Pan driais i 'i ffonio fe gynnau, aeth yr alwad yn syth i'r peiriant ateb a dwi wedi anfon pedwar tecst ato fe. Mae hi nawr yn ddau o'r gloch y prynhawn amser Efrog Newydd, sy'n golygu'i bod hi'n nos yn Lloegr. Pam mae e wedi gadael i ddiwrnod cyfan fynd heibio heb ddymuno Nadolig Llawen i mi?

Wrth i Noah a finnau osod bwrdd y stafell fwyta'n barod ar gyfer cinio, dwi'n tsiecio fy ffôn am y canfed tro.

'Popeth yn iawn?' hola Noah.

'Ydy. Dwi jyst yn poeni tamaid bach achos 'mod i heb glywed wrth Elliot heddiw.' Rhoddaf fy ffôn 'nôl yn 'y mhoced a dal ati i roi'r napcynnau wrth bob cadair.

'Falle'i fod e jyst yn mwynhau'r Nadolig?'

Dwi'n chwerthin. 'Ddim gyda'i rieni e. Mae Elliot wastad yn dweud bod 'i rieni'n credu bod hwyl yn wastraff amser.'

Mae Noah yn gosod potiau halen a phupur siâp Siôn Corn ar ganol y bwrdd. 'Dwi'n siŵr y gwnaiff e gysylltu cyn hir.'

Yn sydyn, mae rhywbeth yn 'y nharo i. Dwi erioed wedi gweld Noah ar 'i ffôn symudol. 'Pam nad wyt ti byth yn defnyddio dy ffôn?' holaf, gan wingo'n syth am fod mor fusneslyd.

'*Detox* dros y Nadolig,' medd Noah gyda gwên.

Edrychaf arno'n chwilfrydig.

'*Detox* o'r we a'r ffôn symudol. Ddylet ti'i drio fe rywbryd. Mae'n rhoi rhyddid newydd i ti.'

Gwgaf. Er mor erchyll oedd 'y mhrofiad i gyda'r fideo Nicers Uncorn o Uffern, alla i ddim dychmygu bywyd heb y we na fy ffôn.

'Cer amdani!' medd Noah. 'Jyst gad lonydd i'r ffôn am sbel.'

Dwi'n chwerthin eto. 'Iawn, ond os bydda i'n dechrau gwingo neu'n cael unrhyw fath o symptomau rhyfedd, bydda i'n troi'n ôl at y ffôn yn syth.'

'Wrth gwrs.' Mae wyneb Noah yn gwbl ddifrifol am eiliad. 'Weithiau, dwi wir yn casáu'r we.'

Dwi'n sefyll yn stond ac yn edrych arno. 'Pam?'

Ochneidia. 'Dyw e ddim ... '

'Y'ch chi'ch dau wedi gorffen?' hola Mam wrth ddod i mewn i'r stafell, yn dal gwydraid o win. Mae'i gwallt yn llifo'n rhydd i lawr dros 'i hysgwyddau ac mae'i llygaid yn sgleinio. Mae'n braf 'i gweld hi'n ymlacio fel hyn.

'Bron,' medd Noah.

'Symudwch, glou – twrci'n dod!' galwa Dad, yn dod i mewn i'r stafell gan gario twrci enfawr ar blât arian.

Diffoddaf fy ffôn ac eistedd wrth y bwrdd.

Mae'r cinio Nadolig mor flasus fel ein bod ni'n dechrau casglu at elusen bob tro y bydd rhywun yn dweud, 'Mmmm!' – fel rhyw fersiwn neis o flwch rhegi. Erbyn i ni orffen pwdin – y pedwar ohonyn nhw – ry'n ni wedi casglu saith doler ar hugain.

'Amser agor anrhegion! Amser agor anrhegion!' gwaedda Bella, gan dasgu o'r bwrdd. Mae'r gweddill ohonom ni'n edrych ar ein gilydd ac yn codi'n haeliau.

'Dwi ddim yn credu y galla i symud,' medd Noah, sydd wedi suddo'n isel yn 'i gadair. 'Mae'n teimlo fel tase craig fawr o fwyd yn 'y mola.'

'Finne hefyd,' medd Dad, gan edrych ar Mam. 'Falle y bydd angen i ti 'nghario i ar dy gefn, cariad.'

Mae Mam yn chwerthin. 'Dim gobaith!'

Yn y diwedd, ry'n ni i gyd yn llwyddo i straffaglu i mewn i'r stafell fyw lle mae Bella wrthi'n trefnu'r anrhegion yn bentyrrau.

'Mae gyda fi lawer mwy o anrhegion na ti,' medd wrtha i'n

ddifrifol, 'ond mae hynny'n iawn achos 'mod i'n blentyn, ac fe ddywedon nhw ar y newyddion y diwrnod o'r blaen mai rhywbeth i blant yw'r Nadolig, on'd do fe, Mam-gu?'

Chwardda Sadie Lee. 'Do, fe ddywedon nhw hynny, siwgr candi.'

'Ac os caf i rywbeth dwi ddim wir yn 'i hoffi, fe gei di fe, iawn?' mae Bella'n cydio yn fy llaw ac yn 'i gwasgu'n dynn.

'Mae hynny'n garedig iawn,' meddaf yn ddifrifol, 'ond mae'n iawn – does dim wir ots gyda fi.'

Mae Bella'n gwenu ac yn neidio'n ôl at 'i phentwr anrhegion.

Noah a minnau yw'r rhai olaf i gyfnewid anrhegion. Wrth i fi'i wylio'n agor y papur, dwi'n dechrau amau. Beth os fydd e'n casáu'r record? Beth os yw hi'n hollol anaddas? Beth os oedd Slim Daniels yn anghywir, ac nad oedd hi'n 'ddewis gwych' o gwbl? Ond o weld y wên ar wyneb Noah wrth iddo dynnu'r record o'r papur, dwi'n credu'i bod hi'n iawn.

'Sut oeddet ti'n gwybod?' medd Noah, gan edrych arna i'n syn. 'Dwi'n caru cerddoriaeth y boi 'ma – dwi wedi bod eisiau'r albwm 'ma ers blynyddoedd.' Mae'n edrych draw ar Sadie Lee gan godi'i aeliau.

'Ddwedais i ddim byd,' medd hithau gan wenu.

Mae Noah a finnau'n edrych ar ein gilydd, a dwi'n ychwanegu 'gwybod yn union pa anrheg i'w chael iddo fe' i'r rhestr Tystiolaeth Enaid Hoff Cytûn.

Ar ôl i Noah dynnu'r record allan o'r clawr i'w harogli, mae'n rhoi anrheg i fi, sydd fel tase wedi'i lapio mewn rholyn cyfan o dâp selo. 'Sori am y tâp 'na i gyd,' medd dan 'i anadl. 'Dyw lapio anrhegion ddim yn un o 'nhalentau penna i.'

'Mae'n iawn,' meddaf, gan geisio rhwygo'r papur. Ond mae hynny'n amhosib gyda'r holl dâp sydd drosto. 'Ym, oes cyllell 'da rhywun?'

Yn y diwedd, diolch i ymyl miniog agorwr poteli, llwyddaf i agor y parsel. Y tu mewn iddo, mae llyfr clawr caled o ffotograffau du a gwyn o Efrog Newydd.

'Gan dy fod ti mor hoff o ffotograffiaeth ...' Alla i ddweud, o'r tinc gobeithiol yn 'i lais, 'i fod e wir eisiau i mi'i hoffi. 'Tase'n well gyda ti lyfr o ffotograffiaeth fodern alla i fynd ag e'n ôl i'w newid e. Dwi ...'

'Na, mae'n berffaith. Lluniau du a gwyn dwi'n 'u hoffi orau – maen nhw fel tameidiau bach o hanes, wedi'u dala am byth.'

Edrychwn ar ein gilydd a galla i deimlo'r agosatrwydd eto, y teimlad ein bod ni wir yn nabod ein gilydd. Daw rhyw ysfa drosta i i'w gusanu e. Tase neb arall yma ...

Fel tase fe'n darllen fy meddwl, mae Noah yn codi ar 'i draed. 'Ti eisiau diod? Pop?' hola.

O leiaf, dyna dwi'n meddwl mae e'n ddweud. Nodiaf a'i ddilyn allan o'r stafell. Diolch byth, mae pawb arall yn rhy brysur gyda'u hanrhegion i sylwi.

Pan gyrhaeddwn ni'r cyntedd, mae Noah yn stopio wrth yr hen gloc tad-cu. Mae'r pendil fel tase'n tician i'r un rhythm â 'nghalon i.

'Penny, dwi'n ...' dechreua Noah. Mae'n edrych i fyw fy llygaid, ac am unwaith, dwi ddim yn teimlo'n swil nac yn troi i ffwrdd.

'Penny,' medd eto, gan ddal fy wyneb yn 'i ddwylo. Ac yna, ry'n ni'n cusanu. Ac mae'n teimlo fel tase 'nghorff i gyd, a'r byd i gyd, wedi ffrwydro'n filiynau o wreichion disglair.

Pennod Tri deg dau

Weddill dydd Nadolig, mae Noah a minnau'n cymryd pob cyfle posib i gusanu'n gyfrinachol. Mae fel tasen ni wedi dyfeisio gêm newydd – cuddio a chusanu. Erbyn i fi fynd i gysgu yn 'y ngwely bync, dwi wedi meddwi ar hapusrwydd. Dyma fy Nadolig gorau erioed – heblaw am ...

Edrychaf ar fy ffôn unwaith eto. Does dim byd wedi dod oddi wrth Elliot.

Fore trannoeth, caf fy nihuno gan sŵn curo ysgafn ar ddrws y stafell wely. Sleifiaf o'r gwely ac i lawr yr ysgol. Mae Bella'n gorwedd ar y bync gwaelod, yn cwtsho Rosie a'r Dywysoges Hydref, a'i chyrls yn gylch o gwmpas 'i phen fel pelydrau'r haul. Af at y drws ar flaenau 'nhraed, a'i agor.

Yno'n sefyll ac yn gwenu yn y cyntedd mae Noah.

'Gwena – ry'n ni'n mynd mas,' sibryda.

'Beth? Ond ... faint o'r gloch yw hi?'

'Bron yn saith.'

'Y bore?'

'Ie, y bore! Gwisga rywbeth twym. A dere â dy gamera. Gwrdda i â ti yn y gegin.'

Gwisgaf bâr o jîns a bŵts a fy siwmper dwymaf, cyn mynd i

lawr i'r gegin. Mae Noah wrth y cownter yn rhoi fflasg yn 'i fag. Mae arogl coffi newydd 'i rostio yn llenwi'r stafell.

'Iawn 'te, bant â ni,' medd, wrth i fi gerdded i mewn.

'I ble?'

'Y bore 'ma yw'r unig adeg – bron – y gweli di Efrog Newydd yn cysgu,' medd, gan roi nodyn ar fwrdd y gegin. Mae'n dweud, *Wedi mynd am dro. 'Nôl cyn hir, N a P.*

'Ro'n i'n meddwl y byddai hi'n amser perffaith i ddangos rhai o'r atyniadau lleol i ti.' Cydia yn fy llaw. 'Dwi eisiau i ti wybod mwy am fy milltir sgwâr i,' medd yn dawel. 'Hefyd, ro'n i'n meddwl y byddet ti'n hoffi tynnu lluniau heb lwyth o bobl yn y ffordd.'

Gwenaf arno. 'Diolch.'

Mae'n fore perffaith tu fas. Mae blanced ffres o eira'n gorchuddio pob man gan greu llonyddwch tawel braf o'n cwmpas. Aiff Noah â fi i weld 'i hen ysgol a'i hoff gaffi a'r siop y byddai 'i fam yn mynd â fe iddi i wario'i arian poced ar gomics a losin. Yna, awn i'r parc lleol. Ar wahân i ddyn yn y pellter yn mynd â'i gi am dro, ni yw'r unig bobl yno a dim ond olion ein traed ni sydd i'w gweld ym mlanced yr eira. Eistedda Noah ar un o'r siglenni, â golwg bell yn 'i lygaid.

'Byddai Dad yn dweud wrtha i y gallwn i saethu lan i'r gofod tasen i'n swingio'n ddigon uchel,' medd yn dawel. 'Ro'n i'n arfer 'i gredu e hefyd!' Chwardda. 'Iyffach, ro'n i'n arfer swingio a swingio nes bod 'y nghoesau i'n dost i drio mynd lan i'r gofod!' Mae'n troi ataf i. 'Pam y'n ni'n credu popeth mae'n rhieni ni'n ddweud wrthon ni?'

Eisteddaf ar y siglen ar 'i bwys. 'Achos ein bod ni'n 'u caru nhw? Achos ein bod ni eisiau'u credu nhw? Pan o'n i'n fach, ddwedodd Mam wrtha i bod 'y nheganau i'n dod yn fyw bob nos pan fydden i'n cysgu. Yn y bore ar ôl dihuno byddwn i'n edrych i mewn i 'mhabell a bydden nhw i gyd mewn llefydd gwahanol i le wnes i 'u gadael nhw.'

'Yn dy babell di?'

Chwarddaf. 'Ie. Roedd gyda fi babell wedi'i gwneud o flancedi ar droed y gwely. Dyna oedd fy hoff le chwarae i. Dyna lle ro'n i'n teimlo'n glyd ac yn ddiogel. Mae'n rhaid bod Mam yn arfer cropian i mewn yno bob nos i symud y teganau. Dwi'n meddwl 'i bod hi'n grêt pan fydd rhieni'n gwneud pethau fel 'na. Mae'n gwneud bywyd yn fwy hudolus.'

Mae Noah yn nodio. 'Dwi'n siŵr. Ond pan nad yw pethau'n dod yn wir ...' Mae'n troi i ffwrdd, gan grychu'i dalcen.

'Wel 'te, mae'n rhaid i ni ffeindio rhywbeth arall hudolus i gredu ynddo fe.'

Mae Noah yn edrych arna i ac yn gwenu. 'Oes. Dwi'n hoffi'r syniad 'na.' Mae'n symud 'i siglen i'r ochr ac yn closio ataf. 'Dwi'n credu ynot i, Penny,' medd, gan edrych i fyw fy llygaid.

'Dwi'n credu ynot ti hefyd.'

Edrychwn ar ein gilydd am eiliad, cyn iddo fe wthio'i siglen 'nôl.

'Dere,' medd, 'gad i ni weld pa mor uchel y gallwn ni fynd.'

D'yn ni ddim cweit yn llwyddo i gyrraedd y gofod pell ond ry'n ni'n codi'n ddigon uchel i fedru edrych dros y parc i weld to cartref Noah.

Ar ôl dod 'nôl i'r ddaear, ry'n ni'n chwerthin nes bod ein bochau ni'n goch.

Aiff Noah draw at y si-so, a neidio arni. 'Fi yw brenin y castell!' gwaedda. Mae'n edrych mor hapus ac mor giwt nes bod rhaid i mi estyn 'y nghamera.

'Mae'n rhaid i mi dynnu llun ohonot ti. Ti'n edrych mor ddoniol.'

'Hmm, dim llun doniol dwi eisiau,' medd Noah gan wgu.

'Wir?' meddaf, gan dynnu'r llun. 'Beth yn union wyt ti eisiau?'

'O, dim syniad.' Mae Noah yn neidio oddi ar y si-so.

'Meddylgar? Dirgel?' Daw i sefyll o 'mlaen i. 'Y math o fachgen y baset ti eisiau ... ti'n gwybod ... 'i gusanu?'

Mae 'nghalon yn curo mor gyflym nawr nes 'mod i bron â theimlo f'asennau'n dirgrynu.

'O, rwyt ti'n feddylgar ac yn ddirgel hefyd,' atebaf yn dawel.

Edrycha Noah arnaf i. 'Ydw i?'

Nodiaf. 'Wyt.'

Mae tawelwch braf yr eira'n ein cofleidio. Ac, wrth iddo symud 'y ngwallt yn dyner a symud yn nes i 'nghusanu i, dwi'n siŵr mai ni yw'r unig bobl sy'n effro ac yn fyw ar wyneb y ddaear.

Dim ond yn y prynhawn y daw neges oddi wrth Elliot. Mae 'nghalon yn suddo.

Nadolig Llawen. Gobeithio'i fod e'n un da.

Syllaf ar y sgrin. Ai dyna ni? Mae'r diffyg ebychnodau, emojis a chusanau'n dangos yn syth bod rhywbeth mawr o'i le. Mae'n rhaid i fi'i ffonio. Tra bod y lleill i gyd yn gwylio *The Wizard of Oz*, sleifiaf lan i stafell Bella, ac i mewn i'r bync. Diolch byth, mae'n ateb y tro hwn.

'Elliot, beth sy'n bod?'

'Beth wyt ti'n feddwl, "beth sy'n bod?" Wel, falle taset ti wedi treulio'r Nadolig o uffern gyda'r rhieni o uffern, byddet

238

ti'n teimlo'n ddiflas hefyd.'

Teimlaf lygedyn o obaith. Falle mai teimlo'n grac gyda'i rieni mae e, nid fi. 'Pam na wnest ti fy ffonio i'n ôl? Neu anfon neges?'

Mae tawelwch hir – mor hir nes 'mod i'n credu bod y cyswllt ffôn wedi torri.

'Do'n i ddim eisiau tarfu,' medd Elliot dan 'i anadl yn y diwedd.

'Tarfu ar beth?'

Mae tawelwch arall.

'Ddwedaist ti wrtha i mai jyst cariad gwyliau oedd e.'

Nawr 'y nhro i yw hi i dawelu.

'Mae e ... dwi'n ... mae'n ... dwi ddim yn gwybod beth yw e.'

'Ti'n swnio'n eithaf pendant am y peth yn dy flog.'

'Na'dw. Dyna pam y gwnes i flogio am y peth – achos 'mod i'n ansicr; achos 'mod i'n teimlo'n ddryslyd.'

'Felly byddai'n well 'da ti siarad â miloedd o ddieithriaid amdano fe, yn hytrach na fi?'

'Na fyddai! Ond – dwyt ti ddim yma.'

'Na'dw – dwi ddim.'

'O, El, plis.'

'Drycha, siaradwn ni am hyn pan fyddi di gartre, iawn?'

'Iawn. Wel, wela i di'r wythnos nesa 'te.'

'Iawn. Wela i di bryd 'ny.'

Wrth i fi orffen yr alwad, mae dagrau'n dechrau cronni. Pam, pam, pam na all pethau byth fynd yn iawn? Pam, hyd yn oed pan fydd rhywbeth hollol anhygoel yn digwydd, bod rhaid i rywbeth uffernol ddigwydd hefyd? Dwi erioed wedi cwympo mas gydag Elliot – ddim hyd yn oed wedi cael cweryl go iawn. A nawr mae'n teimlo fel tasen i'n 'i golli e, a dwi ddim hyd yn oed yn gwybod pam. Ac yna daw syniad ofnadwy i'm meddwl i. Beth os na fydd e eisiau bod yn ffrind i fi pan fydda i gartre?

Bydda i filltiroedd oddi wrth Noah a fydd gyda fi ddim ffrind gorau. Fydd neb gyda fi. Cwtshaf y gobennydd a dechrau crio.

'Paid â bod yn drist,' medd llais bach gwichlyd, gan wneud i mi neidio o 'nghroen. Rholiaf drosodd a gweld y Dywysoges Hydref yn hofran wrth yr ysgol ar ben arall y gwely. Daw Bella i'r golwg y tu ôl iddi, yn dringo lan i'r bync. 'Bob tro rwyt ti'n teimlo'n drist mae'n rhaid i ti feddwl am dri pheth hapus i hala'r peth trist bant,' medd wrtha i, gan osod y Dywysoges Hydref yn dwt yn 'i chôl. 'Ddwedodd Noah hynny wrtha i unwaith, pan o'n i'n teimlo'n drist am Mam a Dad.'

'Mae'n syniad gwych,' meddaf, gan sychu'r dagrau o'm llygaid.

'Felly cer mlaen 'te,' medd Bella, gan syllu arna i.

'Beth?'

'Beth yw'r tri pheth sy'n dy wneud di'n hapus?'

'Ti,' meddaf yn syth, 'rwyt ti'n 'y ngwneud i'n hapus iawn.'

Mae Bella'n gwenu o glust i glust. 'Iawn, dyna rif un. Beth arall?'

'Bod yma, yn y tŷ yma.'

Nodia. 'A rhif tri?'

'Noah,' mwmialaf, â bochau coch.

'Ti'n 'i wneud e'n hapus iawn hefyd.'

Edrychaf arni hi. 'Wir?'

'O wyt. Roedd e'n grac iawn wythnos diwetha, ond ers iddo fe gwrdd â ti, mae e wedi dechrau gwenu eto.'

'O, da iawn.' Dwi wir eisiau gofyn iddi hi pam roedd e'n grac, ond dwi ddim yn credu'i fod e'n gwestiwn addas.

'Ti'n 'y ngwneud i'n hapus hefyd,' medd Bella wrtha i'n swil.

'A, diolch yn fawr.'

'Ac ti'n gwneud y Dywysoges Hydref yn hapus – on'd yw hi, Dywysoges Hydref?'

Mae Bella'n codi'r ddol. *'O ydy,'* medd mewn llais bach gwichlyd, yn chwifio'r ddol o gwmpas y lle. *'Mae hi'n 'y ngwneud i'n hapus iawn – er na wnaeth hi roi enw i fi.'*

Edrychaf ar Bella a chwerthin Bydd popeth yn iawn. Fydd Elliot a finnau'n ffrindiau eto ar ôl i mi fynd adre, ond am nawr, rhaid i fi fwynhau pob eiliad gyda Noah – a Bella – a'r Dywysoges Hydref.

31 Rhagfyr

Y bobl, nid y lle sy'n bwysig

Unwaith, pan fuodd 'y nheulu i ar drip i le o'r enw Cow Roast fe sylweddolon ni, er gwaetha'i enw gwych, nad oedd fawr ddim yno heblaw am res o dai, tafarn (oedd ar gau) a gorsaf betrol. Ond rhoddodd Dad gyngor gwych i ni. Ddwedodd e fod dim ots am lefydd. Beth sy'n bwysig yw'r bobl sydd gyda chi yn gweld y lle yna. Os ydyn nhw'n barod am antur gallwch chi gael hwyl yn unrhyw le. Cawson ni hwyl y Cow Roast y diwrnod hwnnw – yn chwarae cuddio mewn coedwig gyfagos. Wedyn, cwrddon ni â hen fenyw wnaeth ein gwahodd ni i mewn i'w bwthyn i gael te a sgons.

Er bod Efrog Newydd yn un o'r llefydd lleiaf diflas yn y byd, mae gweld Efrog Newydd gyda Bachgen Brooklyn wedi'i gwneud y profiad hyd yn oed yn fwy cyffrous. A'r peth rhyfedd yw, yn yr wythnos dwi wedi bod yma, dwi heb fod i weld unrhyw atyniad twristaidd. Yn lle hynny, mae Bachgen Brooklyn wedi bod yn mynd â fi i'w hoff lefydd cyfrinachol. Ddoe, aethon ni mas yn y car i draeth yn New Jersey, ac er bod y lle'n wag achos y tywydd gaeafol, roedd e'n hudolus. Fe ysgrifennon ni ein henwau yn y tywod ac yfed siocled poeth o fflasg ac fe dynnais i luniau gwych o'r prom – neu'r boardwalk fel mae'r Americanwyr yn 'i alw. Ac ro'n i'n iawn yn y car – yno ac yn ôl – heb damaid o banig!

Ar noson arall, fe aethon ni i oriel gelf o'r enw Framed achos bod Bachgen Brooklyn wedi clywed am arddangosfa cŵl oedd yn cael 'i chynnal yno. Thema'r arddangosfa oedd gobaith ac roedd pob ffotograffydd wedi dehongli'r thema mewn ffyrdd gwahanol. Fy hoff lun oedd llun o ferch fach yn gwasgu'i hwyneb yn erbyn ffenest siop deganau. Ond y peth gorau am yr arddangosfa oedd mynd gyda Bachgen Brooklyn: achos 'i fod o'n ffrindiau gyda pherchennog yr oriel, cawson ni fynd i mewn ar noson roedd hi ar gau i bawb arall. *(Roedd hyn yn beth arbennig o dda i fi, gan na welodd neb fi'n baglu dros damaid o raff ar y llawr. Ces i wybod wedyn mai darn o gelf fodern o'r enw 'Y Neidr' oedd y rhaff. Yn bersonol, dwi'n credu y dylen nhw alw'r darn yn 'Perygl Iechyd a Diogelwch'.)*

Felly, roedd Dad yn bendant yn iawn – y bobl sydd gyda chi sy'n bwysig, nid y lle. Mae Bachgen Brooklyn wedi dangos ochr breifat a phersonol Efrog Newydd i mi. Fyddwn i byth wedi dod o hyd iddi ar 'y mhen y'n hun.

Beth amdanoch chi?

Ydych chi wedi cael amser gwych yn rhywle achos y bobl oedd gyda chi?

Mwynhewch Nos Galan – gyda chwmni da, gobeithio!

Merch Ar-lein, yn mynd oddi ar-lein xxx

Pennod Tri deg tri

Amser maith yn ôl, byddai pobl yn siarad am amser fel petai hwnnw'n berson go iawn. Hen Ŵr Amser fydden nhw'n 'i alw e. Yn ôl Elliot, roedd gan Hen Ŵr Amser farf wen, hir ac yn cario awrwydr gydag e i bobman. Dwi wedi penderfynu hefyd fod 'na rywbeth braidd yn gas amdano fe. Meddyliwch am y peth. Pryd bynnag mae rhywbeth ofnadwy'n digwydd i chi – fel bod yn sownd mewn arholiad algebra, neu gael llenwi dant, neu gwympo ar lwyfan a dangos eich dillad isaf – mae amser yn symud mor araf fel bod pob eiliad yn teimlo fel awr. Ond, pryd bynnag mae rhywbeth anhygoel yn digwydd – fel cwympo mewn cariad am y tro cyntaf, falle – mae amser yn hedfan. Ry'ch chi'n cau eich llygaid am eiliad ac mae wythnos gyfan wedi diflannu.

Bore Nos Galan yw hi. Ry'n ni'n gadael fory. Ry'n ni'n gadael fory a bydda i'n gadael person arbennig. Person dwi wedi cwympo mewn cariad ag e, dwi'n credu. Yn y dyddiau ers y Nadolig mae'r dystiolaeth bod Noah a finnau'n eneidiau hoff cytûn wedi tyfu a thyfu. Dwi heb ddweud rhagor amdano fe ar 'y mlog, er hynny – dwi ddim am ypsetio Elliot eto. Ond yn 'y mhen, mae'r rhestr dystiolaeth nawr yn cynnwys pethau fel:

- ry'n ni'n dau wrth ein boddau'n darllen llyfrau â thro annisgwyl yn y gynffon
- mae'n mynd â fi i lefydd arbennig na fydden i fyth wedi'u ffeindio ar 'y mhen fy hunan
- dwi'n gwybod yn union lle byddwn i'n mynd â fe tase fe'n dod draw i Brighton
- mae'n dwlu ar fy lluniau ac yn credu y dylwn i 'u harddangos nhw mewn oriel
- pan mae'n dweud hyn mae'n gwneud i fi deimlo'n glyfar, yn hyderus ac yn gryf
- mae e'n casáu hunluniau hefyd
- ry'n ni'n dau'n dwlu ar fenyn cnau mwnci crensiog
- mae'n gwneud i fi ddweud pethau fel 'ry'n ni'n dau'n dwlu ar fenyn cnau mwnci crensiog'!

A fory, bydd rhaid i fi'i adael, hedfan dros gefnfor cyfan i ffwrdd oddi wrtho fe, 'nôl at fy ffrindiau ffug a fy ffrind gorau sydd prin yn siarad â fi. Wrth i fi orwedd yn y bync a syllu lan ar y nenfwd, dwi'n teimlo'n wag ac eto'n llawn tristwch.

Alla i ddim goddef rhagor o hyn, felly dwi'n codi o'r gwely ac yn mynd lawr staer. Wrth groesi'r cyntedd, clywaf lais Sadie Lee'n siarad yn y gegin.

'Dwyt ti ddim yn credu y dylet ti ddweud wrthi hi?'

'Na'dw!' Mae llais Noah mor daer nes 'mod i'n sefyll yn stond. 'Dwi ddim eisiau sbwylio pethau. Ry'n ni wedi cael amser mor arbennig ...'

'Bore da, Penny!' neidiaf wrth weld Dad ar ben y grisiau. A! Clywaf sŵn cadair yn crafu llawr y gegin, cyn i Noah ymddangos.

'Haia Penny, haia Rob. Y'ch chi eisiau crempog?'

'Ydy'r Pab yn Gatholig?' medd Dad, gan lamu i lawr y grisiau.

Gorfodaf fy hunan i wenu ar Noah, ond wrth i mi fynd i ymuno ag e yn y gegin, alla i ddim peidio â meddwl am yr hyn glywais i. Am beth ro'n nhw'n siarad? Ai fi yw'r 'hi' roedd Sadie Lee'n siarad amdani, ac os felly, beth oedd hi'n meddwl y dylai Noah 'i ddweud wrtha i?

Mae'r cwestiwn yn 'y mhoeni drwy'r dydd; dwi'n fwy ofnus fyth am adael fory nawr. Wrth i fi fynd ati i ddechrau ar y dasg ofnadwy o bacio 'nghês, dyma fynd dros bopeth yn 'y mhen, gan chwilio am gliwiau sy'n dangos bod Noah wedi bod yn cadw rhywbeth oddi wrtha i. Yn ystod 'y nghyfnod yma yn 'i gartref, dwi heb weld yr un o'i ffrindiau. Dyw e ddim wedi clywed oddi wrthyn nhw chwaith, ond eto mae e ar 'i *detox* ffôn symudol. Dwi ddim yn hollol siŵr beth mae e'n wneud ar 'i flwyddyn gap chwaith. Soniodd e rywbeth am swydd ran amser yn y dre, ond roedd e fel tase fe'n sôn am rywbeth yn y gorffennol. Eisteddaf ar 'y nghês gydag ochenaid. Dyma fi eto, yn chwilio am bethau negyddol yn lle canolbwyntio ar bethau positif. Aeth Noah â fi i oriel gelf. Cyflwynodd fi i'w ffrindiau yno. Fyddai e ddim wedi gwneud hynny tase gydag e rywbeth i'w guddio. Dwi ddim hyd yn oed yn gwybod mai amdana i roedd e a Sadie Lee'n siarad. Y ffaith yw, dim ond ychydig o oriau sydd gyda fi ar ôl yn Efrog Newydd. Alla i 'mo'u sbwylio nhw gyda rhyw syniadau dwl.

Yn y prynhawn ry'n ni'n eistedd wrth fwrdd y gegin i chwarae Monopoly Americanaidd – wel, pawb heblaw am Bella, sy'n eistedd dan y bwrdd yn chwarae gyda'i doliau.

'Ti'n edrych mlaen at fynd i Times Square heno, Pen?' hola Dad wrth rannu'r arian i bawb. Dad yw'r banciwr bob tro y byddwn ni'n chwarae Monopoly. Fe sydd wastad yn ennill hefyd. Dwi'n amau bod cysylltiad rhwng y ddwy ffaith hyn.

'Ydw,' atebaf, ond a dweud y gwir, dwi ddim yn edrych mlaen at hynny o gwbl. Ry'n ni'n mynd i Times Square i ddathlu'r flwyddyn newydd, ond wrth i'r cloc daro deuddeg, bydd hi'n troi o fod yn flwyddyn arbennig – y flwyddyn y cwrddais i â Noah – i'r flwyddyn y bydda i'n 'i adael e. Dwi eisiau crio, ac felly'n dechrau astudio'r enwau gwahanol ar y bwrdd Monopoly Americanaidd i stopio fy hunan rhag gwneud. Ond dyw'r ffaith mai *railroads* yw'r enw ar orsafoedd trên ddim yn help i fi anghofio bod 'y nghalon ar fin torri. Mae Noah yn dal fy llaw dan y bwrdd. Edrychaf arno, a gwenu.

'Ti'n iawn?' gofynna'n dawel fach.

Nodiaf.

'Alla i'ch gweld chi'n dala dwylo,' medd Bella dan ganu, o'i lle bach dirgel dan y bwrdd.

Mae Noah a finnau'n edrych ar ein gilydd gan chwerthin.

'Meddwl o'n i,' medd Noah wrth Sadie Lee, 'pam nad ewch chi i gyd i Times Square gyda nhw ac fe wna i aros fan hyn gyda Bella.'

'Does dim angen i neb i aros gyda fi,' wfftia Bella. 'Dwi'n ferch fawr nawr!'

'Iawn – fe arhosa i fan hyn i gadw cwmni i Bella,' medd Noah. 'Ry'ch chi'n haeddu noson mas, Mam-gu.'

Mae Sadie Lee'n syllu arno. Dwi'n syllu arno. Pam mae e'n cynnig gofalu am Bella ar ein noson olaf gyda'n gilydd?

'Ond beth am Penny?' hola Sadie Lee.

Ie, wel beth amdana i? Dwi eisiau sgrechian.

'Wel, ro'n i'n meddwl y gallai Penny aros yma i warchod gyda fi?' medd Noah, gan edrych arnai'n obeithiol.

Gwenaf yn syth. Mae treulio fy noson olaf gartref gyda Noah yn apelio lawer mwy ata i na chael fy mygu gan dorfeydd Times Square.

'Cadw cwmni!' protestia Bella, gan gywiro Noah.

'Cadw cwmni i Bella,' medd Noah.

'Ond dwi'n siŵr na fyddai Penny eisiau colli Times Square ar Nos Galan?' medd Sadie Lee, gan edrych arna i.

'Does dim ots gyda fi o gwbl,' atebaf. 'A dweud y gwir, byddai'n well gyda fi aros yma.'

'Wir?' edrycha Dad arna i gan godi'i aeliau. Gweddïaf ar Dduw'r Rhieni Hygoelus am wyrth.

'Wyt ti'n poeni am yr holl bobl fydd 'na?' medd Mam, gan edrych arnai'n ddifrifol.

Alla i ddim anadlu – ydy 'nymuniad i wedi dod yn wir mor sydyn â hyn?

'Ydw,' meddaf – a dyw hynny ddim yn gelwydd llwyr; mae'n gas 'da fi dorfeydd mawr.

'Falle y byddai'n well i ni i gyd aros gartre heno,' medd Mam, 'gan fod eisiau i ni godi'n gynnar i ddal yr awyren fory.'

Dwi bron â gweiddi, 'Na!' dros bob man. Cymeraf foment fach i bwyllo. Dwi ddim eisiau datgelu'r gwir i gyd. 'Byddwn i'n teimlo'n ofnadwy tasech chi'n aros i mewn jyst achos yr holl ddwli sy'n fy meddwl i, a, beth bynnag, does dim pwynt teimlo'n ddiflas am y peth. Bydda i'n llawer hapusach fan hyn, yn gwarchod Bella.'

Daw Bella mas o'i chuddfan dan y bwrdd yn edrych yn grac iawn.

'Dwi ddim yn fabi bach!' medd wrtha i, gan chwifio'i bys yn ddig. Chwarddaf a'i thynnu i eistedd ar 'y nghôl. 'Dwi'n gwybod nad wyt ti. Sori.' Mae Bella'n cwtsho yn f'erbyn i a dwi'n lapio 'mreichiau amdani.

'Dwi'n mynd i weld d'eisiau di, Penny,' medd.

'Dwi'n mynd i weld d'eisiau di hefyd,' meddaf innau, mewn acen Americanaidd wael.

Mae pawb yn chwerthin, yna dechreua Dad nodio'i ben. 'Iawn 'te, os wyt ti'n siŵr,' medd.

Edrychaf arno gan wenu. 'Ydw, yn hollol siŵr.' Dwi ddim yn credu 'mod i wedi bod mor siŵr o unrhyw beth yn 'y mywyd.

Ar ôl i Mam, Dad, Sadie Lee a Betty, ffrind Sadie Lee, fynd draw i Times Square, gofynna Noah i Bella beth hoffai hi'i wneud.

Mae hi'n troi'i phen i'r ochr ac yn meddwl am y peth am eiliad, cyn ateb, 'Gawn ni chwarae tywysogesau, plis?'

Chwerthin wna Noah. 'O iyffach. Pwy ydw i? Y Dywysoges Noah?'

Mae Bella'n ysgwyd 'i phen. 'Nage, y twpsyn. Ti yw'r tywysog sy'n seren roc enwog.'

'Dyna rôl dda,' meddaf, gan wenu ar Noah.

'Reit,' medd Noah yn fflat.

'A Penny yw'r Dywysoges Hydref, a fi yw'r Dywysoges Bella, y Drydedd.'

Mae Noah yn edrych arna i gan godi'i aeliau. 'Beth ddigwyddodd i Bella y Gyntaf a'r Ail?'

'Cawson nhw'u lladd gan fochyn o'r gofod.'

Dwi'n cnoi 'ngwefus i stopio fy hunan rhag chwerthin.

'Cer i nôl dy gitâr, 'te,' medd Bella wrth Noah. Yna dwi'n sylweddoli nad ydw i wedi gweld Noah yn canu'r gitâr ers y diwrnod y cwrddon ni.

'A, Penny, mae'n rhaid i ti wisgo fel tywysoges.'

'Dwi ddim yn credu bod gyda fi ddillad tywysoges.'

'Beth am y ffrog?' medd Noah. 'Yr un oedd gen ti noson y parti priodas.'

'O ie.'

Rhedaf lan lofft i stafell Mam a Dad. Mae'r ffrog yno, yng nghanol dillad Mam. Y tro hwn, dwi ddim yn gwisgo'r esgidiau na'r band gwallt. Arhosaf yn droednoeth a gadael i 'ngwallt ddisgyn yn rhydd dros f'ysgwyddau.

Pan af 'nôl i'r stafell fyw, mae Noah yn eistedd ar ymyl y soffa'n canu gitâr ddu brydferth, â chribell befriog wen.

'Ti'n edrych yn ffantastig,' medd, yn syth ar ôl 'y ngweld i.

'Diolch yn fawr i ti, y Tywysog Seren Roc.'

'Croeso, Dywysoges Hydref.'

Mae Bella wedi newid i ffrog wisg ffansi tywysoges – un fach bert, borffor tywyll. Mae hi'n edrych arna i ac yn curo'i dwylo. 'Mae hyn am fod yn gymaint o hwyl!' Mae hi'n troi at Noah. 'Cana'r gân 'na iddi hi.'

'Pa gân?'

'Y gân,' medd Bella, gan edrych arno'n graff. 'Ti'n gwybod, yr un sgrifennaist ti amdani hi,' sibryda'n swnllyd.

Mae wyneb Noah yn cochi. 'O, na, alla i ddim. Dwi heb 'i gorffen hi eto. Beth am y gân o *Frozen*? Mae Bella wedi gweld y ffilm *Frozen* tua saith deg miliwn o weithiau,' medd wrtha i gyda gwên. Mae Bella'n curo'i dwylo. 'Ie! Cana "Let it Go". Plis!'

Mae Noah yn canu ychydig o gordiau ar 'i gitâr, yna'n dechrau canu. Dechreua Bella ddawnsio o gwmpas y stafell gyda'i thedi.

'Dwi'n caru'r gân 'ma,' medd wrtha i, yn fyr 'i hanadl.

Ac, wrth i Noah barhau i ganu, dwi'n cwympo mewn cariad â'r gân hefyd.

Mae'i lais mor brydferth, mor feddal ond eto ychydig yn arw. Y math o lais sy'n gwneud i chi sefyll yn stond a gwrando. Dwi'n edrych arno, ac yn gweld 'i fod e'n syllu arna i'n daer wrth ganu'r gân. Ai canu i fi y mae e? A yw e wir yn credu'r hyn mae'n 'i ganu? Wrth i'r gân godi at uchafbwynt, sef llinell am oresgyn ofnau, mae'n edrych yn syth arna i a galla i deimlo gwefr yn saethu i lawr f'asgwrn cefn.

'Dawnsia gyda fi,' medd Bella, a 'nhynnu oddi ar y soffa. Daliaf 'i dwylo a dechreuwn droelli a throelli, yn gynt ac yn gynt. Mae llais Noah fel tase'n ein cario ni ac mae'n gwneud i mi deimlo'n bwerus, yn gadarn, yn hyderus ac yn rhydd. Mae'n gwneud i mi deimlo fel tasen i dros 'y mhen a 'nghlustiau mewn cariad.

Pennod Tri deg pedwar

Ar ôl dwy awr o ganu a dawnsio ac actio storïau cymhleth am dywysogesau hardd a thywysog sy'n seren roc a moch o'r gofod, mae Bella wedi blino'n lân.

'Dwi'n credu bod rhywun yn barod i fynd i'r gwely,' medd Noah, gan roi'i gitâr i lawr.

'Na'dw!' medd Bella, ond heb lawer o arddeliad. Mae hi nawr yn gorffwys 'i phen ar 'y nghôl.

'Beth am i Penny ddarllen stori nos da i ti, tra 'mod i'n tacluso fan hyn.'

Dyma Bella'n codi ar 'i heistedd yn syth. 'Iawn!'

Mae Noah yn edrych arna i gan wenu. 'Paid â brysio,' medd. 'Mae tipyn o bethau gyda fi i'w sortio 'ma.'

Nodiaf a chodi Bella yn 'y mreichiau. 'Dere, Dywysoges Bella y Drydedd.'

Ar ôl rhoi Bella yn 'i gwely, rhoddaf y Dywysoges Hydref ar y gobennydd ar 'i phwys hi.

'Bydda i mor drist pan ei di,' medd Bella mewn llais bach blinedig.

'Bydda i'n drist iawn hefyd,' meddaf, gan fwytho'i gwallt. 'Ro'n i'n meddwl – falle y dylai'r Dywysoges Hydref aros fan hyn gyda ti.'

Mae llygaid Bella'n llydan agored. 'Wir?'

Gwenaf. 'Ie. Dwi'n credu y byddai hi'n hapusach fan hyn.'

Mae Bella'n cytuno. 'Dwi'n credu bo' ti'n iawn. Pan fydda i'n hiraethu amdanat ti, galla i chwarae gyda'r Dywysoges Hydref yn lle hynny.'

'Wrth gwrs.' Rhoddaf y Dywysoges Hydref i orwedd wrth ochr Bella a dechrau dweud stori wrthi am y Tywysog William a'r Dywysoges Kate, a'r diwrnod y bu'n rhaid iddyn nhw achub y frenhines rhag ymosodiad y moch o'r gofod. O'r diwedd, aiff i gysgu. Cusanaf 'i thalcen a dwi ar fin gadael pan ddaw Noah i mewn.

'Gwaith da,' sibryda wrth 'i gweld yn cysgu. 'Dwi jyst am roi cusan nos da iddi hi. Wela i ti i lawr yn y seler.'

Nodiaf gan deimlo rhyw wres yn rhuthro drwy 'nghorff – cymysgedd rhyfedd o gynnwrf ac ofn. O'r diwedd, bydda i a Noah ar ein pennau ein hunain gyda'n gilydd.

Wrth i fi fynd i lawr i'r seler, gwelaf oleuadau bach yn wincio yn y pen pellaf. I ddechrau maen nhw'n edrych fel goleuadau'r goeden Nadolig ond mae'r siâp yn wahanol. Af heibio'r soffas a gweld bod y goleuadau'n dod o'r bwrdd pŵl. Ond dyw e ddim yn edrych fel bwrdd pŵl nawr achos bod blancedi drosto a goleuadau bychain o'i gwmpas i gyd.

Clywaf Noah yn dod i lawr y grisiau ar f'ôl.

'Godais i babell i ti,' medd. 'Ro'n i'n cofio beth ddwedaist ti am dy hoff le pan oeddet ti'n fach, lle'r oeddet ti'n teimlo'n saff ac ...' Mae'n tawelu, gan edrych yn swil.

Yn gwbl ddirybudd, mae dagrau'n cronni yn fy llygaid.

'Oedd e'n syniad dwl?' gofynna Noah, gan edrych arna i. 'O iyffach, ti'n crio. *Roedd* e'n syniad hurt. Sori, dwi ... '

'Nac o'dd,' meddaf, gan dorri ar 'i draws. 'Dyna un o'r

pethau neisaf mae unrhyw un erioed wedi'i wneud i fi.'

Gwena Noah. 'O ddifri'?'

'Ie.' Edrychaf arno fe. 'Diolch am wrando arna i. Am gofio beth ddwedais i wrthot ti.'

Mae Noah yn gwgu. 'Pam na fyddwn i'n cofio?' Mae'n cydio yn fy llaw. 'Arhosa tan i ti weld beth sydd tu fewn.'

Gan chwerthin, dilynaf e draw at y babell. Mae e wedi rhoi arwydd yn 'i lawysgrifen ar un o'r blancedi.

DYMA BABELL PENNY. CADWCH MAS! ...
heblaw mai Noah yw eich enw chi.

Mae bwlch yn y flanced ac amneidia arnaf i fynd i mewn. Af ar 'y mhedwar trwy'r bwlch.

Mae clustogau amryliw yn gorchuddio'r llawr, ac mae cadwyn o oleuadau bychain yn goleuo'r ochrau. Mewn un gornel mae platiaid o fins peis cartref Sadie Lee. Mewn cornel arall mae hambwrdd ac arno jwg o lemonêd cartref a dau wydr.

'Mae'n anhygoel,' meddaf, wrth i Noah gropian i mewn ar f'ôl.

'Ti'n siŵr?' Mae'i lygaid yn edrych yn dreiddgar, fel tase fe'n trio darllen fy meddwl, i sicrhau 'mod i'n dweud y gwir.

'Ydw! Ac mae'n llawer gwell nag unrhyw babell wnes i. Fyddai byth gyda fi oleuadau bach, yn un peth.'

Gwena Noah.

'Na ...' Tawelaf, yn swil.

'Na, beth?'

Mae'n syllu arna i. Ry'n ni mor agos nes 'mod i'n gallu teimlo'i anadl ar fy wyneb.

'Na thywysog golygus.' Edrychaf i lawr ar y clustogau.

'Penny?'

Edrychaf lan arno. Mae'n edrych yn gwbl ddifrifol.

'Ie?'

'Dwi wir yn dy hoffi di.'

'Dwi wir yn dy hoffi di hefyd.'

'Na, beth dwi'n 'i olygu yw, dwi'n dy hoffi di'n *fawr iawn*. Dwi'n dy hoffi di cymaint, falle mai ...'

Edrychaf arno, yn aros, yn dymuno, yn gobeithio ...

'... cariad yw'r teimlad,' sibryda.

Daliaf 'i law, ac edrychi lawr ar 'i datŵ. 'Dwi'n dy hoffi di cymaint falle mai cariad yw 'nheimlad innau hefyd.'

Mae'n chwerthin. 'Does dim llinellau slic fel hyn yn y ffilmiau.'

Chwarddaf hefyd. 'Nac oes. Ond dwi ddim yn hoffi pobl rhy slic.'

Ac yna, mae'n lapio'i freichiau cryf o 'nghwmpas ac yn 'y nhynnu ato'n dynn. 'Dwi mor drist dy fod ti'n gadael,' sibryda yn 'y nghlust.

'A finne.' Pwysaf yn 'i erbyn a gorffwys 'y mhen ar 'i ysgwydd.

'Ond dim dyma'r diwedd, iawn?'

Tynnaf 'nôl ac edrych arno. Mae 'i wallt yn disgyn yn donnau anniben o gwmpas 'i wyneb. Dwi'n ysu i estyn amdano a'i gyffwrdd.

'Fe feddylia i am ffordd i ddod i ymweld â ti ym Mhrydain, ac wedyn alli di ddod 'nôl yma pan fyddi di eisiau. Tan hynny allwn ni siarad ar-lein. Dwi hyd yn oed yn barod i dorri'r *detox* ffôn er dy fwyn di,' medd gyda gwên fach.

'Braint ac anrhydedd,' meddaf.

'Ie wir,' medd.

Ac yna, mae'n dechrau 'nghusanu. Cusanau bach mor ysgafn ag adenydd pilipalod yr holl ffordd lan ochr 'y ngwddf. Yna ar fy wyneb, fy llygaid, blaen 'y nhrwyn, tan i'n gwefusau gwrdd o'r diwedd. Ond yna dechreua rhywbeth wneud sŵn bipian.

Symudaf 'nôl a syllu ar Noah mewn braw.

'Beth yw hwnna?'

'Sori, fy wats i. Wnes i'i gosod am hanner nos fel na fydden ni'n colli'r flwyddyn newydd.' Mae Noah yn 'y nhynnu i'n ôl tuag ato.

'Blwyddyn Newydd Dda, Penny,' medd.

'Blwyddyn Newydd dda, Noah,' meddaf innau, gan obeithio gyda fy holl nerth y bydd hi'n flwyddyn dda.

Yn araf ac yn dyner, mae Noah yn f'arwain i lawr fel ein bod yn gorwedd ar y clustogau. Wrth iddo 'nal yn dynn, erfyniaf ar Hen Ŵr Amser i fod yn garedig. Gofynnaf iddo rewi pob cloc yn y byd er mwyn i'n cusanau bara am byth.

Pennod Tri deg pump

Mae'n swyddogol. Mae'n gas 'da fi Hen Ŵr Amser. Dwi'n 'i gasáu e'n fwy na bwlis yr ysgol ac arholiadau a hyd yn ocd winwns wedi'u piclo. Yn y diwedd, dim ond awr fach ges i a Noah gyda'n gilydd cyn i'r lleill gyrraedd gartref. Awr a hedfanodd heibio mewn chwarter eiliad. Ond mae un peth yn gysur. Pryd bynnag y bydda i'n cau fy llygaid a chofio ein noson ni, mae 'nghroen yn binnau bach i gyd lle gwnaeth Noah 'nghyffwrdd i. Mae fel tasen i gyda fe dro ar ôl tro. Falle nad ydw i'n gallu stopio amser, ond o leia alla i deithio 'nôl drwy amser i'r babell. Dwi'n gwneud hynny nawr wrth i fi aros yn y cyntedd am Mam a Dad, sy'n dod â'u cesys i lawr. Eistedd ar 'y nghês, fy llygaid ar gau, yn cofio'r ffordd y gwnaeth Noah fwytho 'ngwallt a llithro'i ddwylo i lawr 'y nghefn.

'Ti'n breuddwydio.'

Agoraf fy llygaid a gweld Noah yn edrych arna i o ochr arall y cyntedd.

'Meddwl am y babell o'n i.' Mae fy wyneb yn cochi.

'Finne hefyd. Alla i ddim stopio meddwl am y peth.' Daw Noah i sefyll wrth f'ymyl i, ac mae'n cydio yn 'y nwylo. 'Pam na ei di lawr fan'na i guddio? Fe ddweda i wrth dy rieni di bod moch o'r gofod wedi dy herwgipio di, a bod rhaid iddyn nhw fynd adre hebddo ti.'

Gwenaf arno'n drist. 'Byddwn i wrth 'y modd.'

Mae'n rhoi'i fraich o 'nghwmpas i, a dwi'n gorffwys 'y mhen ar 'i ysgwydd. Mae'n ffitio'n berffaith. *Ry'n ni'n dau* yn ffitio'n berffaith. Mae hyn mor annheg.

'Bydd popeth yn iawn,' sibryda yn 'y nghlust. 'Bydd popeth yn iawn.'

Ond a fydd popeth yn iawn? Sut all popeth fod yn iawn, pan ry'n ni'n byw mor bell oddi wrth ein gilydd?

Yr holl ffordd i'r maes awyr, dwi'n teimlo fel tase pelen o dristwch yn tyfu yn fy mola, fel tiwmor. Mae Mam a Dad yn teithio yng nghar Sadie Lee gyda Bella a dwi yn y tryc gyda Noah. Does dim angen iddo fe sylwebu wrth yrru y tro hwn – dwi'n rhy lipa yn 'y nhristwch i gael pwl o banig.

Wrth i ni droi i mewn i le parcio yn y maes parcio, mae Noah yn troi ataf. 'Gwranda, Penny, ydy hi'n iawn i fi beidio â dod i mewn gyda chi? Dwi ddim yn un da am ffarwelio'n gyhoeddus. Byddai'n well gyda fi ddweud beth sydd gyda fi i'w ddweud yma – nawr – tra y'n ni'n dau gyda'n gilydd, heb neb arall.'

Teimlaf bwl bach o siom.

Mae Noah yn rhoi'i law i mewn i boced fewnol 'i siaced ac yn tynnu CD wag mas. 'Mae gyda fi rywbeth i ti. Rhywbeth wnes i – i ti.'

Cymeraf y CD oddi wrtho gan edrych arno'n obeithiol. 'Ife – ife dyma'r gân roedd Bella'n sôn amdani?'

Daw gwrid i wyneb Noah. 'Falle.' Chwardda. 'Ie, dyna yw hi. Recordiais i hi ar 'y nghyfrifiadur felly dyw'r ansawdd ddim yn wych, ond dwi am i ti'i chael hi. Dwi eisiau i ti wybod sut dwi'n teimlo.'

Edrychaf ar y chwaraewr CD yn y tryc. 'Ga i chwarae hi nawr?'

Mae Noah yn chwerthin ac yn siglo'i ben. 'Na chei wir!' Mae'n gwasgu'r CD i 'nwylo. 'Cadwa hi i'w chwarae pan fyddi di gartref. Wedyn, bydd gyda ti neges fach wrtha i pan fyddi di wedi cyrraedd.'

Mae'r tristwch yn 'y mola'n dechrau lleihau rhywfaint. Cydiaf yn llaw Noah. 'Diolch. O, ond does gyda fi ddim byd i'w roi i ti.'

'Rwyt ti wedi rhoi llwyth o bethau i fi.' Gwasga fy llaw. 'Does gyda ti ddim syniad faint o bethau. A dweud y gwir, jyst cyn i fi gwrdd â ti, roedd pethau wedi mynd braidd yn ... '

Mae rhywbeth wedi torri ar 'i draws, sef Sadie Lee yn parcio y drws nesaf i ni.

'Dim ots,' medd Noah gan ochneidio. Mae'n dal fy wyneb yn 'i ddwylo. 'Penny, dwi'n dy hoffi di cymaint, falle mai cariad yw'r teimlad.'

'Dwi'n dy hoffi di cymaint, falle mai cariad yw 'nheimlad innau hefyd.' Mae 'nghalon yn obeithiol. On'd ydy cariad yn trechu popeth? Dyna beth mae'r hen gân 'na'n 'i ddweud, yntefe? Ac os yw e'n trechu popeth, mae'n rhaid bod hynny'n cynnwys Môr yr Iwerydd.

Clywaf ddrws car Sadie Lee'n agor. Mae amser wedi'n trechu ni. Mae Noah yn 'y nhynnu'n nes ato ac ry'n ni'n cusanu.

'Ddwedais i wrthoch chi'u bod nhw'n caru'i gilydd,' medd Bella mewn llais uchel y tu allan i'r tryc.

Yr holl ffordd adre ar yr awyren, dwi'n cydio yn y sgwrs olaf honno gyda Noah, fel rhyw fath o rafft achub emosiynol. Bob tro y bydda i'n teimlo'n ofnus neu'n drist, dwi'n f'atgoffa fy hunan o gymaint sydd wedi digwydd ers i mi adael Prydain. Mae fel tasen i'n dychwelyd adre fel person cwbl wahanol. Ond

y tro hwn does dim angen i fi esgus bod yn rhywun arall –
does dim angen defnyddio *alter ego* Ocean Strong. Y tro hwn,
dwi'n hapus i fod yn fi fy hunan. Bob tro yr aiff yr awyren trwy
dywydd stormus, dwi'n dechrau mynd trwy restr feddyliol
o bopeth y gwnes i gyflawni yn ystod f'amser bant: dwi wedi
dysgu sut i gadw 'mhyliau panig dan ryw fath o reolaeth, dwi
wedi bod yn ffotograffydd lled-broffesiynol mewn priodas
Americanaidd, dwi wedi bod yn siopa yn Brooklyn, dwi wedi
cael fy Nadolig Americanaidd cyntaf, a dwi wedi cwympo
mewn cariad. Cwympo mewn cariad! A hyd yn oed wrth i fi
wylio symbol bach yr awyren ar y sgrin o 'mlaen yn symud
yn araf bach yn bellach ac yn bellach oddi wrth America, yn
bellach ac yn bellach oddi wrth Noah, dwi'n dal i deimlo'n
iawn. Rywsut, dwi'n gwybod y down ni trwyddi.

Wrth gyrraedd tir Prydain, mae fy rhyddhad wrth lanio'n
saff a fy hyder newydd yn gwneud i mi deimlo'n hollol
benderfynol, er 'mod i wedi blino'n lân. Dwi erioed wedi teimlo
mor benderfynol. Fe wna i ddatrys popeth gydag Elliot. Fe wna
i gynilo f'arian am weithio yn *To Have and to Hold* i dalu am
daith 'nôl i Efrog Newydd. Does dim ots gyda fi am y fideo dwl
a does dim ots am Megan ac Ollie. Dwi wedi cael gwared ar
fy hen fywyd, fel tase'n hen groen sych. Galla i'i ddychmygu'n
arnofio yn rhywle, yng nghanol Môr yr Iwerydd.

Cyrhaeddwn ni gartre jyst ar ôl hanner nos. Mae popeth yn
wahanol. Yn anghyfarwydd. Mae'r addurniadau Nadolig yn
edrych yn drist ac yn ddigalon, a'r tŷ'n rhewllyd. Wrth i Mam a
Dad wneud te, af yn syth lan lofft i fy stafell. Rhaid i fi chwarae
CD Noah. Taflaf fy hunan ar fy ngwely, ac yn syth, clywaf sŵn
curo.

Elliot! Daliaf f'anadl wrth aros i ddatrys y cod. Pedair cnoc,
dwy gnoc, pedair cnoc, dwy gnoc: *Dwi'n – dy – garu – di*. Mae

rhyddhad yn llenwi 'nghorff. Ers dydd Nadolig dy'n ni ddim wedi tecstio'n gilydd o gwbl. Dyma'r cyfnod hiraf i mi fynd heb gysylltu ag Elliot o gwbl. Cyn i mi ymateb mae'n curo eto. *Gaf i ddod draw?* Gwnaf y cod ar gyfer *Cei, dere draw nawr*.

Galla i chwarae'r CD wedyn. Mae angen i mi wneud yn siŵr bod popeth yn iawn gydag Elliot yn gyntaf. Clywaf 'i ddrws ffrynt yn cau a gorweddaf 'nôl yn syllu ar y nenfwd. Galla i glywed Dad yn agor y drws i Elliot a murmur tawel 'u lleisiau. Traed Elliot yn taro'r grisiau. Bywyd yn disgyn 'nôl i'w hen batrymau. Cyfraf yr eiliadau tan i ddrws fy stafell wely agor. Un, dwy, tair, pedair ...

'Penny!' mae Elliot yn ffrwydro drwy'r drws, yn fyr 'i anadl. 'Mae'n wir ddrwg 'da fi. Dwi wedi gweld d'eisiau di cymaint. Wyt ti ... ydyn ni'n ... iawn?'

Eisteddaf, a gwenu. 'Wrth gwrs ein bod ni.'

'O, diolch byth!' Eistedda Elliot i lawr ar ben pellaf 'y ngwely. 'Sori am fod mor surbwch. Ond does gyda ti ddim syniad am yr holl bwysau oedd arna i. Roedd hi'n uffern. Dyfala beth gafodd fy rhieni i fi fel anrheg Nadolig?'

Codaf fy ysgwyddau.

'Tocyn tymor rygbi. Rygbi! Maen nhw'n gwybod 'mod i'n casáu rygbi. Casáu'n llwyr.' Tafla Elliot 'i ddwylo i'r awyr mewn anobaith. 'Pam fyddech chi'n rhoi anrheg ofnadwy i'ch unig fab – anrheg ry'ch chi'n gwybod y bydd e'n 'i chasáu? Pam? Ac ro'n nhw'n meddwl y byddai'n syniad da i ni gael *fondue* caws i ginio Nadolig. Dwi'n dweud wrthot ti! Roedd e fel bwyta cyfog.'

Ysgydwaf 'y mhen mewn anghrediniaeth. 'O, Elliot.'

'Dwi'n gwybod. Maen nhw'n ofnadwy. Maen nhw'n anobeithiol.' Mae Elliot yn edrych arna i ac yn ochneidio. 'Felly dwed wrtha i.'

'Dweud beth?'

'Dwed bopeth wrtha i am y tywysog.'

'Wir?' Dwi'n craffu ar wyneb Elliot i weld unrhyw arwydd nad yw e'n golygu hynny mewn gwirionedd.

Mae Elliot yn gwenu. 'Dwi o ddifri.'

Felly, dyma roi fersiwn eithaf di-liw i Elliot o'r wythnos gyda Noah, gan hepgor unrhyw beth rhy ramantus, a fyddai'n gallu gwneud iddo fe deimlo'n genfigennus. Ar ôl gorffen, edrychaf arno'n nerfus.

Mae wyneb Elliot yn ddiemosiwn. 'Ond sut wyt ti'n teimlo nawr? Nawr dy fod ti'n gwybod na alli di'i weld e 'to?'

'Bydd popeth yn iawn – fe ddown ni i ben rywsut.'

Mae Elliot yn gwgu. 'Ond sut? Mae e yn Efrog Newydd ac rwyt ti yn Brighton.'

'Ydw, dwi'n gwybod hynny.' Dwi'n brwydro'n galed i aros yn bositif. 'Ond allwn ni ymweld â'n gilydd.'

Mae Elliot yn nodio'i ben ond golwg hollol amheus sydd ar 'i wyneb, sy'n bygwth chwalu 'nghragen o bositifrwydd.

Ry'n ni'n tawelu am ennyd a dwi'n dechrau difaru dweud unrhyw beth wrtho.

'Felly, oes gyda ti lun ohono?' medd Elliot, gan dorri'r tawelwch.

Nodiaf a thynnu 'nghamera o'r bag, a symud y sgrin at y llun o Noah yn y parc. 'Ar ddydd San Steffan oedd hwn, pan aeth e â fi ar daith o gwmpas 'i filltir sgwâr.'

Wrth i Elliot graffu ar y llun, dwi'n craffu ar 'i wyneb i weld rhywbeth cadarnhaol. Dwi'n ysu iddo fe hoffi Noah, a bod yn gefnogol. Mae'n nodio'n ddifrifol. 'Neis iawn,' medd, ond alla i synhwyro islais o densiwn. 'Mae'n edrych yn eithaf cyfarwydd. Siâp 'i wyneb falle – fel Johnny Depp.' Mae'n rhoi'r camera 'nôl i mi. 'Felly, gwranda, licet ti ddod i mewn i'r dref gyda fi fory? Dwi isie prynu crys siec, i fynd gyda fy het gowboi newydd.'

A dyna ni – dyna ddiwedd y sgwrs am Noah. Wrth i Elliot barablu'n ddi-baid am 'Americaneiddio'i ddillad', dwi'n teimlo mor siomedig. Oni ddylai eich ffrind gorau fod yn hapus pan fyddwch chi'n cwrdd â rhywun? Oni ddylai e neu hi fod eisiau clywed popeth am y person arbennig? Dwi ddim yn deall beth yw problem Elliot. Yn enwedig nawr, gan 'mod i gartre a miloedd o filltiroedd rhyngof i a Noah.

Miloedd o filltiroedd rhyngof i a Noah.

Pan dwi ar fin cael 'y moddi gan don o dristwch, clywaf sŵn neges destun ar fy ffôn. Tra bod Elliot yn dal i siarad, twriaf am fy ffôn ac agoraf y neges.

> Gobeithio bo ti gartre'n saff. Ond dwl isie ti yma.
> Dwi'n dy golli di, fy Nigwyddiad Sbardunol

Gwenaf gyda rhyddhad.

'Ddylwn i fynd?' hola Elliot, gan edrych yn bigog ar y ffôn.

'Beth?' atebaf, fy meddwl yn bell wrth ddechrau cyfansoddi ateb i Noah yn 'y mhen.

'Ti am i fi fynd?'

'O. Wel, dwi'n eitha blinedig – achos y daith.'

Mae Elliot yn codi ar 'i draed. 'Iawn. Wela i ti fory 'te.'

'Ocê.'

Yn syth ar ôl i Elliot fynd, dwi'n anfon ateb at Noah.

> Ydw, gartre'n saff ond yn hiraethu amdanat ti ac
> isie bod gyda ti nawr. Ar fin chwarae'r CD xx

Dwi'n cynnau'r gannwyll oren a sinamon ges i gan Sadie Lee yn anrheg Nadolig, ac yn cynnau'r goleuadau bach eto. Clywaf sŵn neges destun arall ar fy ffôn.

Gobeithio byddi di'n hoffi'r gân!

Agoraf gasyn y CD a thynnu'r ddisg mas. Yn sydyn, dwi'n teimlo'n nerfus. Dwi wedi bod yn dychmygu cân serch hyfryd ond beth os mai cân ddoniol, ddwl yw hi? Beth os yw hi am fy obsesiwn menyn cnau mwnci crensiog? Callia, meddaf wrth roi'r CD yn y stereo a gwasgu'r botwm chwarae.

Doedd dim angen i mi boeni. O nodau cyntaf tyner y gitâr, dwi'n gwybod y bydd hi'n gân brydferth. Wrth i fi bwyso'n ôl yn erbyn y gwely, gwelaf nodyn bach wedi'i blygu i mewn yn y casyn. Agoraf e wrth i Noah ddechrau canu. Ar dop y dudalen mae'r teitl, 'Merch yr Hydref'. Oddi tano mae'r geiriau a dyma fi'n 'u darllen nhw wrth i Noah ganu.

> *MERCH YR HYDREF*
> *Merch yr hydref*
> *Newidiaist fy myd*
> *Heulwen aur mewn gaeaf oer*
>
> *Pan o'n i ar goll*
> *Dest ti o hyd i fi*
> *Dy wên gariadus*
> *Yn troi 'ti' a 'fi' yn 'ni'*

Merch yr hydref
Newidiaist fy myd
Troi lleuad wen yn fflamgoch
Er dy fod ti'n bell
Oddi wrtha i
Caeaf fy llygaid
Ac fe'th welaf di
Dy wallt fel y machlud
Dy groen fel crisial pur
Y breichiau tyner, meddal
Sy'n gwella poen a chur

Merch yr hydref
Newidiaist fy myd
Newidiaist fy myd
Newidiaist fy myd

Erbyn i'r gân orffen chwarae, mae 'nghorff yn llawn goleuni, fel y gannwyll sinamon. Sgrifennodd Noah y gân i fi. Sgrifennodd e'r geiriau prydferth hynny i fi. Amdana i. Cydiaf yn fy ffôn ac anfon neges destun ato. Mae llawer gormod o gusanau ar y diwedd, ond dwi'n gwybod na fydd ots gydag e.

Dw i'n dwlu arni hi! Diolch xxxxxxxx

Mae e'n ateb yn syth.

> **Wyt ti o ddifri?**

> **Ydw!!! Mae'n ffantastig xxxx**

> **Fel ti**

Dwi ar fin ateb pan ddaw neges arall oddi wrtho.

> **Y Digwyddiad Sbardunol mwyaf bendigedig yn hanes digwyddiadau sbardunol**

> **Yr un peth i ti xxx**

Y noson honno, cyn i fi fynd i gysgu, chwaraeaf gân Noah drosodd a throsodd a dychmygu fy hunan 'nôl yn y babell, yng nghanol y goleuadau bychain, a breichiau Noah yn dynn o'm cwmpas i. Am y tro cyntaf ers oesodd, dwi ddim yn cael unrhyw hunllefau.

2 Ionawr

BLWYDDYN NEWYDD DDA!

Helô!

Gobeithio eich bod chi i gyd wedi cael Nadolig da.

Felly, dwi 'nôl gartref nawr. Ac am 'i bod hi'n ddechrau blwyddyn newydd sbon, meddyliais y byddai'n sbort gwneud blog am addunedau blwyddyn newydd.

Ar yr awyren ar y ffordd adre, darllenais erthygl oedd yn dweud mai dim ond tair adduned blwyddyn newydd ddylech chi 'u neud, achos eich bod chi'n fwy tebygol o gadw at ddim ond tair. Mae hynny mor wir!

Ro'n i'n arfer dwlu ar addunedau blwyddyn newydd. Byddwn i'n sgrifennu tudalennau ar dudalennau ohonyn nhw, ac yna, erbyn mis Chwefror, pan fyddwn i wedi llwyddo i gadw at ddim ond un ohonyn nhw *(a byth yr un am fwyta llai o siocled)* byddwn i'n teimlo'n gwbl ddigalon, a ddim yn trafferthu wedyn.

Felly eleni, dwi'n mynd i ddewis dim ond tair, a dwi'n meddwl y byddai'n grêt tasech chi hefyd yn dewis tair ac yn 'u sgrifennu nhw yn y bocs sylwadau isod. Wedyn, gallwn ni weld sut ry'n ni i gyd yn dod 'mlaen gyda'n haddunedau – fel y gwnaethon ni gyda'r blog ar ofnau.

Felly, fe ddechreua i. Eleni, fy nhair adduned yw:

Rhif Un: Bod yn hapus

Rhif Dau: Wynebu f'ofnau

Rhif Tri: Credu ynof i fy hunan

Iawn, dwi newydd sylweddoli rhywbeth wrth deipio. Oni bai am Fachgen Brooklyn, fyddwn i ddim yn sgrifennu'r addunedau hyn o gwbl.

Y gwir yw, mae e eisoes yn fy helpu i i gyflawni'r rhain i gyd.

Dwi'n hiraethu amdano fe'n ofnadwy ar hyn o bryd, ond mae eich sylwadau ar y blog diwethaf yn help mawr i mi.

Diolch o galon i bawb a ddywedodd y gwnawn ni gadw'n perthynas i fynd.

Pe bawn i'n gallu gwneud un adduned bitw fach arall, dyna fyddai hynny: credu bod dyfodol i ni'n dau.

A diolch i bawb wnaeth sgrifennu am bobl wych sydd wedi gwneud pob math o lefydd rhyfedd yn ddiddorol ac yn llawn hwyl. Mwynheais i glywed amdanyn nhw.

Ac i bawb wnaeth ofyn i mi bostio llun o Fachgen Brooklyn, mae'n flin iawn 'da fi, ond mae'n rhaid cadw rhai pethau'n breifat. Gobeithio eich bod chi'n deall.

Blwyddyn Newydd Dda, bawb – alla i ddim aros i ddarllen am eich addunedau chi!

Merch Ar-lein, yn mynd oddi ar-lein xxx

Pennod Tri deg chwech

Yn syth ar ôl i fi sgrifennu'r blog, eisteddaf wrth y bwrdd gwisgo a dechrau paratoi i fynd mas gydag Elliot. Mae hi bron yn ganol dydd ac mae Mam a Dad wedi mynd i'r archfarchnad i brynu llwyth o fwyd gan fod bron dim i'w fwyta yn y tŷ. Mae Tom yn ôl gartre, ac yn gweithio ar ryw draethawd munud olaf cyn mynd 'nôl i'r brifysgol. Mae popeth o 'nghwmpas yn mynd 'nôl fel roedd e cyn Efrog Newydd – popeth heblaw amdana i.

Wrth i gân Noah chwarae yn y cefndir, edrychaf ar f'adlewyrchiad yn nrych y bwrdd gwisgo. Ar yr wyneb, yr un person ydw i – yr un dyrnaid o frychni haul ar 'y nhrwyn a'r un gwallt browngoch – ond dwi'n gweld fy hunan mewn ffordd gwbl wahanol.

Mae'n debyg i wylio ffilm lle mae tro yn y gynffon ar y diwedd ac ry'ch chi'n dod i wybod mai'r boi da yw'r boi drwg. Ond yn yr achos yma, y tro yn y gynffon yw 'mod i wedi darganfod nad ydw i'n dwp nac yn hyll wedi'r cyfan. Dwi wedi darganfod bod y pethau ro'n i'n 'u gweld yn 'hyll' yn gwneud i fi edrych fel yr hydref – a machlud haul. Does dim angen i mi guddio 'mrychni haul dan haen o golur nawr. Does dim angen i fi glymu 'ngwallt 'nôl i guddio'i gochni. Allai'i adael e lawr a'i ddangos yn 'i holl ogoniant.

Mae gweld fy hun trwy lygaid Noah wedi fy helpu i i weld y gwir. Edrychaf ar y llun o Noah sydd wedi'i sticio wrth 'y nrych. Wnes i'i argraffu'n syth ar ôl dihuno'r bore 'ma, er mwyn gallu edrych ar Noah o hyd. 'Diolch,' sibrydaf wrth 'i wyneb hapus.

Dwi ar fin brwsio 'ngwallt pan glywaf sŵn neges destun ar fy ffôn. Noah yw'r peth cyntaf ddaw i'm meddwl i, ond wrth i mi glicio i'r negeseuon, dyw 'nghalon ddim jyst yn suddo – mae hi'n plymio i lawr ar wib. Neges oddi wrth Megan sydd yno.

> **Heia Penny! Wyt ti gartref? Byddai'n grêt dala lan gyda ti xoxo**

Syllaf ar y sgrin. Ac yna sylweddolaf fod hon yn un o'r adegau hynny pan mae'n rhaid 'gwneud yn lle dweud.' Os ydw i wir wedi newid, mae'n rhaid i fi brofi hynny, gan ddechrau nawr gyda Megan. Cliciaf ar 'ateb' a dechrau neges ati.

> **Dim diolch**

Clywaf sŵn neges arall yn cyrraedd. Mae 'nghalon yn curo mor drwm nes 'mod i'n siŵr 'i bod hi am ffrwydro trwy 'ngwddf.

Beth?!!!

Cymeraf anadl ddofn a dechrau teipio.

Dwi ddim isie dala lan gyda ti achos
does 'da fi ddim byd i weud wrthot ti

Eisteddaf yn yr unfan, yn taro 'myscdd ar y bwrdd gwisgo
wrth aros iddi ateb. Dychmygaf hi'n taflu'i gwallt 'nôl dros 'i
hysgwyddau'n bwdlyd. Mae hi'n ymddangos mor hurt nawr
– mor blentynnaidd. Mae fel tasc mynd i ben draw'r byd wedi
fy helpu i weld popeth mor glir; mae'r profiad wedi rhoi golwg
cwbl wahanol i fi ar 'y mywyd, a phopeth y dylwn 'i newid. Mae
fy ffôn yn gwneud sŵn eto.

Alla i ddim credu bo ti fel hyn!
Ar ôl popeth dwi di neud i ti!

Beth?! Syllaf ar y ffôn. Popeth mae hi wedi'i wneud i fi? Y tro
hwn, dwi ddim yn teimlo'n nerfus o gwbl wrth ateb. Y tro hwn,
mae 'ngwaed i'n berwi.

Pwysaf 'anfon', ac er bod 'y nwylo i'n crynu'n wyllt, dwi'n teimlo'n falch. Ac yna dwi'n sylweddoli 'mod i wedi llwyddo i gyflawni'r tair adduned ar unwaith. Gwnes i wynebu f'ofn o Megan a chredu ynof i fy hunan, ac mae hynny wedi gwneud i fi deimlo'n anhygoel o hapus.

Dwi'n troi 'nôl at y blog ac yn gweld bod dau sylw yno'n barod.

Helô, Merch Ar-lein,

Blwyddyn Newydd Dda!

Fy nhair adduned yw:

1.   Bod yn falch o'r ffordd dwi'n edrych

2.   Darllen rhagor o lyfrau

3.   Bwyta llai o siwgr

Amber xx

Postiaf ateb ati'n gyflym.

Diolch, Amber. Pob lwc – yn enwedig gyda bwyta llai o siwgr! Xx

Symudaf i lawr at y sylw nesaf, a dwi'n gweld rhywbeth sy'n gwneud i 'ngwaed fferru.

Dim ond un adduned sy gyda fi eleni, sef sicrhau 'mod i byth yn rhoi mwy o sylw i'r byd ar-lein na'r byd go iawn.

Ond nid y sylw sy'n gwneud i mi deimlo'n dost, ond yr enw defnyddiwr: Waldorf Wild. Mae Elliot wedi postio ar y blog. Dyw e byth yn postio ar y blog. Mae gyda ni ryw fath o reol wnaethon ni gytuno arni o'r dechrau, i wneud yn siŵr bod y blog yn aros yn anhysbys. Ac mae'n rhaid 'i fod e'n siarad amdana i. Syllaf ar y sgrin a cheisio meddwl pam y byddai'n dweud y fath beth. Mae'n rhaid mai achos 'mod i wedi blogio am Noah eto. Ond beth mae e'n disgwyl i fi'i wneud ac yntau'n mynnu ymddwyn mor rhyfedd am y cyfan? O leia mae 'narllenwyr i'n gefnogol. O leia maen nhw eisiau clywed amdano fe.

Clywaf gloch y drws yn canu lawr staer. Dyw Elliot ddim i fod i alw tan un. Mae llygedyn o obaith. Falle'i fod e'n teimlo'n euog am y blog. Falle'i fod e wedi dod draw yn gynnar i ymddiheuro.

Clywaf Tom a bachgen arall yn siarad, yna sŵn traed ar y grisiau a chnoc ar ddrws fy stafell wely. Rhoddaf 'y ngliniadur ar y bwrdd gwisgo ac anadlu'n ddwfn, yn ceisio paratoi fy hunan wrth alw, 'Dere mewn.' Ond fyddai oriau o anadlu dwfn ddim wedi gallu 'mharatoi i ar gyfer yr hyn sy'n digwydd nesaf. Mae'r drws yn agor, ac Ollie'n cerdded i mewn.

'Ollie!'

'Heia, Penny.' Mae'n symud yn anniddig o un droed i'r llall ac yn symud 'i law trwy'i wallt melyn tonnog. 'Gobeithio nad oes ots gyda ti 'mod i'n galw fel hyn. Dy frawd ddwedodd wrtha i am ddod lan.'

'O.' Syllaf arno am eiliad, heb wybod beth i'w ddweud. Pam mae e yma, yn 'y nhŷ i? Mae'n edrych mor swil a lletchwith, fel nad yw e'n siŵr chwaith. 'Dere i mewn, eistedda,' meddaf o'r diwedd, gan bwyntio at gadair freichiau.

Daw Ollie i mewn, a mynd i sefyll wrth y gadair. Mae golwg o embaras llwyr ar 'i wyneb. Mae'n dal pecyn fflat, wedi'i lapio mewn papur Nadolig. Mae'n sylwi arnai'n edrych arno, ac yn 'i roi i fi. 'Ym .. ges i ... brynais i anrheg i ti.'

'Do fe?' Alla i ddim cuddio fy sioc. Cymeraf yr anrheg oddi wrtho a'i roi ar y gwely. 'Stedda – os wyt ti'n moyn.'

Mae Ollie'n eistedd. 'Ti'n edrych yn wahanol,' medd, 'yn grêt. Nid nad oeddet ti'n edrych yn grêt o'r blaen, wrth gwrs.'

Iawn, beth sy'n digwydd fan hyn? Yna, dwi'n teimlo'n dost. Ai Megan anfonodd e draw? Ydy hyn yn rhan o ryw dric cymhleth i ddial arna i am y tecsts? Ond all hynny ddim bod yn wir. Cyrhaeddodd Ollie yma'n llawer rhy gyflym. Ac mae e'n edrych yn llawer rhy swil.

'Diolch,' mwmialaf yn aneglur.

'Felly, gest ti amser da?' medd.

'Do, roedd e'n anhygoel.' Mae meddwl am Efrog Newydd a Noah yn gwneud i fi deimlo'n dawel fy meddwl eto. Mae'r sefyllfa yma'n rhyfedd ond mae'n iawn. Galla i ymdopi.

'Da iawn.' Mae Ollie'n edrych i lawr ar y llawr. 'Drycha, y ... y ... rheswm ro'n i am ddod i dy weld di cyn mynd 'nôl i'r ysgol yw i ddweud sori.'

Syllaf arno. 'Sori am beth?'

'Sori am beth ddigwyddodd ar ôl y ddrama – ond nid fi wnaeth bostio'r fideo, na'i rannu,' medd yn gyflym.

Nodiaf, gan gofio iddo fe ddweud 'mod i'n edrych yn giwt yn y fideo.

'Ond mae'n flin iawn 'da fi bod hynny wedi digwydd. A bod

rhaid i ti aros gartre o'r ysgol achos 'ny.'

Dwi'n craffu ar 'i wyneb, rhag ofn bod rhywbeth yno i ddangos 'i fod yn dweud celwydd, ond mae'n edrych yn gwbl ddiffuant ac fel tase fe'n pryderu amdana i.

'Y peth yw – dwi'n dy hoffi di, Penny.'

Sylweddolaf fod 'y ngheg ar agor, mewn sioc.

'Mae'n rhaid i fi fynd i'r tŷ bach.'

Dwi ddim yn siŵr pam ddwedais i hynny – wel ydw, dwi *yn* gwybod. Achos bod rhaid i fi adael y stafell am foment i drio gwncud synnwyr o bopeth sy'n digwydd. Ond ydy, mae'n beth od i'w wneud.

'O. Iawn.' Mae Ollie'n nodio ac yn camu 'nôl.

'Byddai 'nôl nawr.' Cyn iddo fc ddweud gair arall, gwibiaf mas o'r stafell.

Pan dwi'n saff yn y stafell molchi a'r drws ar glo, dechreuaf gerdded 'nôl a mlaen – sydd braidd yn anodd gan mai dim ond tua chwe troedfedd yw hyd y stafell i gyd.

Mae Ollie'n fy hoffi i. *Cam ymlaen, cam ymlaen.* Beth mae e'n golygu, fy hoffi i? Ydy hynny'n golygu *hoffi*? O na! Dwi'n ochneidio'n uchel wrth feddwl 'nôl am fy sgwrs gyda Noah. Mae popeth wedi newid yn llwyr ers dod 'nôl o Efrog Newydd. Am flynyddoedd, bues i'n breuddwydio am Ollie'n dweud rhywbeth fel 'na wrtha i. Treuliais i oriau'n dychmygu golygfeydd lle byddai Ollie'n dweud 'i fod e'n fy hoffi i. Ond do'n i byth, byth yn credu y byddai hynny'n digwydd. A wnes i byth, byth feddwl – tase hynny'n digwydd trwy ryfedd wyrth – y byddwn i'n teimlo ... dim byd o gwbl. Byddai pob golygfa ddychmygol yn diweddu â chusan nwydus. Ond mae cwrdd â Noah wedi gwneud i mi sylweddoli mai dim ond *crush* oedd 'y nheimladau i tuag at Ollie. Doedd dim realiti'n perthyn iddyn nhw. Fy ffantasïau i oedden nhw i gyd.

Ond nid ffantasi yw hyn. Mae hyn, y foment hon, yn gwbl real ac mae'n rhaid i mi ddelio â'r peth nawr. Dwi'n tasgu dŵr ar fy wyneb ac yn edrych yn nrych y stafell molchi. *Galli di wneud hyn*, meddaf wrtha i fy hun.

Pan af 'nôl i mewn i fy stafell wely, mae Ollie – yn anffodus iawn – yn eistedd ar y gwely.

'Plis, paid dweud wrtha i dy fod ti'n 'i ffansïo fe hefyd,' medd, gan bwyntio at y llun o Noah ar y drych.

'Beth?'

'Noah Flynn. Dyw Megan ddim yn stopio siarad amdano fe a'r gân "Bridge" hurt 'na. Dwi wedi dweud wrthi hi 'i fod e'n dwlu ar Leah Brown ond dyw hi ddim yn gwrando arna i.'

Fel y foment honno cyn y ddamwain car, mae popeth fel tase'n symud yn araf bach. Daliaf gefn y gadair yn dynn, gan fod y llawr yn teimlo'n anwastad ac yn sigledig. 'Beth ddwedaist ti?'

Mae Ollie'n pwyntio at y llun eto. 'Y canwr 'na – Noah Flynn. Ti'n 'i ffansïo fe hefyd?'

✱·✱ Pennod Tri deg saith ✱

Dwi'n canolbwyntio ar Ollie ac yn ymdrechu i aros ar 'y nhraed. Mae'r byd wedi troi tu fewn tu fas a phen i waered. Mae'n rhaid bod esboniad i hyn. 'Dwi ... dwi'n 'i nabod e.'

Mae Ollie'n gwenu. 'Wyt, dwi'n siŵr.'

'Ydw! Gwrddais i ag e yn Efrog Newydd.'

Eisteddaf i lawr wrth y bwrdd gwisgo, gan deimlo f'ymennydd yn gwibio dros bob man. Beth oedd Ollie'n 'i feddwl, yn gofyn a oedd gyda fi *crush* arno fe? A pham ddywedodd e fod Noah mewn cariad gyda Leah Brown? Mae Leah Brown yn seren bop fyd-enwog.

Mae Ollie'n pwyso mlaen. Mae hyn wedi creu argraff arno fe. 'Wir?'

Nodiaf.

'Waw, bydd Mcgan mor genfigennus pan ddywedi di wrthi hi. Sut foi yw e?' Mae llygaid Ollie ar agor led y pen nawr, fel tasen i'n datgelu 'mod i wedi cwrdd â'r arlywydd.

'Roedd e ... mae e ... yn neis ofnadwy. Ond dwi ddim yn deall beth ddywedest ti gynna, amdano fe a Leah Brown ...'

'O, maen nhw'n mynd mas gyda'i gilydd. Ac mae 'na sôn 'i fod e wedi sgrifennu trac ar gyfer 'i halbwm nesaf hi, neu rywbeth.'

Mae Ollie'n dweud hyn mewn ffordd mor ddidaro nes 'mod i bron â chwerthin. Mae hyn i gyd mor hurt. Mor anghredadwy. Neu a yw e? Daw teimlad o anesmwythder drosof wrth gofio'n sydyn am y sgwrs rhwng Noah a Sadie Lee. Ai dyma'r peth roedd hi'n credu y dylai e ddweud wrtha i? Nage ... mae hwn yn fater rhy fawr, rhy bwysig. Allai Noah ddim bod yn enwog, ac mae'n rhaid nad oes cariad gydag e – heb sôn am gariad sy'n fyd-enwog ac yn hollol anhygoel o brydferth – heb i mi wybod am y peth. Mae'n rhaid mai'r person anghywir yw e. Cyd-ddigwyddiad.

'Wyt ti'n siŵr taw fe yw e?' holaf.

Mae Ollie'n codi ac yn edrych ar y llun. 'Ie, yn bendant. Mae gyda fe'r un tatŵ ar 'i arddwrn.' Mae'n troi ac yn syllu arna i.

'Pam wyt ti'n gofyn hynny? Mae'n rhaid dy fod ti'n gwybod mai Noah Flynn yw e os gwrddaist ti ag e.'

'Do, fe wnes i ...' A dyna fi'n sylweddoli na wnaeth Noah erioed ddweud 'i gyfenw wrtha i.

'Dwi – dwi ddim yn teimlo'n dda iawn,' meddaf, gan eistedd ar y gwely.

'O na.' Mae Ollie'n rhoi'i law ar f'ysgwydd, gan wneud i mi wingo.

'Wir, dwi'n credu y dylet ti fynd.'

'Beth? Ond roeddet ti'n iawn funud yn ôl.'

'O'n, ond dwi ddim yn iawn nawr.' Does dim ots gyda fi os ydw i'n swnio'n anghwrtais. Mae'n rhaid iddo fe adael. Mae'n rhaid i fi wybod beth yw'r gwir.

'O. Iawn. Ond ro'n i'n mynd i ofyn – ro'n i eisiau gofyn i ti ...'

Sut all Noah fod yn ganwr enwog? Dyw e ddim yn gwneud synnwyr. Ond mewn ffordd ofnadwy, mae'n gwneud synnwyr llwyr. Llais anhygoel. Y gân luniodd e i fi. Ond pam fydde fe'n llunio'r gân i fi os oedd e gyda rhywun arall?

'Licet ti ddod mas am bitsa neu rywbeth?'

'Beth?' Edrychaf mewn braw ar Ollie.

'Mae'n iawn, Penny – dwi'n gwybod sut wyt ti'n teimlo amdana i,' medd. 'Dwi'n gwybod ers blynyddoedd. Ddwedodd Megan wrtha i.'

Nawr dwi'n teimlo fel tasen i'n gaeth mewn stori arswyd sy'n gwaethygu bob eiliad.

'A dwi'n meddwl falle – wel, dwi'n meddwl, o'r diwedd, 'mod i'n teimlo'r un peth.'

O'r diwedd? O ddifri?

'Cer,' meddaf yn swrth.

'Iawn, ond wyt ti am ddod?' Mae Ollie'n edrych arna i'n obeithiol.

'Na'dw! Sori: na yw'r ateb. Plis wnei di adael?'

Mae Ollie'n edrych arna i am ennyd, cyn i dawelwch poenus ddisgyn amdanom ni. 'Iawn,' medd yn ddiamynedd. 'Wela i ti yn yr ysgol 'te.'

'Iawn.' Alla i ddim meddwl heb sôn am siarad yn glir wrth 'i arwain – a'i wthio, bron – drwy'r drws.

Ar ôl iddo fe fynd, af yn syth at 'y ngliniadur, diffodd y blog a Gwglo'r enw Noah Flynn. Mae'n rhaid mai camsyniad dwl yw'r cwbl. Dwi ddim yn gwybod sut na pham, ond mae'n rhaid bod Ollie wedi gwneud camsyniad.

'O na!' Rhoddaf fy llaw dros fy ngheg wrth i restr o ganlyniadau ymddangos ar y sgrin. Mae llun wrth ochr yr ail ganlyniad. Noah, yn dal gitâr. Cliciaf ar y ddolen, gan deimlo'n swp sâl.

Seren y We Noah Flynn yn Arwyddo Cytundeb gyda Sony, medd y pennawd. Cliciaf ar yr erthygl, mewn sioc ac anghrediniaeth lwyr.

Yn ôl yr erthygl, tua dwy flynedd 'nôl dechreuodd Noah roi perfformiadau o'i ganeuon ar YouTube. Cyn hir, roedd dros filiwn o danysgrifwyr i'w sianel. Yna, ychydig fisoedd wedyn cafodd 'i ddewis i recordio gyda'r label Sony. Teimlaf yn falch iawn o Noah wrth ddarllen dyfyniad gan un o reolwyr y label yn sôn am 'i 'ddawn amrwd' a pha mor gyffrous maen nhw'n teimlo wrth gynhyrchu'i albwm gyntaf.

Ond yna cofiaf am yr hyn a ddwedodd Ollie am Noah a Leah Brown. Mae'n rhaid nad yw hynny'n wir. Mae Leah Brown yn seren o bwys. Seren sy'n teithio mewn jet preifat, sy'n perfformio yn y gwyliau pop mwyaf ac mewn lleoliadau anferth. Gwelodd Tom a'i ffrindiau hi'n perfformio yng ngŵyl Ynys Wyth y llynedd. Gyda dwylo crynedig, teipiaf *Noah Flynn* a *Leah Brown* i'r peiriant chwilio. Daw tudalen o ganlyniadau i lenwi'r sgrin, a'r rhan fwyaf ohonyn nhw o wefannau clecs Americanaidd. Mae sawl erthygl yn dyddio o ryw fis 'nôl, ac yn dweud yr un peth: Mae Leah Brown a Noah Flynn yn gariadon.

Mae 'mrest i mor dynn nawr fel 'mod i'n cael trafferth anadlu. Tua chanol y dudalen gwelaf ganlyniad o dudalen Twitter Leah Brown.

Ymlacio da @noahflynn yn Venice Beach

Cliciaf ar y dudalen, a'm calon ar ras. Neges i ddymuno blwyddyn newydd dda i'w ffans i gyd yw 'i neges ddiwethaf. Yna mae neges yn hysbysebu'i sengl newydd. Ac yna ... aiff ias i lawr f'asgwrn cefn wrth ddarllen:

Nadolig llawen @noahflynn wir yn disgwyl mlaen at dy weld pan fydda i nôl o LA Xo

Darllenaf y rhai nesaf. Alla i ddim stopio nawr, er bod hyn yn achosi poen i fi.

Mae'r neges wedi'i hatodi wrth lun o Leah Brown yn sefyll y tu ôl i Noah, a'i breichiau wedi'u lapio o'i gwmpas. Y dyddiad ar y llun hwn yw'r diwrnod cyn i fi gwrdd â Noah. Mae gweld hyn yn gwneud i fi fod eisiau chwydu go iawn.

Af i broffil Twitter Noah i chwilio am ragor o dystiolaeth, ond dim ond tair gwaith mae e erioed wedi trydar ac mae pob neges am 'i gytundeb recordio. Edrychaf ar y llun ohono ar 'y nrych a daw dagrau crac, twym i'm llygaid. Sut allai e wneud hyn i fi? Sut allai e fod wedi dweud celwydd mor dda ac mor oeraidd, ac yntau'n mynd mas gyda rhywun arall? Ac nid rhywun-rhywun ond merch fyd-enwog sy'n dwlu arno fe. A sut allai Sadie Lee adael iddo fe wneud hynny i mi?

Clywaf sŵn neges destun ar fy ffôn. Am eiliad dwi'n ofni mai Noah sy 'na. Beth ddweda i wrtho fe? Beth wna i? Cydiaf yn y ffôn â dwylo crynedig. Ond oddi wrth Elliot mae'r neges.

> **Dim 'mynedd mynd i siopa. Dwi
> am aros gartre i wneud 'y ngwaith
> cartre maths yn lle hynny x**

Syllaf ar y sgrin. Fell does dim ots gyda fe o gwbl am y sylw 'na ar y blog. Dyw e ddim hyd yn oed eisiau 'ngweld i. Dwi'n siŵr y buase fe am 'y ngweld i tase fe'n gwybod am y tro diweddaraf yn y gynffon. Mae dicter – nage, cynddaredd – yn llifo trwy 'ngwythiennau i nawr. Dwi'n falch nad yw Elliot eisiau mynd i'r dref. Dwi'n falch nad oes rhaid i mi ddweud wrtho fe beth sydd wedi digwydd a'i weld e'n edrych arna i'n hunanfodlon. Ac yna mae'n teimlo fel tase holl sylfeini 'mywyd i'n dadfeilio. Mae'r nerth a'r cryfder a flagurodd yn Efrog Newydd yn gwywo nawr.

Af i mewn i'r gwely a thyrchu'n ddwfn dan y cwilt, a dechrau crio. Ac ar ôl dechrau does dim gobaith stopio gan 'mod i'n meddwl am ragor o bethau, rhagor o dystiolaeth bod Noah yn dweud celwydd wrtha i.

Y ferch oedd yn syllu arno fe o hyd wrth i ni fynd i'r siop hen bethau i nôl y tiara. Beth ddwedodd hi ar 'i ffôn? 'Fe yw e'? Fe yw beth? Fe yw pwy? A'r ffordd y dechreuodd hi ddod atom ni pan aethon ni i mewn i'r tryc. A'r ffordd y gwnaeth Noah gerdded bant ar wib. Oedd e'n sylweddoli'i bod hi'n 'i nabod e? Ond eto, aeth e â fi i'r oriel gelf a 'nghyflwyno i i'w ffrindiau. Pam fyddai e'n gwneud hynny os oedd e'n dweud celwydd wrtha i am bopeth? Ond mae ystyr dywyllach i hynny hyd yn oed nawr. Pan ddwedodd y fenyw yn y cyntedd 'da iawn' wrtho fe, mae'n rhaid mai siarad am y cytundeb recordio oedd hi. Doedd hynny'n ddim i'w wneud â chael cariad, o gwbl. Ddwedodd e gelwydd noeth wrtha i.

Mae'r sioc a'r cywilydd yn gwneud i mi deimlo'n wan ac yn grynedig. Ond alla i ddim stopio'r atgofion rhag rhuthro'n ôl. Y ffordd y gwnaeth e dorri ar draws Antonio yn y caffi a'n llusgo i mas yn gyflym ar ôl i ni orffen ein cinio. Dwi'n gwingo wrth feddwl mor hapus o'n i, yn meddwl mai eisiau treulio rhagor o amser ar 'i ben 'i hun gyda fi oedd e. Ond cuddio'i gelwydd oedd y bwriad. Meddyliaf amdano fe'n 'y nal i'n dynn yn y cyntedd tywyll a pha mor arbennig oedd hynny. Dicter, nid embaras, yw'r teimlad yn 'y nghalon i nawr.

'Celwyddgi!' gwaeddaf gan godi o'r gwely. Af draw at y bwrdd gwisgo. Tynnaf y llun o'r drych a'i rwygo'n ddarnau mân.

'Celwyddgi! Celwyddgi! Celwyddgi!'

Suddaf i lawr ar y llawr, yn llefain y glaw. Ro'n i'n meddwl bod yr anlwc wedi dod i ben; ro'n i'n meddwl y gallen i fod yn fi fy hunan a chael 'y nerbyn a 'ngharu. Ond celwydd a thwyll oedd sail y cyfan. Ac i feddwl 'mod i wedi blogio am y peth. Ddwedais i wrth y byd 'mod i wedi cwympo mewn cariad a dod o hyd i fy enaid hoff cytûn. Beth oedd ar 'y mhen i?

Treuliaf yr oriau nesaf wedi cyrlio'n belen fach yn 'y ngwely. Yn methu symud. Yn methu gwneud dim ond crio i 'ngobennydd. Diolch byth, mae Mam a Dad yn meddwl 'mod i'n cysgu i fwrw blino ar ôl y daith felly does neb yn tarfu arna i.

O'r diwedd, wedi i'r dydd droi'n nos a'r stafell yn dywyll eto, teimlaf yn barod i wynebu'r byd. Wel, fy stafell wely o leiaf. Tynnaf y cwilt 'nôl a syllu mas i'r tywyllwch. Er 'mod i'n ysu i aros yn y gwely am byth, alla i ddim gwneud hynny. Rhaid i fi wynebu'r hyn sy'n digwydd. Trof fy ffôn ymlaen a daw sŵn neges destun yn syth. Tecst oddi wrth Noah. Daw ias i lawr f'asgwrn cefn.

> Hei, Ddigwyddiad Sbardunol, shwt mae pethe? Dwi'n dy golli di. Mae Bella'n dy golli di. Mae Sadie Lee'n dy golli di. Rho wybod pan wyt ti wedi dihuno ac eisiau sgeipio.

Rhythaf ar y neges mewn anghrediniaeth. Sut all e fod mor ddidaro am y cyfan? Sut all e anfon negeseuon fel 'na tra bod cariad gydag e? Does gyda fi ddim nerth ar ôl i deimlo'n grac.

Dwi'n hollol wan. Gan grynu a chrio, dechreuaf ateb.

> **Dwi ddim yn credu bod hyn yn mynd i weithio a dwi'n credu y byddai'n well i ni beidio cysylltu â'n gilydd. Sori**

Gwgaf ar y neges. Pam dweud sori? Pam ddiawl ddylwn i ymddiheuro wrtho fe?! Dwi'n dileu'r gair 'sori' ac yn anfon y neges cyn i mi gael amser i ailfeddwl.

Yna diffoddaf fy ffôn yn syth eto a mynd 'nôl i'r gwely.

Wrth dyrchu dan y cwilt, cofiaf beth ddwedodd Bella wrtha i pan welodd fi'n crio am Elliot.

Pryd bynnag rwyt ti'n drist, meddylia am dri pheth hapus i hala'r peth trist bant.

Meddyliaf yn galed. Yn y diwedd, alla i ddim meddwl am ddim byd ond y blog. Ar y foment hon, dyna'r unig beth sy'n gwneud i fi deimlo hyd yn oed yn chwarter hapus. O leiaf, ar y blog, mae gyda fi bobl sy'n 'y neall i. O leiaf ar y blog galla i fod yn fi fy hunan ac mae pawb yn 'y ngharu i ac yn 'y nghefnogi i. Gwelaf lygedyn o obaith. Yn y bore fe sgrifenna i flog am yr hyn sydd wedi digwydd. Wna i ddim manylu ond fe ddweda i mai celwyddgi llwfr oedd Bachgen Brooklyn. Bydd y darllenwyr i'n gwybod beth i'w wneud a beth i'w ddweud. Fe wnân nhw fy helpu i ddod dros hyn. Mae'n rhaid iddyn nhw.

Pennod Tri deg wyth

Pan ddihunaf, mae hi'n dal yn dywyll a dwi'n teimlo'n ddryslyd. Faint o'r gloch yw hi? Pa ddiwrnod? Ym mha wlad ydw i? Ac yna daw teimlad cyfoglyd ofnadwy i gorddi fy stumog. Mae rhywbeth gwael wedi digwydd ac alla i ddim cofio beth.

Mae'r teimlad ofnadwy'n cyrraedd blaenau 'mysedd a blaenau 'nhraed. Cofiaf: Noah. Caeaf fy llygaid yn dynn a cheisio gorfodi fy hunan i fynd 'nôl i gysgu er mwyn i fi anghofio amdano eto. Ond does dim gobaith. Daw atgofion ofnadwy i lethu fy meddwl. Ddwedodd Noah gelwydd wrtha i. Am bopeth. Mae e'n gerddor proffesiynol. Mae gydag e gytundeb recordio. A chariad. Cariad oedd yn arfer bod ar wal stafell wely 'mrawd – ddim yn llythrennol wrth gwrs, ond ar boster.

Mae'r cwbl yn teimlo'n rhyfedd ac yn afreal. Dim ond merch ysgol o Brighton ydw i. Y cyswllt agosaf sydd gyda fi â pherson enwog yw'r tro hwnnw y cerddais i ac Elliot heibio i Fatboy Slim yn Snooper's Paradise. Gwnes i disian a hedfanodd 'y ngwm cnoi i , a glanio ar 'i got. Dwi ddim yn ferch sy'n dechrau perthynas â seren YouTube o America sydd hefyd, fel mae'n digwydd, yn mynd mas gyda Leah Brown. Ddigwyddodd hyn i fi, go iawn?

Eisteddaf yn syth, gan syllu i'r tywyllwch. Oedd unrhyw beth yn real? Oedd Noah yn fy nefnyddio i? Ai rhyw fath o adloniant o'n i iddo fe tra oedd Leah Brown ar 'i gwyliau? Dyw e ddim yn gwneud synnwyr. Naill ai fe yw celwyddgi gwaetha'r byd, neu mae rhyw fath o esboniad. Yna cofiaf am y neges anfonais i ato fe. Beth fydd 'i ymateb?

Ymbalfalaf am fy ffôn a'i throi ymlaen. Clywaf sŵn neges destun a sŵn e-bost. Meddyliaf am y blog blwyddyn-newydd-dda sgrifennais i, a oedd yn llawn cynnwrf a hapusrwydd. Gwingaf. Yna meddyliaf am orfod dweud wrth fy holl ddarllenwyr mai twyllwr oedd Bachgen Brooklyn. Gwingaf eto.

Anadlaf yn ddwfn a chlicio ar fy negeseuon testun. Dwy oddi wrth Noah. Cafodd y gyntaf 'i hanfon yn syth ar ôl i fi anfon fy neges i, yn dweud nad o'n i eisiau iddo fe gysylltu â fi eto.

> **Beth yffach? Jôc yw hyn, ie? Ffonia fi!**
> **Dwyt ti ddim yn ateb dy ffôn**

Cafodd yr ail neges 'i hanfon am 5.30 a.m. – llai nag awr yn ôl.

> **Gobeithio iddyn nhw dy dalu di'n dda.**
> **Ti'n iawn, fyddwn ni ddim mewn cysylltiad**
> **eto. Dwi wedi newid fy rhif a 'nghyfeiriad**
> **e-bost. Dwi byth eisiau clywed wrthot ti eto.**
> **Ro'n i'n dy drystio di.**

Beth yffach?! Cliciaf mas o'r neges a 'nôl i mewn eto, i wneud yn siŵr nad o'n i'n dychmygu pethau, ond nawr mae e yno, reit o 'mlaen i. Pam mae e mor grac gyda fi? A beth mae e'n olygu – 'i fod *e'n* 'y nhrystio i? Nid fi yw'r un sydd wedi bod yn dweud celwydd. Nid fi yw'r un sy'n mynd mas gyda rhywun arall. Dechreuaf deipio ateb, yn rhy grac i feddwl yn iawn.

> **ROEDDET TI'N fy nhrystio i?! Beth amdana i?**
> **Sut gallet ti ddweud celwydd wrtha i fel 'na?**
> **Sut gallet ti feddwl na fyddwn i'n dod i wybod?**

Mae adrenalin yn rhuthro drwy 'ngwythiennau wrth glicio ar 'anfon'. Bron yn syth, daw neges 'nôl i ddweud 'Methu anfon.' Edrychaf 'nôl ar neges Noah. Mae'n rhaid 'i fod e wedi newid 'i rif yn barod. Ond pam ...? Ac yna dwi'n deall. Mae e'n sylweddoli 'mod i'n gwybod am 'i gelwyddau ac yn ceisio amddiffyn 'i hunan. Waw! Eisteddaf 'nôl ar 'y ngwely, yn syfrdan. Ro'n i'n gwbl anghywir amdano fe. Mae e siŵr o fod yn poeni y bydd Leah Brown yn dod i wybod. Fel taswn i am 'i ffonio hi a dweud, 'Hei, Leah, dwyt ti ddim yn fy nabod i – merch ysgol fach o Brighton – ond tra oeddet ti'n treulio'r Nadolig yn LA, dyna le ro'n i'n potsian gyda dy gariad di yn Efrog Newydd.'

Mae'r dicter yn troi'n dristwch nawr. Sut ddigwyddodd hyn? I ble'r aeth y Noah oedd gyda fi Nos Galan yn y babell hudol? Mae popeth yn deilchion nawr, a phoen dan f'asennau, fel tase 'nghalon i wedi rhwygo'n ddwy.

Gan obeithio am rywbeth i dynnu fy sylw oddi wrth y dagrau sy'n cronni yn fy llygaid, cliciaf ar 'y nghyfrif e-bost.

Mae 237 o negeseuon newydd. Teimlaf ffrwydrad bach o hapusrwydd. Mae'n rhaid bod pobl wedi bod yn sgrifennu'u haddunedau blwyddyn newydd ar y blog. Ond wrth fynd i'r blwch negeseuon gwelaf fod o leiaf hanner y negeseuon yn hysbysiadau Twitter. Teimlaf yn anesmwyth yn syth. Dim ond i rannu 'mlog ac i ddilyn ambell ffotograffydd a blogiwr y gwnes i agor cyfrif Twitter. Dwi byth yn cael hysbysiadau fel hyn. Cliciaf ar un ohonyn nhw, mewn chwilfrydedd.

ti'n 'y ngwneud i'n dost @mercharlein22

Beth?! Cliciaf ar un arall.

Beth ddiawl?!! @noahflynn yn twyllo @leahbrown gyda'r blogiwr o Brydain @mercharlein22

Mae panig yn dechrau cronni ynof i. Pwy yw'r bobl hyn? Pam maen nhw'n dweud y pethau hyn? Sut maen nhw'n gwybod?

Af yn syth at 'y nghyfrif Twitter a dechrau symud trwy'r hysbysiadau.

Mae rhai oddi wrth ddarllenwyr cyson 'y mlog, a phob un yn dweud pethau fel: 'Ydy e'n wir? Ai Bachgen Brooklyn yw Noah Flynn?' a rhai'n gofyn, 'Pwy yw Noah Flynn?' Ond mae'r gweddill oddi wrth ddieithriaid llwyr ac maen nhw'n ofnadwy.

Omb, fel tase gan @leahbrown unrhyw beth i boeni amdano fe. Mae @ merchar-lein22 yn hwch hyll

Trio cael 5 munud o enwogrwydd @merchar-lein22?

Dwi'n casáu pobl sy'n brolio am gariadon @merchar-lein22 #dimurddas

A mlaen â nhw. O'r diwedd, cyrhaeddaf neges drydar oddi wrth y wefan glecs Americanaidd, *Celeb Watch*.

Llon llygod lle ni fo cath: Noah Flynn yn cael ffling gyda'r blogiwr o Brydain @merchar-lein22 tra bo Leah Brown bant

Cliciaf ar y ddolen i'w gwefan a darllen yr erthygl mewn braw.

EGSGLIWSIF I *CELEB WATCH*!

A Leah Brown yn treulio'r Nadolig gyda'i theulu yn LA mae'n debyg bod ei chariad newydd, Noah Flynn, wedi canfod merch arall i'w chusanu dan yr uchelwydd – y blogiwr o Brydain, Penny Porter, sy'n cael ei hadnabod fel Merch Ar-lein.

Rhythaf ar y sgrin yn gryndod i gyd. Maen nhw'n gwybod f'enw. Sut maen nhw'n gwybod f'enw i?

Gan roi'r llysenw annwyl Bachgen Brooklyn iddo fe, mae Penny wedi bod yn blogio am ei hamser gyda Noah, heb boeni dim am ei berthynas â Leah Brown. Mae rhai pobl yn barod i wneud unrhyw beth am ychydig o sylw! Wel, fydden ni ddim yn hoffi bod yn esgidiau Noah pan ddaw Leah yn ôl adre!

Mae pum deg chwech o sylwadau dan yr erthygl. Edrychaf ar yr un cyntaf.

Am slebog!

Mae rhywun wedi ymateb i'r sylw.

Dwi ddim y'n credu'i bod hi'n gwneud hyn am arian. Dwi'n credu'i bod hi'n swnio'n neis. Fe sydd ar fai, yn twyllo'i gariad tra'i bod hi bant.

Iawn ond mae'n rhaid 'i bod hi'n gwybod bod gyda fe gariad.

Sut maen nhw'n gwybod sut dwi'n swnio? Edrychaf 'nôl ar yr erthygl a gweld 'u bod nhw wedi rhoi dolen i 'mlog i. Cliciaf ar y ddolen nes cyrraedd y blog cyntaf sgrifennais i am Noah. Dwi'n gwingo wrth ailddarllen y geiriau, gan wybod y gwir nawr. Edrychaf i lawr ar y sylwadau mwyaf diweddar.

Doedd y tywysog ddim yn dwyllwr a doedd Sinderela ddim yn hwren.

A'm dwylo'n ddideimlad gydag ofn, symudaf drwy'r negeseuon a gweld rhagor o'r un peth. Yna, gwelaf fod rhai o 'narllenwyr cyson yn gofyn, 'Ydy hyn yn wir?'

Ac o'r diwedd, ar waelod y sylwadau, mae neges oddi wrth Merch Pegasus.

Annwyl Penny,

Dwi'n gwybod nad oes ots gyda ti siŵr o fod ond roedd rhaid i fi ddweud rhywbeth. Y rheswm chwalodd priodas Mam a Dad, a'r rheswm y dechreuodd Mam yfed oedd achos bod Dad wedi mynd bant gyda menyw arall. Ro'n i mor hapus dy fod ti wedi ffeindio rhywun a chwympo mewn cariad ond dyw dechrau perthynas gyda chariad rhywun arall ddim yn beth da. Mae'n achosi cymaint o boen. Sori, dwi'n gwybod nad yw e'n ddim o 'musnes i ond dwi'n teimlo mor gryf am y pwnc yma fel na allwn i beidio â dweud rhywbeth.

Dwi ddim yn credu y galla i ddarllen dy flog di rhagor.

Merch Pegasus

Clywaf sŵn ebost eto. Pum neges arall yn dweud wrtha i fod dieithriaid wedi siarad amdana i ar Twitter. Cliciaf ar un a gweld y gair 'casáu' a chlicio mas eto'n gyflym.

Eisteddaf ar erchwyn y gwely, yn syllu ar fy ffôn mewn ofn. Dychmygaf bobl dros y byd i gyd yn darllen amdanaf, yn postio negeseuon llawn casineb amdana i. Pobl nad ydw i'n 'u hadnabod. Pobl sydd heb hyd yn oed gwrdd â fi. Ond maen nhw'n gwybod pwy ydw i. Maen nhw'n gwybod f'enw i. Maen nhw'n gwybod am y blog. Beth os cân nhw wybod lle dwi'n byw? Beth os down nhw i'r tŷ 'ma? Mae 'nghorff yn dechrau crynu a dagrau'n tasgu i lawr fy wyneb. Beth wnaf i? Mae'n rhaid i fi fynd 'nôl i'r ysgol fory.

Sut alla i wynebu pawb?

Mae fy llwnc yn tynhau. Alla i ddim llyncu. Alla i ddim anadlu. Dwi'n teimlo fel tasen i'n crebachu, yn mynd yn llai ac yn llai. Mae angen help arna i. Mae angen i rywun fy helpu i. Ond alla i ddim symud. Mae 'nghoesau a 'mreichiau i'n drwm fel cerrig. Edrychaf ar y drws. Mae'n ofnadwy o bell. Mae'n amhosib 'i gyrraedd. Beth wnaf i? Dychmygaf dyrfa o bobl yn martsio lawr yr heol at y tŷ. Yn codi pebyll ar y dreif. Yn taflu cerrig at fy ffenest. Yn chwifio baneri bygythiol. Does unman yn saff nawr. Bydd 'y narllenwyr i gyd yn 'y nghasáu i. Bydd pawb yn 'y nghasáu i. Mae dagrau'n llifo'n ddi-baid i lawr fy wyneb nawr. Dwi erioed wedi teimlo mor ofnus, na mor unig. Mae'r pwysedd yn tyfu yn 'y mhen, fel tase rhywbeth yn 'i wasgu'n dynn. Alla i ddim llyncu. Alla i ddim gweld. Alla i ddim anadlu.

Pennod Tri deg naw

'Penny! Penny! Beth sy'n bod? Beth sy'n bod?' Mae Mam yn rhuthro i mewn i'r stafell wely ac yn cynnau'r golau.

Dwi'n gorwedd mewn pelen ar y llawr. Pam ydw i ar y llawr? Beth sydd wedi digwydd?

'Rob! Rob! Dere glou!' bloeddia Mam. Yna teimlaf hi ar 'i chwrcwd ar 'y mhwys i, a'i dwylo'n cydio yn 'y mreichiau. 'Mae'n iawn, cariad, mae'n iawn.'

Dwi'n crio nawr. Galla i glywed fy hunan ond dwi'n teimlo fel tasen i'n rhywle arall, fel tase rhywun arall yn crio a 'mod i rywsut wedi gadael 'y nghorff.

'Alli di eistedd?' medd Mam yn dyner.

Clywaf sŵn traed yn taro'r grisiau.

'Beth sy'n digwydd?' medd Dad. 'O na, Pen, beth sydd wedi digwydd?'

Teimlaf 'i freichiau o'm cwmpas i, yn fawr ac yn gryf. Rywsut, dwi'n dod o hyd i'r nerth i godi ar f'eistedd a phwyso yn 'i erbyn. Alla i ddim stopio'r dagrau. Dwi eisiau crio a chrio a bod yn fabi eto fel nad oes rhaid i mi boeni am unrhyw beth rhagor.

'Beth ddigwyddodd?' hola Dad eto, yn dawel.

'Ife ...? Gest ti bwl arall o banig?' medd Mam.

Alla i 'i chlywed hi'n symud y tu ôl i fi, ac yna dwi'n 'i theimlo hi'n lapio'r cwilt o 'nghwmpas i.

Nodiaf, yn methu siarad. Mae 'nannedd yn rhincian yn wyllt.

'Beth wnaeth achosi e?' hola Dad. Mae'n 'y nal i'n dynn. Dwi eisiau aros fel hyn am byth, yn cwtsho yng nghocŵn Dad-a'r-cwilt. Sut alla i ddechrau dweud wrthyn nhw? Dwedodd Noah gelwydd wrtha i am bopeth a nawr mae'r byd i gyd yn 'y nghasáu i. Neu, fe fydd y byd i gyd yn 'y nghasáu i pan ddown nhw i wybod.

'Dim syniad,' mwmialaf. 'Ro'n i jyst yn poeni am fynd 'nôl i'r ysgol.'

Mae tensiwn yng nghorff Dad. 'Oes 'na ragor o ddwli wedi digwydd am y fideo 'na? Achos os oes 'na, bydda i ... '

'Nac o's. Mae popeth yn iawn. Jyst yn bod yn ddwl o'n i. A dwi wedi blino ers y daith adre.' Dechreuaf ymbalfalu am esgusodion.

'Hmm.' Dyw Mam ddim yn 'y nghredu i.

Ond un peth dwi'n 'i wybod yn siŵr yw yn 'y mhanig a'm dryswch, alla i ddim rhoi'r baich yma ar 'u hysgwyddau nhw. Mae'n rhaid i fi drio dod o hyd i ffordd o ddatrys y peth fy hunan.

'Licet ti ddisgled o de?' medd Mam.

'Plis.'

'A beth am frecwast?' medd Dad. 'Beth am i fi wneud crempog i ti?'

Nodiaf, er nad oes chwant bwyd arna i o gwbl.

Ar ôl iddyn nhw fy rhoi i'n ôl yn y gwely, ac ar ôl i mi'u perswadio nhw 'mod i'n iawn, mae'r ddau'n mynd lawr staer. Cydiaf yn 'y ngliniadur a mewngofnodi i'r blog a dileu'r holl flogiau am Noah. Yna newidiaf y gosodiadau fel na all unrhyw un adael sylwadau. Dechreuaf deimlo tamaid ychydig yn well yn syth, fel tasen i wedi cau drws ar y casineb.

Af 'nôl at 'y nghyfrif Twitter. Eisoes mae gyda fi dros ugain o hysbysiadau newydd. Dwi ddim yn edrych arnyn nhw. Yn lle hynny dwi'n chwarae gyda'r gosodiadau ac yn y diwedd yn dod o hyd i'r opsiwn i ddileu 'mhroffil. Daw neges i'r sgrin: *Wyt ti'n siŵr dy fod eisiau dileu dy gyfrif?* Cliciaf yn bendant ar YDW. Drws arall wedi'i gau. Af at Facebook a thynnu 'nghyfrif oddi ar-lein, gan anwybyddu'r holl hysbysiadau newydd eto.

Yna caeaf 'y ngliniadur a syllu ar y wal.

Wrth i'r niwl y pwl panig godi o'm meddwl, dechreuaf chwilio am atebion. Sut ddigwyddodd hyn? Pwy ddwedodd wrth *Celeb Watch* amdana i a Noah? Pwy ddwedodd wrthyn nhw am y blog?

Ollie sy'n dod i'r meddwl gyntaf. Fe yw'r unig berson sy'n gwybod mai Noah yw Noah Flynn. Ond dim ond dweud 'mod i wedi cwrdd ag e wnes i. Wnes i ddim sôn am unrhyw beth ddigwyddodd rhyngom ni. A dyw Ollie ddim yn gwybod am y blog. Yr unig berson sy'n gwybod yw Elliot.

Mae teimlad anesmwyth yn 'y mola. Fyddai Elliot ddim wedi gwneud rhywbeth fel 'na ... ond mae e wedi bod yn ymddwyn mor rhyfedd am Noah. Ac fe adawodd e'r neges sarcastig 'na ar 'y mlog i ddoe. Mae'n anodd credu y byddai e'n gwneud unrhyw beth fel 'na felly falle ... Ond doedd Elliot ddim yn gwybod pwy oedd Noah go iawn. Neu oedd e? Meddyliaf am 'i ymateb pan ddangosais i'r llun o Noah iddo fe. Ddwedodd e rywbeth amdano fe'n edrych yn gyfarwydd. Oedd e wedi'i nabod e, ond heb ddweud dim? Ai dyna pam newidiodd e'r pwnc mor gyflym? O Dduw Mawr, ai Elliot wnaeth ryddhau'r stori? Rhythaf ar wal fy stafell wely, gan ddychmygu Elliot ar yr ochr arall, yn anfon negeseuon dienw i *Celeb Watch*. Mae'r cyfan yn dechrau gwneud rhyw fath o synnwyr ofnadwy.

Roedd Elliot yn genfigennus o Noah a'r blogiau amdano fe. Yna gwelodd e'i lun a sylweddoli pwy oedd e, a gweld cyfle i sbwylio pethau unwaith ac am byth. Mae'n rhaid 'i fod e wedi canslo mynd mas gyda fi ddoe achos 'i fod e wedi cynllunio'r cyfan. A dyw e ddim wedi cysylltu â fi ers hynny. Dyw Elliot erioed wedi mynd am gyfnod mor hir heb guro ar wal y stafell wely, o leiaf. Mae'n rhaid 'i fod e wedi gweld yr holl ddatblygiadau ar-lein. Meddyliaf am 'i ymateb pan bostiodd Megan y fideo nicers hurt. Halodd e neges yn syth i fy rhybuddio i, a dod draw yn syth. Ond y tro hwn, dwi ddim wedi clywed wrtho fe o gwbl.

Wrth i'r gwirionedd erchyll 'y nharo i, dwi'n teimlo fel tase rhywun wedi 'mwrw i yn 'y mola. Yn gyntaf Noah a nawr Elliot. O leia ro'n i newydd gwrdd â Noah – o leia galla i roi'r bai ar y ffaith 'mod i'n ymddiried yn rhy rwydd mewn pobl. Ond Elliot? Mae Elliot a finnau'n nabod ein gilydd ers i ni fod yn blant bach. Fe yw fy ffrind gorau. Neu fe *oedd* fy ffrind gorau.

Dwi ar fin dechrau crio eto pan ddaw Mam i mewn â disgled o de. Mae'n 'i rhoi ar y bwrdd bach ac yn eistedd ar 'y ngwely. 'Ti'n siŵr nad oes rhywbeth mwy penodol yn dy boeni di, cariad? Rhywbeth licet ti siarad amdano?'

Siglaf 'y mhen, yn methu siarad rhag i mi ddechrau crio eto.

'Ocê, wel, ti'n gwybod ble ydw i os newidi di dy feddwl.'

Nodiaf, gan ganolbwyntio fy holl nerth ar orfodi 'ngheg i wenu. Ar ôl iddi fynd, eisteddaf, a'm llygaid ar gau, nes i Dad gyrraedd gyda phlatiad o grempogau.

'Ddefnyddiais i rysáit arbennig Sadie Lee,' medd, gan wenu.

Teimlaf saeth arall o boen wrth feddwl cymaint ro'n i'n hoffi Sadie Lee. Ond mae hi'n berson arall wnaeth 'y mradychu i.

Ar ôl i Dad fynd yn ôl lawr staer – ar ôl gwneud i fi addo gweiddi arno fe pryd bynnag y byddai angen rhywbeth arna i – rhof y crempogau i lawr a syllu i'r gwagle o 'mlaen. Teimlaf mor ddideimlad ac mor ofnadwy o flinedig. Y cyfan dwi eisiau'i wneud yw aros yn y gwely tan i hyn i gyd dawelu. Os tawelu fyth.

Bob tro y clywa i sŵn ebost ar fy ffôn, dwi'n teimlo saeth arall o boen. Yn y diwedd, penderfynaf ddiffodd y ffôn a'i rhoi gyda 'ngliniadur ar waelod y wardrob, dan domen o ddillad. Am sbel fach, mae hyn yn gwneud i mi deimlo'n ddiogel, fel tase neb yn gallu dod o hyd i mi nawr. Ond yna dwi'n dechrau dychmygu mynydd o negeseuon atgas yn tyfu yn y wardrob, yn barod i'm llorio i pan agora i'r drws.

Ac unwaith eto mae'r panig yn dechrau cydio ynof i. Ond y tro hwn dwi'n cofio beth i'w wneud. Y tro hwn dwi'n cau fy llygaid ac yn 'i ddychmygu yn 'y corff: pelen fawr ddu o ofn dan f'asennau. *Mae'n iawn*, meddaf wrth y belen – ac wrtha i fy hunan. *Mae'n iawn*. Ac yn lle mynd i banig a cheisio blocio'r pryder o fy meddwl, gorfodaf fy hunan i'w ddychmygu, a'i weld y tu mewn i fi. Yn ddu ac yn drwm ac yn ddychrynllyd. Anadlaf yn ddwfn drwy 'nhrwyn. Anadlaf eto. '*Mae'n iawn*,' sibrydaf yn uchel. A dechreua'r ofn grebachu ychydig. Ac, wrth iddo wneud hynny, sylweddolaf fod popeth yn iawn. Wnaiff yr ofn ddim fy lladd i. Ac yna daw syniad arall i fy meddwl. Ydy, mae'n ddychrynllyd, ac ydy, mae'n ofnadwy o boenus, ond wnaiff e ddim fy lladd i. *Mae'n iawn*. Cymeraf anadl ddofn arall. Mae'r ofn yn crebachu eto. Nawr mae e tua'r un maint â phêl dennis. Ac mae'n pylu'n raddol, o ddu i lwyd, i wyn, ac yna i aur. Cymeraf anadl arall. Y tu fas, clywaf wylan yn sgrechian. Meddyliaf am y môr a llwyddaf i wenu'n wan. Mae'n iawn. Galla i reoli hyn. Dychmygaf fy hunan yn eistedd ar y traeth, a'm corff i gyd yn llawn heulwen euraid. Mae'n iawn.

Eisteddaf fel hyn am o leiaf awr, a'm llygaid ar gau, yn canolbwyntio ar anadlu ac yn gwrando ar y gwylanod. Yna clywaf gnoc ar y drws.

'Pen, gaf i ddod i mewn?' medd Tom.

Agoraf fy llygaid a chodaf ar f'eistedd. 'Wrth gwrs.'

Wrth iddo fe gerdded i mewn, dwi'n gwybod 'i fod e'n gwybod. Dwi erioed wedi'i weld e'n edrych mor bryderus.

'Dwi newydd fod ar-lein,' medd, gan eistedd ar erchwyn 'y ngwely. 'Ydy e'n wir? Wnest ti a Noah Flynn ...?'

Edrychaf i lawr ar 'y nghoesau.

'Ife fe yw'r Noah mae Mam a Dad wedi bod yn sôn amdano byth a hefyd? Yr un buoch chi'n aros yn 'i dŷ e?'

Nodiaf, yna edrychaf lan ar Tom. 'Ond do'n i ddim yn gwybod pwy oedd e, wir. Do'n i erioed wedi clywed sôn amdano. Oeddet ti?'

Nodia Tom. 'O'n. Glywes i ar wefan gerddoriaeth 'i fod e wedi arwyddo cytundeb gyda'r un label â Leah brown a'u bod nhw'n mynd mas gyda'i gilydd. Ddwedodd e ddim wrthot ti?'

Ysgydwaf 'y mhen. 'Naddo! Fyddwn i byth yn dechrau perthynas gyda neb sy'n mynd mas gyda rhywun yn barod.'

Mae Tom yn gwgu. 'Felly ddwedodd e gelwydd wrthot ti?'

Nodiaf. 'Sut glywest ti am y peth?'

'Mae e dros Facebook i gyd. A Twitter. A Tumblr. A ... '

'Iawn, iawn.'

'Wyt ti wedi gweld beth mae pobl yn 'i ddweud?'

Nodiaf eto, gan deimlo dagrau'n llosgi fy wyneb. 'Dwi ddim yn gwybod beth i'w wneud, Tom. Mae ofn arna i.'

Mae Tom yn cydio yn fy llaw. 'Mae'n iawn, bach. Fe sortiwn ni hyn. Sut wnaeth y wefan 'na ddod i wybod?'

'Dim syniad. Mae'n rhaid bod rhywun wedi dweud wrthyn nhw.'

'Ond pwy?'

Codaf f'ysgwyddau. Alla i ddim dweud wrth Tom 'mod i'n

credu mai Elliot ddwedodd – ddim nes 'mod i'n hollol siŵr.

'Iawn, wel does dim ots am nawr. Beth sy'n bwysig yw dweud dy ochr di o'r stori.'

Dechreuaf deimlo'n bryderus yn syth. 'O na. Alla i ddim. Alla i ddim mynd ar-lein eto. Byth.'

Mae Tom yn edrych i fyw fy llygaid. 'Ti'n cofio pan ddechreuais i'r ysgol uwchradd a'r boi 'na Jonathan Price yn dechrau pigo arna i a dechrau lledu rhyw gelwyddau amdana i?'

'Yr un oedd yn dwyn dy ginio di?'

'Ie. Ac wyt ti'n cofio sut fyddwn i'n esgus bod yn dost ac yn erfyn ar Mam a Dad i adael i mi aros gartre?'

'Ydw.'

'Ac yna un diwrnod, ddwedaist ti wrtha i ...' a dyma Tom yn dechrau siarad mewn llais bach gwichlyd, *'Ond os na ei di'n ôl i'r ysgol byth eto, fydd neb yn sylweddoli 'i fod e'n dweud celwydd.'*

'Ddwedais i hynny?'

Mae Tom yn nodio.

'Ond do'n i ddim yn swnio fel smyrff.'

Mae Tom yn gwenu. 'O, oeddet. Ond ti oedd yn iawn. A dyna'r unig beth, mas o bopeth ddwedodd pobl wrtha i bryd hynny, y gwnes i wrando arno. Dyna wnaeth i fi fynd 'nôl i'r ysgol.'

Rhythaf arno. 'Wir?'

'Ie. Achos dy fod ti'n iawn. Tasen i ddim wedi mynd 'nôl a gwneud dim ond cuddio yn fy stafell wely, byddai pawb wedi'i gredu e,' gwena. 'A fydden nhw byth wedi dod i wybod 'mod i'n berson cwbl anhygoel, dawnus ac arbennig.'

Gwenaf. 'A diymhongar hefyd.'

'Ie, hynny hefyd. Ond mae'r un peth yn wir i ti nawr. Os wnei di guddio o'r golwg a gadael iddyn nhw ddweud y dwli 'na amdanat ti, yna chân nhw fyth y cyfle i weld dy fod ti'n berson cwbl anhygoel.'

Mae dagrau'n cronni yn fy llygaid. 'Tom!'

'Mae'n wir. Rwyt ti *yn* arbennig. Ac rwyt ti'n gwybod y bydda i'n gefn i ti bob amser, ond dwi wir yn meddwl y dylet ti ddweud rhywbeth. Rhoi dy ochr di o'r stori.' Mae Tom yn gwneud rhyw stumiau dig, fel y bydde fe'n gwneud wrth esgus ymladd gyda Dad. 'Wedyn dwi eisiau i ti roi cyfeiriad Noah Flynn i fi a dwi am fynd draw i Efrog Newydd neu ble bynnag mae e ac fe ladda i e.'

Chwarddaf.

'Dwi o ddifri, Pen – wel, y darn 'na am roi d'ochr di o'r stori 'ta beth.'

'Iawn, rho amser i mi feddwl.'

'Paid â jyst meddwl – gwna fe. Byddi di'n teimlo'n llawer gwell. Ro'n i'n bendant yn teimlo'n well ar ôl mynd 'nôl i'r ysgol a dwcud wrth Jonathan Price ble i fynd.' Mae Tom yn rhoi cwtsh i fi. 'Dwi'n dy garu di, Pen-Pen.'

'Dwi'n dy garu di hefyd. Ond plis paid â dweud wrth Mam a Dad am hyn. Ti'n gwybod sut maen nhw ynglŷn â'r we. Dwi ddim eisiau iddyn nhw boeni.'

Nodia Tom 'i ben. 'Iawn. Af i ddim 'nôl i'r coleg am gwpwl o ddyddiau, jyst rhag ofn y bydd angen i fi dy helpu di.'

'Wir? Ond ei di ddim i drwbwl?'

'Na wnaf, dwi byth yn mynd i drwbwl.' Mae Tom yn gwenu arna i a dwi'n teimlo mor ddiolchgar nes 'mod i bron â ffrwydro. Falle 'mod i wedi colli Noah ac Elliot ond bydd 'y nheulu gyda fi bob amser. Y teulu gorau yn y byd.

Pennod Pedwar deg

Ar ôl i Tom fynd, dwi'n rhoi 'ngliniadur 'nôl yn fy wardrob ac yn llenwi bath twym i mi fy hunan. Af trwy 'masged o bethau bath cyn dod o hyd i swigod o'r enw *Chill Out Bliss*. Wrth i gynhesrwydd y dŵr sebonllyd dreiddio at f'esgyrn, teimlaf yn dawel fy meddwl, mewn ffordd ryfedd. Dwi'n drist ac mae popeth yn brifo, ond dwi ddim yn teimlo'n ddiymadferth. Rhof 'y mhen dan y dŵr a theimlaf 'y ngwallt yn arnofio o 'nghwmpas.

'Ti'n fy atgoffa i o fôr-forwyn,' atseina geiriau Noah yn y cyntedd tanfor yn rownd 'y mhen, gan wneud i fi godi ar f'eistedd. Wrth i mi wasgu'r dŵr o 'ngwallt daw corws o gwestiynau sut i lenwi fy meddwl. *Sut allai e ymddangos mor neis ac mor ddiffuant? Sut allai e ddweud celwydd mor rhwydd? Sut allai e wneud hynny i mi?* Ond gorfodaf fy hunan i anwybyddu'r cwestiynau. Does dim ots sut. Y ffaith yw, fe wnaeth e'r pethau hyn i gyd.

Dof mas o'r bath a thaenu fy hoff hufen croen dros 'y nghorff. Yna lapiaf fy hunan yn 'y ngŵn gwisgo clyd a mynd 'nôl i'r stafell wely. Dwi'n cynnau 'ngoleuadau bychain – a meddwl yn syth am y babell wnaeth Noah i mi Nos Galan. Diffoddaf y goleuadau a chynnau'r lamp wrth 'y ngwely.

Drws nesaf, clywaf ddrws stafell wely Elliot yn cau gyda chlep. I atal y boen o feddwl am Noah, meddyliaf am Elliot – a dechrau teimlo'n grac. Mae'n rhaid 'i fod e wedi gweld yr hyn sy'n digwydd ar-lein erbyn hyn, ond does 'na ddim un gnoc wedi bod ar y wal. Dim negeseuon na galwadau ffôn chwaith. Oni bai'i fod e wedi trio cysylltu â fi pan o'n i yn y bath. Teimlaf lygedyn o obaith ac af draw at y wardrob i nôl fy ffôn.

Pan welaf nad oes negeseuon, mae 'ngobaith yn troi'n ôl i ddictcr. Mae'n rhaid mai fe oedd e. Meddyliaf am eiriau Tom gynnau a dwi'n gwybod beth mae'n rhaid i fi'i wneud. Alla i ddim cuddio yn fy stafell wely. Mae'n rhaid i fi fynd draw i'w weld e, a siarad yn gwbl agored gydag e am hyn.

Dim ond wrth fynd lan dreif Elliot dwi'n sylweddoli nad ydw i wedi rhoi blaen 'y nhroed yn 'i dŷ e ers blynyddoedd. Alla i ddim hyd yn oed cofio sut sŵn sydd gan gloch y drws. Wrth i mi bwyso ar fotwm y gloch, clywaf sŵn canu *ding- dong*. Ac mae'r drws yn agor. Mae'i dad yn edrych arna i fel tasen i wedi torri ar 'i draws wrth iddo wneud y peth mwyaf cyffrous yn y byd. Mae'n edrych ar bawb, hyd yn oed Elliot, fel hyn drwy'r amser.

'Ie?' medd yn ymholgar, fel tase fe ddim hyd yn oed yn gwybod pwy ydw i.

'Ydy Elliot i mewn, plis?'

Ochneidia. 'Aros funud.' Ac yna mae'n gwthio'r drws, gan 'y ngadael i mas yn yr oerfel.

'Elliot!' gwaedda. 'Mae rhywun wrth y drws.'

Clywaf lais Elliot, ond mae'n rhy aneglur i fi allu deall beth mae'n ddweud. Mae'r drws yn ailagor a'i dad yn ailymddangos.

'Mae arna i ofn na all e ddod at y drws ar hyn o bryd.'

'Beth? Ond ...'

'Diolch. Hwyl fawr.' A dyna ddiwedd. Mae'r drws yn cau ac mae e wedi mynd.

Rhuthraf adre, yn syth i fy stafell. Dwi'n benwan. Syllaf ar wal y stafell wely, yn difaru nad oes cod arbennig gan Elliot a minnau i ddweud *Dwi'n dy gasáu di, y llwfrgi!* Ond does gyda ni ddim byd tebyg i hynny gan na fu erioed angen cael rhywbeth o'r fath. Dy'n ni erioed – erioed – wedi cwympo mas. Tan nawr.

Eisteddaf ar 'y ngwely ac edrych o gwmpas y stafell mewn anobaith. Pam fyddai Elliot yn gwneud rhywbeth fel hyn i fi? Pam fyddai e'n gwneud rhywbeth mor ofnadwy, ac yna cuddio oddi wrtha i fel hyn? Ond all e ddim cuddio oddi wrtha i am byth. Dwi'n ystyried cadw golwg wrth fy ffenest er mwyn i mi allu ymosod arno fe wrth iddo fe adael y tŷ. Ond byddai hynny'n wallgo.

Ystyriaf ddrilio twll yn y wal, er mwyn estyn dwrn trwyddo i'w daro fe, ond mae hynny hyd yn oed yn fwy gwallgo. Yn y diwedd, estynnaf fy ffôn o'r wardrob ac anfon tecst ato.

> Alla i ddim credu dy fod ti wedi gwneud hyn i fi.
> Pa fath o ffrind gorau wyt ti?!

Wrth i fi bwyso 'anfon', teimlaf don newydd o dristwch. *Dwi ddim ar 'y mhen y'n hunan*, cofiaf, gan feddwl am Mam a Dad a Tom. *Dwi ddim ar 'y mhen y'n hunan*. Ond y cyfan y galla i'w deimlo yw unigrwydd a cholled.

Syllaf ar fy ffôn, yn aros am ateb. Ond does dim. Dwi'n teimlo'n fwy rhwystredig fesul eiliad. Sut all e a Noah fod mor gas? Sut allan nhw achosi poen fel hyn i fi, yna cuddio oddi wrtha i?

Ac yna, gwnaf y peth gwaethaf posib. Estynnaf 'y ngliniadur o'r wardrob a mynd ar-lein.

Yn gyntaf, edrychaf ar gyfrif Twitter Elliot i weld a yw e wedi'i ddiweddaru'n ddiweddar. Wn i ddim am beth dwi'n chwilio, yn union – prawf 'i fod e wedi bod ar-lein, sylwadau cas amdana i ... ond roedd 'i drydariad dwetha ar ddiwrnod Nadolig.

Y Nadolig. Gwaetha. Erioed.

Alla i ddim tsecio'i gyfrif Facebook heb atgyfodi 'nghyfrif i, felly gadawaf hwnna ac edrych ar Instagram. Dyw e ddim wedi postio ers 'i ddiwrnod olaf yn Efrog Newydd – hunlun ohona i a fe wrth y bwrdd brecwast, yn gwenu o glust i glust ar bwys potel o surop masarn. Am eiliad, dwi'n dymuno y gallwn i deithio'n ôl i'r diwrnod y cafodd y llun 'i dynnu er mwyn stopio popeth rhag mynd o chwith mewn ffordd mor ofnadwy. Ond yna, teimlaf saeth o ddicter. Nid fi oedd yr un wnaeth achosi i bopeth fynd o'i le.

Ac yna gwnaf rywbeth twp iawn. Af ar *Google* a chwilio am Noah Flynn. Erbyn hyn mae'r prif ganlyniadau i gyd yn gysylltiedig â fi. Gwelaf bennawd newydd o'r wefan *Celeb Watch: Chwalfa Noah Flynn ar ôl Marwolaeth ei Rieni.*

Cliciaf ar y ddolen â bysedd crynedig.

Mae'n rhaid bod Noah Flynn yn difaru twyllo ei gariad gyda'r blogiwr o Brydain Penny Porter, sy'n galw'i hunan yn Merch Ar-lein. Cyfrinach arall sy'n cael ei datgelu ar flog Penny yw bod Noah wedi dioddef o salwch meddyliol ar ôl marwolaeth drasig ei rieni bedair blynedd yn ôl.

Ai dyma'r esboniad rheswm am ei ddewisiadau annoeth dros y gwyliau? A yw e'n dal i gael trafferth ymdopi â'i golled? Gwrthododd llefarydd ar ran y seren newydd wneud unrhyw sylw ar y mater. Mae Leah Brown hefyd wedi gwrthod siarad am y storom ar-lein ynglŷn â'r pâr. Mae Merch Ar-lein bellach wedi dileu ei holl flogiau sy'n cyfeirio at 'Fachgen Brooklyn' ond yn rhy hwyr gan fod y difrod wedi'i wneud.

Mae dolen ar waelod yr erthygl hefyd at erthygl arall, â'r teitl: *Merch Ar-lein yn Datgelu Hoff Leoedd Noah Flynn yn Efrog Newydd.*

Dwi ddim yn clicio arni. Alla i ddim. Dwi'n teimlo gormod o sioc ar ôl darllen y pennawd. Am beth maen nhw'n siarad? Pa chwalfa? Oes hawl gyda nhw i greu straeon dwl fel 'na? Wedyn meddyliaf am y blog sgrifennais i am wynebu ofnau a'r hyn ddwedais i am yr ymarfer rannodd Noah gyda fi. Wnes i ddim hyd yn oed crybwyll 'i rieni. Dweud wnes i 'i fod e wedi colli pobl oedd yn bwysig iddo fe. Syllaf ar y sgrin mewn anghrediniaeth. Sut allan nhw wneud hyn? Sut allan nhw wyrdroi pethau fel hyn?

Cliciaf 'nôl at fy chwiliad, gan bendilio rhwng euogrwydd a dicter. Edrychaf ar y rhestr o ganlyniadau nes i fi weld un sy'n gwneud i fi grynu mewn ofn: *Y Ferch oedd gyda Noah Flynn y Tu Ôl i Gefn Leah Brown – Ie, wir!*

Cliciaf ar y ddolen, sy'n arwain yn syth at y fideo ohona i ar YouTube yn cwympo ar y llwyfan. Sut wnaethon nhw ddod o hyd i hwnnw? Ond does dim angen athrylith i ddeall. Yn anffodus, ar wahân i 'mlog i, y fideo dwl yna oedd f'unig bresenoldeb ar-lein tan heddiw. Erbyn hyn mae miloedd o bobl wedi rhoi sylwadau. Dwedaf wrth fy hunan am gau'r gliniadur a'i roi e'n ôl yn y wardrob, ond mae fel tasen i'n gwneud ymdrech fwriadol i ddinistrio fy hunan. Edrychaf drwy'r sylwadau.

'*Ych, afiach*' a '*Am olwg*' yw rhai o'r sylwadau mwyaf caredig yno. Mae'r gweddill mor ofnadwy fel na alla i gredu fy llygaid. Yn amlwg, mae ffans Leah Brown wedi dechrau ymgyrch fawr o gasineb yn f'erbyn i.

'Penny, dere i lawr i gael swper,' medd Mam, gan weiddi o waelod y grisiau.

Ochneidiaf. Dwi bron â dweud nad oes chwant bwyd arna i ond byddai hynny'n gwneud iddyn nhw boeni. Felly llusgaf fy hunan lawr staer, a 'mhen yn llawn meddyliau am Elliot. Mae'n rhaid 'mod i wedi achosi poen ofnadwy iddo fe cyn iddo fe allu gwneud hyn i fi. A diweddu ein cyfeillgarwch fel hyn. Af i mewn i'r gegin ac eistedd wrth y bwrdd.

'Ti'n iawn?' Mam sy'n gofyn y cwestiwn, ond mae hi, Dad a Tom yn syllu arna i, yn llawn pryder.

'Ydw. Ydw, dwi'n iawn.'

'Mae rhywun wedi gofyn i mi wneud jobyn arall yn Efrog Newydd,' medd Mam, gan eistedd wrth f'ochr. 'Dawns San Ffolant.' Mae hi'n edrych arna i'n llawn cynnwrf. 'Dwi wedi bod yn trio cysylltu â Sadie Lee i weld a allai hi wneud y bwyd ond dyw hi ddim yn codi'i ffôn.'

'Dwi'n siŵr nad yw hi,' medd Tom dan 'i anadl.

Gwgaf arno ac ysgwyd 'y mhen.

'Beth?' Edrycha Mam arno'n chwilfrydig.

Mae Tom yn syllu i lawr ar 'i blât. 'Dim byd.'

Mae Mam yn edrych 'nôl arna i. 'Newyddion gwych, on'd yw e? Gallwn ni i gyd fynd draw yno eto.'

Na, dyw e ddim! Dwi eisiau gweiddi. *Dyna'r newyddion gwaethaf allet ti'i ddweud wrtha i, byth! Os rhodda i flaen 'y nhroed ar dir America nawr, dwi'n siŵr o gael fy saethu!* Ond rywsut, gorfodaf fy hunan i nodio.

Wrth i Mam a Dad siarad yn llawn cyffro am sut mae'r gwaith

'ma yn America wedi rhoi hwb mawr i'r busnes, canolbwyntiaf ar orfodi fy hunan i fwyta lasagne heb dagu. Mae hi mor rhyfedd meddwl am yr adeg y gwnaeth Megan bostio'r fideo yna ohona i. Bryd hynny, dychmygu'r ysgol i gyd yn gweld 'y nillad isaf oedd y peth gwaethaf erioed. Ond nawr mae'r byd a'r betws wedi'u gweld nhw. Nawr, diolch i Elliot, dwi wedi mynd yn feiral go iawn. Fel y Pla Du. Neu'r Frech Wen. Gwych.

Llwyddaf i fwyta hanner fy swper tan i'r ysfa i ddychwelyd i fy stafell wely fy llethu. Diolch byth, mae Mam a Dad yn dal i sgwrsio'n frwd am themâu San Ffolant felly d'yn nhw ddim yn sylwi ar y bwyd sydd ar ôl ar 'y mhlât. Yn syth ar ôl cyrraedd fy stafell, edrychaf ar fy ffôn i weld a oes ateb oddi wrth Elliot ond does dim.

'Iawn!' meddaf yn ddig wrth y wal.

Ond yna, daw'r ysfa hunanddinistriol drosta i eto, a dechreuaf edrych drwy'r lluniau ar 'y nghamera. Pan welaf un o Noah, mae 'mys yn hofran dros y botwm dileu. Ond am ryw reswm rhyfedd, alla i ddim mo'i bwyso. Af ymlaen tan i fi gyrraedd y lluniau o'r stafell yn y Waldorf Astoria. I ddechrau, mae'r cyfan yn teimlo fel breuddwyd; fel tasen i erioed wedi aros yno. Ond yna, mae manylion bach yn dal fy llygaid. Y flanced ar y gadair. Y lleuad oren. Y Dywysoges Hydref ar 'y ngobennydd. Digwyddodd y pethau hyn. Ro'n nhw'n real. Hyd yn oed os oedd Noah yn dweud celwydd, ro'n i'n gwbl onest. Bues i yn y stafell 'na. Eisteddais i yn y gadair 'na. Ac fe deimlais i am y tro cyntaf mai fi oedd yn rheoli 'mywyd y'n hunan.

Yna, daw syniad da i'm meddwl i. Tynnaf y cerdyn cof o'r camera a'i osod yn 'y ngliniadur. Anfonaf y lluniau o'r stafell yn y gwesty at yr argraffydd. Yna, sticiaf nhw o gwmpas ymyl drych 'y mwrdd gwisgo fel ffrâm. Edrychaf ar bob llun yn 'i dro. Yn rhannol, Noah oedd yn gyfrifol am y ffordd ro'n i'n teimlo yn y stafell 'na. Ond fi oedd yn bennaf gyfrifol. Fi ddewisodd wynebu f'ofnau a hedfan i Efrog Newydd. Fi ddewisodd gredu ynof i fy hunan. Fi ddewisodd ymddiried yn Noah a chwympo mewn cariad. Dwi'n berson da. Does dim ots beth ddywedith unrhyw un amdana i ar-lein. Dwi'n gwybod beth yw'r gwirionedd. Fy stori i yw hon, nid 'u stori nhw. A falle nad yw hi, yn y diwedd, yn stori ramantus berffaith, ond dyw hynny ddim yn golygu na chaf i stori ramantus berffaith ryw ddydd. Gall 'y mywyd i ddatblygu fel dwi eisiau iddo fe'i wneud – cyn belled â 'mod i'n cofio mai 'mywyd i yw e. Nid 'u bywyd nhw.

Gwelaf f'adlewyrchiad yn y drych. Dwi'n edrych fel clwtyn llestri ac mae fy llygaid yn goch ar ôl yr holl grio. Ond tynnaf 'y ngwallt i lawr a'i ysgwyd yn rhydd. Dwi'n dal i ddwlu ar y lliw coch. Dwi'n teimlo'r un peth amdano fe, hyd yn oed os mai celwydd oedd geiriau Noah am 'y ngwallt. Diffoddaf 'y ngliniadur a'r ffôn, ac af i mewn i'r gwely.

Pennod Pedwar deg un

Y peth cyntaf wnaf i ar ôl codi fore trannoeth yw eistedd wrth y bwrdd gwisgo a syllu ar y lluniau eto, gan amsugno'r atgofion positif, fel batri'n cael 'i ailwefru. Ar ôl tua deg munud, dwi'n teimlo'n barod i fynd lawr staer. Mae Tom wedi codi ac yn eistedd wrth y bwrdd.

'Dwi'n mynd i roi lifft i ti i'r ysgol,' medd yn syth o 'ngweld i. 'A dwi'n mynd i aros tu fas yn y car drwy'r dydd, rhag ofn y byddi di eisiau rhywbeth.'

'Beth? Alli di ddim gwneud hynny!'

'O gallaf.'

'Ond beth os wnei di farw o ddiflastod?'

Mae Tom yn gwenu. 'Digon posib. Bydd 'y ngliniadur i gyda fi, i orffen 'y nhraethawd coleg.'

Gwenaf 'nôl arno. 'Diolch.'

Mae Tom yn rhoi'i fraich o'm cwmpas. 'Alli di wneud hyn, ti'n gwybod.'

Wrth i mi gerdded i'r ysgol, dwi'n adrodd 'i eiriau fel mantra. *Alla i wneud hyn. Alla i wneud hyn.*

Dwi'n teimlo fel tase arwydd neon uwch 'y mhen yn dweud TAWELWCH achos bod pawb sy'n cerdded heibio yn stopio siarad yn syth ar ôl sylwi arna i. Ond does dim ots gyda fi am y tawelwch. Mae unrhyw beth yn well na'r casineb oedd yn cael 'i anelu ata i ddoe. Hyd yn oed pan fydd pobl yn rhoi pwniad bach i'w gilydd ac yn syllu arna i, dwi ddim yn becso. Mae'n rhyfedd, achos 'mod i wedi treulio 'mlynyddoedd ysgol, gan mwyaf, yn teimlo'n anweledig yng nghysgod Megan. Ond ddim nawr. Erbyn hyn, ble bynnag af i, mae pobl yn sylwi arna i. Mae hyd yn oed y plant mewn blynyddoedd eraill fel tasen nhw'n gwybod pwy ydw i. Wrth i mi gerdded i lawr y cyntedd i fy stafell gofrestru, meddyliaf am Tom, wedi parcio y tu fas i'r ysgol yng nghar Dad. Dwi mor falch na wnes i'i berswadio fe i fynd adre.

Wrth i fi gerdded i mewn i'r stafell gofrestru, mae pawb yn stopio siarad ac yn syllu arna i. Ond mae'n iawn. Roedd cerdded trwy'r ysgol yn ymarfer bach ar gyfer y foment hon. A fydd dim angen i fi wynebu Megan ac Ollie tan y wers ddrama gan 'u bod nhw mewn dosbarthiadau cofrestru gwahanol.

Af at y bwrdd ar bwys Kira ac Amara. Maen nhw'n edrych arna i fel tasen i wedi tyfu pen arall.

'Helô,' meddaf, mor bwyllog a hyderus ag y galla i.

'O, helô,' medd Amara. 'Sut wyt ti?' Mae hi'n swnio fel tase wir ots gyda hi sut ydw i.

'Iawn.' Tynnaf 'y nghadair 'nôl ac eistedd.

'Wyt ti'n siŵr?' medd Kira, gan bwyso mlaen ata i.

Nodiaf gan gnoi 'ngwefus. Mae pryder y ddwy amdana i'n gwneud i fi fod eisiau crio.

Dwi'n ymwybodol bod pawb arall yn edrych arnom ni, ac mae fy wyneb yn teimlo'n dwym.

Mae Kira'n tynnu 'i chadair hyd yn oed yn agosach ataf. 'Ydy'r stori'n wir? Wnest ti...?'

Ysgydwaf 'y mhen. 'Naddo.'

'Naddo?' sibryda Amara. Mae Kira a hithau'n edrych ar 'i gilydd.

'Naddo. Ddwedodd rhywun lwyth o gelwyddau wrth y wefan 'na.'

'Felly nid ti yw Merch Ar-lein?' medd Amara.

'Ie, fi yw Merch Ar-lein. Fi oedd Merch Ar-lein. Ond dyw'r gweddill ddim yn wir. Ddim yn y ffordd maen nhw'n esbonio pethau.'

'Alla i ddim credu mai ti yw Merch Ar-lein. Dwi'n dwlu ar Merch Ar-lein,' medd Kira gan wenu. 'Ffeindiais i'r blog wrth wneud chwiliad Gwgl am Snooper's Paradise. Roedd y blog wnest ti am dyllau yn y pafin mor ddoniol!'

'Dwi'n dwlu arno fe hefyd,' medd Amara, gan nodio'n frwd.

'Wir?' Mae llygedyn o obaith. Maen nhw'n ofnadwy o neis. Dy'n nhw ddim yn 'y marnu i o gwbl.

Mae'r efeilliaid yn symud 'u cadeiriau fel 'u bod nhw reit ar bwys 'y mwrdd i.

'Felly, ai rhywun arall oedd Bachgen Brooklyn, 'te?' hola Kira.

Anadlaf yn ddwfn. 'Nage. Noah Flynn oedd – yw – e, ond ... ' Daw ton o embaras i 'mwrw i. 'Do'n i ddim yn gwybod pwy oedd e. Ddwedodd e ddim wrtha i'i fod e'n gerddor, a do'n i ddim wedi clywed amdano fe cyn hynny ta beth.'

'Do'n i ddim chwaith,' medd Amara.

Mae Kira'n ysgwyd 'i phen ac yn ochneidio. 'Felly ddwedodd e gelwydd wrthot ti?'

Nodiaf. Tybed faint o amser gymerith hi tan i fi allu cydnabod hyn heb deimlo'n sâl?

Mae Amara'n rhoi 'i llaw dros fy llaw ar y bwrdd. 'Mae hynny mor ofnadwy.'

Llyncaf 'y mhoer. Alla i ddim crio nawr. Ddim a phawb yn edrych arna i.

'Doedden ni ddim yn gallu credu'r peth pan glywon ni,' medd Kira. 'Ddwedais i wrth Megan na fyddet ti byth wedi gwneud rhywbeth fel 'na. Do'n i ddim hyd yn oed yn credu mai ti oedd Merch Ar-lein. Ond wedyn roedd y cyfan ar y we a ...'

'Iawn 'te, iawn 'te, y taclau drwg, mae'r gwyliau ar ben. Gawn ni ychydig o drefn fan hyn, plis?' Ry'n ni'n troi'n pennau i weld ein hathro, Mr Morgan, yn sefyll wrth y drws.

Mae'r efeilliaid yn symud 'u cadeiriau 'nôl at 'u bwrdd ac yn ymbalfalu yn 'u bagiau am 'u hamserlenni. Ond dwi'n eistedd yno'n llonydd, a geiriau Kira'n atseinio yn fy meddwl. *'Ddwedais i wrth Megan na fyddet ti byth wedi gwneud rhywbeth fel 'na. Do'n i ddim hyd yn oed yn credu mai ti oedd Merch Ar-lein. Ond wedyn roedd y cyfan ar y we a ... Ond wedyn roedd y cyfan ar y we ...'*

Does gyda fi ddim syniad beth oedd testun y wers gyntaf. Allwn i ddim meddwl am unrhyw beth heblaw am, *Sut roedd Megan yn gwybod am 'y mlog i cyn i'r newyddion dorri ar-lein?* Byddai Ollie wedi gallu dweud wrthi hi amdana i'n cwrdd â Noah ond doedd e'n gwybod dim am y blog. Am eiliad, caf syniad gwallgo, sef bod Elliot wedi dweud wrthi rywsut, cyn sylweddoli fod hynny'n gwbl hurt. Ond, tase Megan yn gwybod rywsut am y blog a Noah cyn i hynny fynd ar-lein, allai hi fod wedi datgelu'r cyfan? Aiff y wers gyntaf yn boenus o araf ond ar ôl i'r gloch ganu af yn syth draw at fwrdd yr efeilliaid.

'Pryd ddwedodd Megan wrthoch chi am y blog?'

'Nos Fawrth,' medd Kira, gan roi'i phethau 'nôl yn 'i bag. 'Ro'n ni yn Costa ac fe ddangosodd 'i ffôn i ni. Doedd hi ddim yn sylweddoli ein bod ni'n tanysgrifio i'r blog yn barod!'

'Gobeithio dy fod ti am ddal ati â'r blog,' medd Amara, 'ti'n gwybod, unwaith y bydd y ffŷs 'ma wedi tawelu. Ti'n sgwennu am bethau grêt.'

Gwenaf yn wan. 'A beth ddwedodd hi am – am Noah?'

'Dweud 'i fod e wedi mynd tu ôl cefn Leah Brown, gyda ti.'

'Ro'n i'n grac gyda hi pan ddwedodd hi hynny,' medd Kira. 'Ddwedais i na fyddet ti byth yn gwneud rhywbeth fel 'na. Ddim yn fwriadol, ta beth.'

Gwenaf 'nôl arni. 'Diolch.'

'A bod yn onest, dwi ddim yn credu 'mod i'n hoffi Megan lot erbyn hyn,' medd Kira. 'Do'n i ddim yn gallu credu pan bostiodd hi'r fideo 'na ohonot ti ar Facebook ar ôl y ddrama.'

Teimlaf ysfa i roi cwtsh mawr i Kira, ond dwi'n poeni y byddai hynny'n gwneud i fi ddechrau crio.

'Dewch, dewch ledis. On'd oes gwers 'da chi i fynd iddi?' galwa Mr Morgan arnom o flaen y dosbarth.

'Welwn ni di amser cinio?' hola Amara.

Nodiaf.

'Paid â phoeni, fe edrychwn ni ar d'ôl di,' medd Kira.

'Gwnawn. Ti yw Merch Ar-lein,' ychwanega Amara. 'Ni yw dy ffans mwyaf.'

Mae cynhesrwydd y sgwrs â'r efeilliaid yn para tan i fi gyrraedd yr adran ddrama – sef tua dwy funud. Wrth gerdded ar hyd y cyntedd tuag at y dosbarth, mae meddwl am weld Megan ac Ollie'n corddi fy stumog. Dwi'n hwyr yn cyrraedd ac mae pawb wedi mynd i mewn, ond does dim sôn amdanyn nhw ill dau chwaith.

'Pen!' ebycha Galwa-Fi'n-Jeff wrth imi gerdded i mewn. 'Sut wyt ti?'

Galla i weld yn syth 'i fod e'n gwybod wrth deimlo dros ugain pâr o lygaid yn treiddio trwydda i. Dychmygaf fy stafell yn y Waldorf. Atgoffaf fy hunan mai 'mywyd i yw hwn, nid 'u bywyd nhw. Mae Megan ac Ollie gartre'n dost ac mae'r holl bobl y gwnes i ddychmygu'n bod yn gas wrtha i yn ymddwyn yn ddigon caredig a dweud y gwir. Falle nad ydyn nhw'n gwybod sut i ddelio â'r peth, neu falle nad oes gan Leah Brown lawer o ffans yma. Beth bynnag yw'r rheswm, mae Kira ac Amara'n hyfryd ac mae pawb arall yn gadael llonydd i mi. Cyn mynd 'nôl i wersi'r prynhawn, af mas yn glou i weld Tom. Mae e wedi cwympo i gysgu wrth y llyw. Curaf ar y ffenest i'w ddihuno.

'Beth sy'n bod?' hola, â phanig yn 'i lygaid.

'Mae'n iawn – galli di fynd adre,' meddaf wrtho.

Mae'n rhwbio'i lygaid. 'Ti'n siŵr?'

'Ydw, mae pawb yn iawn gyda fi. Wir. Cer adre. Cer i gael bach o gwsg – yn dy wely.'

Mae Tom yn gwgu. 'Iawn, wel byddai'n gadael fy ffôn ymlaen felly ffonia fi os fyddi di f'eisiau i ac fe ddof i'n syth yma.'

Gwenaf. 'Dim problem.'

Gwyliaf Tom yn gyrru bant a dwi ar fin mynd i mewn i'r ysgol pan deimlaf fy ffôn yn dirgrynu ym mhoced fy siaced ysgol. Tynnaf hi mas a gweld bod gyda fi neges destun oddi wrth Elliot. Mae 'nghalon yn curo'n drwm wrth 'i hagor.

> Plis paid â 'nghasáu i. Aeth Dad â 'ngliniadur a'm ffôn i a dim ond nawr ces i nhw'n ôl. Ro'n ni ar ganol cweryl enfawr pan alwaist ti heibio ac allwn i ddim dy wynebu di. ON Dwi wedi rhedeg bant.

Chwiliaf am gliwiau yn y tecst i weld p'un ai Elliot a ddatgelodd y stori amdana i. Alla i ddim gweld cliw felly anfonaf ateb, yn blwmp ac yn blaen.

Ife ti ddwedodd wrth y wefan 'na amdana i a Noah?

Pa wefan? Na, ond dwi'n teimlo'n ofnadwy am y sylw sgwennais i ar dy flog di. Mae pethau wedi bod yn ofnadwy gartre, do'n i ddim yn meddwl yn iawn. ON: DWI WEDI RHEDEG BANT, HYNNY YW WEDI RHEDEG BANT O GARTRE!!

Dim Elliot wnaeth. Dim fe ddatgelodd y stori. Dwi'n teimlo rhyddhad llwyr o wybod hynny, ond hefyd euogrwydd o feddwl y gallai wneud hynny, byth.

Beth wyt ti'n feddwl rhedeg bant? Ble wyt ti?

Ar y pier

Rwyt ti wedi rhedeg bant i'r pier?!!

Nagw!!! Dwi 'di rhedeg bant ac yn sefyll ar y pier ar hyn o bryd. Rhaid i fi dy weld di xxx

Dechreuaf gerdded i lawr yr heol o gyfeiriad yr ysgol gan decstio wrth fynd.

Rhaid i fi dy weld di hefyd! Xxx

Alli di ddod i gwrdd â fi? Plis? Wna i hyd yn oed chwarae'r gêm 2 geiniog hurt 'na ...

Ar fy ffordd

Pan wela i Elliot yn pwyso yn erbyn y gêm dwy geiniog yn yr arcêd, dwi'n gwybod bod rhywbeth mawr o'i le. Mae'n gwisgo siaced anferth Puffa, lliw gwin, pâr anferth o welingtons gwyrdd a het Rwsiaidd ffwr ffug, ac am unwaith dyw e ddim wedi llwyddo i wneud i'r cyfuniad rhyfedd edrych yn cŵl.

'Beth ddigwyddodd?' medd y ddau ohonom yn union yr un pryd.

'Jincs!' meddwn ni'n dau, eto'n union yr un pryd. Edrychwn ar ein gilydd am eiliad cyn dechrau chwerthin. Yna mae Elliot yn rhoi cwtsh i mi, ac mae'r chwerthin, o fewn dim, yn troi'n ddagrau.

'Alla i ddim anadlu,' pesychaf, wrth geisio tynnu fy wyneb o'i siaced Puffa anferthol.

'Sori. Sori,' medd Elliot gan gamu'n ôl. 'O, Pen, mae'n wir flin 'da fi.'

'Am beth?' meddaf, gan deimlo'r tamaid olaf o amheuaeth yn brigo i'r wyneb.

'Am y sylw dwl 'na wnes i ar dy flog di am addunedau blwyddyn newydd. Dwi wedi bod yn gymaint o dwpsyn ond mae lot wedi bod yn digwydd gartre – dwi wir eisiau esbonio.'

Edrychaf arno. 'Wyt ti wir wedi rhedeg bant?'

Mae Elliot yn nodio'i ben yn ddifrifol. 'Yn anffodus, ydw. O heno mlaen, hen grwydryn ffôl ydw i, un o eneidiau coll ein gwlad.'

'Mae'n ganol gaeaf. Wnei di rewi.'

'Pam wyt ti'n credu 'mod i'n gwisgo'r stwff 'ma?' amneidia Elliot at 'i wisg ryfedd. 'Dwi ddim wedi gwisgo fel pysgotwr *chavvy* o Rwsia am hwyl, ti'n gwybod. Trio osgoi cael hypothermia ydw i!'

'Ond pam wyt ti'n rhedeg bant?'

'Mae Dad yn dweud y gwnaiff e 'niarddel i o'r teulu os caf i gariad sy'n fachgen.'

Mae Elliot yn troi ac yn rhythu ar y peiriant dwy geiniog. Mae'r fflachiadau'n taflu patrymau o oleuni ar 'i wyneb.

'Beth?' syllaf arno mewn braw.

Mae Elliot yn edrych 'nôl arna i a dagrau lond 'i lygaid.

'Mae e wedi dweud na chaf i gario 'mlaen i fyw dan yr un to â fe os bydda i byth yn ...' Mae Elliot yn meimio dyfynodau – '"yn hoyw mewn gair a gweithred". Ac yna bore ddoe, aeth pethau o ddrwg i waeth ac fe aeth e â 'ngliniadur a'm ffôn i.'

'Beth? Ond pam?'

'Achos 'i fod e wedi penderfynu 'mod i wedi cwrdd â rhywun tra o'n i yn America a doedd e ddim eisiau i fi gysylltu ag e.'

'Ond pam roedd e'n meddwl hynny?'

'Wyt ti'n cofio'r ymgyrch oedd gen i i sbwylio Nadolig fy rhieni?'

Nodiaf. 'Hank yr Hell's Angel?'

'Ie. Wel, falle nad oedd hynny'n syniad rhy dda.'

'O na.'

'Ddwedais i wrth Dad, "Alli di ddim stopio rhywun yn 'u harddegau rhag mynd ar-lein; mae hynny fel tynnu ocsigen oddi wrtho fe".'

'Beth ddwedodd e wedyn?'

'Cyfreithiwr yw e. Fe ddyfynnodd e lwyth o gyfreithiau tan iddo dorri 'nghalon i'n llwyr. Dyna pryd ddest ti i'r drws, dwi'n credu.' Mae'n gwgu arna i. 'Pam na wnest ti guro ar y wal? A pham halest ti decst mor grac ata i? Ife'r sylw ar y blog oedd y broblem? Ie, on'defe? Sori. Dwi wedi bod mor genfigennus a dwi'n teimlo'n ofnadwy am hynny nawr.'

Rhythaf arno. 'Beth wyt ti'n feddwl? Cenfigennus o beth?'

'O Noah. Ac ohonot ti.' Mae Elliot yn edrych i ffwrdd, yn llawn embaras.

'Pam wyt ti'n genfigennus ohona i?'

'Achos bod popeth mor hawdd i ti. Ti'n cwrdd â rhywun ti'n 'i hoffi ac mae dy rieni di'n iawn gyda'r peth. Maen nhw hyd yn oed am dreulio'r Nadolig gydag e! Alli di gwympo mewn cariad a byw'n hapus weddill dy oes, fel Sinderela. Ond os cwrdda i byth â 'nhywysog, byddai'n cael 'y nhowlu mas o'r teulu.'

'O, Elliot.' Tynnaf e'n agosach ataf i gael cwtsh, gan deimlo dagrau'n cronni yn fy llygaid. Pan oedden ni bant, wnes i ddim meddwl am eiliad y gallai Elliot deimlo fel hyn, a pha mor anodd oedd pethau iddo fe.

'A dwi mor grac 'da fi'n hunan am fod yn grac gyda ti,' mae Elliot yn llefain ar f'ysgwydd. 'Ti yw fy ffrind gorau. F'unig wir ffrind, a do'n i ddim yn gallu bod yn hapus drosot ti. Ond roedd ofn arna i, Pen. Roedd ofn arna i y byddwn i'n dy golli di iddo fe.'

Alla i ddim peidio â chwerthin yn sarcastig wrth glywed hyn.

Mae Elliot yn gwgu arna i. 'Beth?'

'Wnaiff hynny byth ddigwydd.'

'Pam?' Mae Elliot yn sychu'r dagrau o'i lygaid ac yn craffu ar fy wyneb.

Ochneidiaf. 'Dwi'n cymryd nad wyt ti wedi gweld beth sydd wedi digwydd?'

'Gweld beth?'

'Ar-lein?'

'Naddo. Ddwedais i wrthot ti, dim ond nawr dwi wedi cael fy stwff 'nôl. Torri i mewn i stydi Dad wnes i pan oedd e yn y gwaith a'u dwyn nhw'n ôl.'

'Mae Noah yn gerddor.'

Mae Elliot yn edrych arna i'n ddryslyd.

'Cerddor enwog. Wel, enwog yn America, beth bynnag ac – ac mae e'n mynd mas gyda Leah Brown.'

Mae ceg Elliot yn cwympo ar agor. 'Beth? Leah Brown, hynny yw, y ferch ar frig y siartiau? Y Leah Brown honno?'

Nodiaf.

'Y Leah Brown oedd yn canu'r sengl rhif un, "Do You Wanna Taste My Candy?" Leah Brown?'

Nodiaf eto, a dagrau lond fy llygaid.

'Ond mae hynny'n anghredadwy!' mae Elliot yn rhythu arna i a sylwaf nad oes arlliw o bleser ar 'i wyneb, dim ond sioc a braw. Unwaith eto, dwi'n teimlo'n ofnadwy am 'i amau. 'O, Pen. O iyffach. Ond sut – sut llwyddodd e i gadw hynny wrthot ti?'

Felly soniaf wrtho fe am y cliwiau bach oedd wastad yno – y rhai wnes i'u hanwybyddu. Y ferch wrth y siop hen bethau, y tamaid o sgwrs a glywais i ar ddamwain rhyngddo fe a Sadie Lee, y ffaith nad aethon ni'n dau i unman, bron, yn gyhoeddus.

Dyw Elliot ddim yn gallu stopio ysgwyd 'i ben. 'Ond beth am y pethau ddwedaist ti ar dy flog – mai fe yw dy "enaid hoff cytûn"?'

'Ro'n i'n anghywir.' Mae pwl o grio'n cronni y tu mewn i fi wrth i fi ddweud hynny. 'A nawr mae'r byd i gyd yn gwybod achos bod rhywun wedi datgelu'r peth ar ryw wefan. Ac mae pawb yn gwybod am y blog.'

'Ond sut? Ddwedaist ti wrth Noah am dy flog di?'

'Naddo. Ddwedais i ddim wrth neb – heblaw amdanat ti.'

Mae Elliot yn syllu arna i. 'Aros funud.' Twria am 'i ffôn yn 'i boced a dechrau symud trwy'i negeseuon.

'Roeddet ti'n credu taw fi wnaeth!'

'Dim ond achos mai ti oedd yr unig un oedd yn gwybod. Neu o leia', dyna ro'n i'n 'i feddwl ...'

'Ond pwy arall allai wybod?'

'Megan.'

Mae aeliau Elliot yn codi mor uchel nes 'u bod nhw bron â chyrraedd 'i wallt. 'Beth? Sut fyddai hi'n gwybod? Ddwedaist ti ddim wrthi hi, naddo?'

'Naddo. Ond falle iddi hi weld rhywbeth pan arhosodd hi draw'r noson honno neu falle ...'

'Beth?'

'Falle mai Ollie ddwedodd wrthi hi.'

Mae Elliot yn gwgu. 'Sut byddai Ollie'n gwybod?'

'Roedd e draw yn ein tŷ ni ddydd Mawrth – yn fy stafell wely. Gallai fe fod wedi gweld 'y mlog i ar y gliniadur.'

Erbyn hyn, mae llygaid Elliot bron â neidio mas o'i ben.

'Iawn, o hyn ymlaen alli di jyst dychmygu mai f'ymateb i unrhyw beth rwyt ti'n 'i ddweud yw "Beth yffach"?!'

Nodiaf gan chwerthin.

'Beth yffach oedd yr Hunlun ar Goesau yn 'i wneud yn dy stafell wely di?'

'Dod draw i 'ngweld i. Ddaeth e ag anrheg Nadolig i fi.'

'Anrheg Nadolig? Beth oedd e?'

'Dim syniad a dweud y gwir. Dwi'n dal heb agor y peth. Ollie ddwedodd wrtha i fod Noah yn gerddor. Gwelodd e lun ohono fe ar 'y nrych i, a'i nabod e.'

'Beth – ond – o Dduw Mawr,' medd Elliot gan gydio yn 'y mraich.

'Iawn, sori, ond dwi'n credu bod rhaid i ni eistedd i gael y sgwrs am hyn i gyd. Eistedd o flaen dau filcshêc siocled, i stopio fy hunan rhag llewygu mewn sioc.'

'Choccywoccydoodah?' meddwn gyda'n gilydd. 'Jincs!'

Rhof fy mraich ym mraich Elliot – tasg braidd yn anodd ac yntau'n gwisgo'r siaced Puffa anferth – a cherddwn mas ar y pier. Ond er gwaethaf brath yr oerfel, dwi'n teimlo'n gynnes. Gwelaf nawr mai cwbl ddi-sail oedd fy ofnau gwaethaf ddoe. Dwi ddim ar 'y mhen y'n hunan o gwbl. Mae gyda fi 'nhculu a'r cfeilliaid, ac mae fy ffrind gorau anhygoel yn 'i ôl.

Pennod Pedwar deg tri

Erbyn i ni gyrraedd y caffi, dwi'n teimlo hyd yn oed yn well. Does dim un o'r golygfeydd hunllefus y dychmygais i wedi digwydd. Ry'n ni wedi cerdded trwy'r dref a does dim un person wedi f'adnabod i, a does neb wedi dweud unrhyw beth cas. Os alla i osgoi mynd ar y we, ddylwn i fod yn iawn.

Archebwn ein milcshêcs a down o hyd i fwrdd yn y cefn.

Fel arfer dwi'n hoffi eistedd yn wynebu'r drws fel 'mod i'n gallu gwylio pobl yn mynd a dod, ond ddim heddiw. Heddiw, yn reddfol, eisteddaf â 'nghefn at weddill y stafell, jyst rhag ofn.

'Ti'n gwybod beth, Penny – colled Noah yw e,' medd Elliot, gan agor 'i siaced Puffa. 'Ddoi di drwy hyn yn y pen draw a symud mlaen, ond os yw e'n foi twyllodrus ofnadwy, yna fydd e byth yn hapus.'

Nodiaf, yn awyddus i'w gredu – ond yn methu. 'Diolch. Dwi mor lwcus dy fod ti'n ffrind i fi. A ti'n gwybod beth? Does dim ots beth ddigwyddith yn y dyfodol – hyd yn oed os gwnaf i, drwy ryw ryfedd wyrth, gwrdd â thywysog go iawn – fyddai neb yn gallu cymryd dy le di. Bydd wastad angen fy ffrind gorau arna i.'

Edrychaf ar Elliot yn obeithiol, a'i weld yn gwgu.

'Wel, wel, wel,' medd, gan wasgu'i wefusau'n dynn. Dyna'r wyneb mae'n wneud pan fydd e'n grac iawn.

I ddechrau dwi'n meddwl mai gwgu arna i y mae e, ond wedyn gwelaf 'i fod e'n edrych ar rywbeth dros f'ysgwydd. Trof, a gwelaf Megan ac Ollie'n cerdded draw at y cownter, wedi ymgolli'n llwyr yn 'u sgwrs. Teimlaf ffrwydrad bach o banig. Beth ddweda i wrthyn nhw? Ond does dim angen i fi wneud dim gan fod Elliot eisoes ar 'i draed.

'Hei, Mega-Hwch!' galwa ar Megan.

Mae Megan ac Ollie'n troi i edrych arnom ni, ac yn yr eiliad honno, dwi'n gwybod yn bendant mai nhw sy'n gyfrifol am ddatgelu'r stori ar-lein. Cyn gynted ag y maen nhw'n 'y ngweld i, mae'r ddau'n edrych yn hollol euog.

'Pam na wnewch chi ymuno â ni?' medd Elliot.

'O, na, mae'n iawn – ro'n ni ar fin mynd,' galwa Megan yn ôl, gan edrych braidd yn lletchwith.

'Dyna ddoniol, a finnau'n meddwl mai newydd gyrraedd oeddech chi.' Dechreua Elliot gerdded draw atyn nhw. Codaf ar 'y nhraed a brysio ar 'i ôl.

'Heia, Penny,' medd Ollie dan 'i anadl. Dyw e ddim yn gallu edrych arna i.

'Ife ti ddwedodd wrth y wefan 'na amdana i?' gofynnaf, gan syllu ar Megan. Mae hi'n osgoi edrych arna i hefyd, ac yn syllu ar y llawr. Cymeraf gam yn nes ati hi. 'Gofyn wnes i, ife ti acth â'r stori amdana i?'

'Pa stori?' medd Megan gan hisian fel neidr. 'Yr un amdanat ti'n twyllo gyda rhyw foi?'

'Wnes i ddim twyllo neb,' hisiaf 'nôl. 'Do'n i ddim yn gwybod pwy oedd e. Do'n i ddim yn gwybod 'i fod e'n mynd mas gyda rhywun.'

'Reit.' Mae Megan yn edrych i lawr 'i thrwyn arna i. 'Os nad oeddet ti eisiau i rywun wybod amdano fe, pam roddaist ti bopeth yn dy flog dwl?'

'Mae'r blog yn ddienw. Wel, roedd e tan i ti ddod i wybod.' Trof at Ollie. 'Welaist ti'r blog ar 'y ngliniadur pan oeddet ti yn fy stafell?'

Dyw Ollie ddim yn ateb, ond mae'i wyneb yn fflamgoch. Rhythaf arno mewn anghrediniaeth. 'Fues ti'n busnesu ar 'y ngliniadur i?'

'Roedd e reit o 'mlaen i,' medd Ollie. 'Ges i bip fach pan oeddet ti yn y stafell molchi.'

'Does dim hawl 'da ti i farnu unrhyw un heblaw ti dy hun, Penny,' medd Megan yn ffroenuchel.

'Dwed wrtha i,' medd Elliot, gan droi ati hi, 'est ti i ddosbarth nos i ddysgu bod yn ast, neu ydy hynny'n dod yn naturiol i ti?'

'Does 'da fi ddim byd i'w ddweud wrthot ti,' ateba hithau'n bwdlyd.

'Da iawn, achos mae gyda fi ddigon i'w ddweud wrthot ti a byddai'n well 'da fi wneud 'ny heb i ti dorri ar 'y nhraws i.' Mae Elliot yn camu'n nes ati, fel bod 'i wyneb fodfeddi'n unig oddi wrth 'i hwyneb hithau. 'Ti yw'r ferch fwya penwag (drycha yn y geiriadur), disylwedd (drycha yn y geiriadur), twp (ti'n gwybod beth yw hynny) dwi erioed wedi dod ar 'i thraws. Ac oni bai bo' ti newydd roi loes i fy ffrind gorau, fyddwn i ddim yn gwastraffu un pascal (drycha yn y geiriadur) o anadl arnat ti.'

Mae Megan yn troi at Ollie. 'Ti'n mynd i adael iddo fe siarad â fi fel 'na?'

Dyw Ollie ddim yn symud – dim ond edrych arni hi'n syn.

Mae Elliot yn chwerthin. 'O, plis. Mae e siŵr o fod yn rhy brysur yn meddwl am 'i gyfle nesa i dynnu hunlun.' Mae'n troi at Ollie. 'Ddim nawr, gyda llaw; mae'n amser ofnadwy i dynnu hunlun. Ta beth – beth o'n i'n ddweud?' Siarad â Megan mae e erbyn hyn. 'Ac ie, ti yw, heb damaid o amheuaeth, un o'r bobl hyllaf dwi erioed wedi'u gweld.'

Mae llygaid Megan fel soseri a'i cheg ar agor led y pen, fel tase hi wedi cael sioc drydan.

Nodia Elliot 'i ben. 'Mae'n wir. Ti mor chwerw a ffug nes 'i fod e'n dod mas o dy groen di. Fel hen chwys drewllyd!'

Mae Megan yn ebychu.

Ar y foment hon, daw gweinyddes mas o'r gegin yn dal hambwrdd gyda'n milcshêcs. 'O,' medd yn syn, o'n gweld ni'n sefyll wrth y cownter.

'Mae'n iawn. Allwn ni'u hyfed nhw fan hyn,' medd Elliot, 'gyda'n ffrindiau.'

Edrychaf arno, ac mae'n rhoi winc fach, fach i fi. Mae'r weinyddes yn rhoi'r hambwrdd ar y cownter, cyn diflannu i'r gegin.

'Barod?' medd Elliot wrtha i'n dawel wrth i ni droi i godi'r gwydrau.

'Barod,' atebaf.

Codwn y gwydrau. Trown, a'u taflu dros Megan ac Ollie. Tase cystadleuaeth yn y Gêmau Olympaidd i dîm taflu milcshêcs, basen ni newydd ennill y fedal aur. Mae Megan ac Ollie'n sefyll yno'n ysgyrnygu wrth i slwj brown ddiferu i lawr o'u pennau.

'Ti'n gwybod beth?' medd Elliot wrth Ollie. 'Byddai nawr yn amser gwych i dynnu hunlun.' Mae'n troi ata i. 'Dwi'n meddwl y dylen ni fynd.'

Nodiaf. 'Iawn.' Ond cyn mynd, cymeraf gam yn nes at Megan.

'Ti'n druenus,' meddaf. 'Ac nid fi yw'r unig berson sy'n meddwl hynny.'

Yna, mae Elliot a finnau'n troi ar ein sodlau, ac yn 'i baglu hi mas o'r caffi.

Ry'n ni'n rhedeg ar wib tan i ni gyrraedd yr orsaf fysiau. Rhof fy llaw ar f'ochr wrth geisio dal f'anadl.

'O, Dduw Mawr, dyna epig!' ebycha Elliot. 'Dyw hyd yn oed fy ffantasïau dial i ddim cystal â hynny.'

'Ti'n cael ffantasïau am ddial?'

'O ydw. Ond d'yn nhw'n ddim byd, o gymharu â hynny.' Yna, mae'i wyneb yn gwelwi.

'Beth sy'n bod?'

'Ro'n i wedi anghofio'n llwyr 'mod i wedi rhedeg bant.' Edrychwn ar ddyn digartref yn gorwedd o flaen drws wrth yr orsaf. Mae'i wyneb a'i ddillad yn faw i gyd.

'Alli di ddim cysgu mas heno,' meddaf wrtho. 'Ti'n dod adre gyda fi. Fydd dim ots gyda Mam a Dad. Ro'n nhw'n sôn ddoe cymaint maen nhw'n gweld d'eisiau di ers Efrog Newydd.'

'Wir?'

'Wir. Ac yna falle gall Dad fynd i siarad â dy rieni di. Ti'n gwybod sut mae e mewn argyfwng. Bydd e'n gwybod beth i'w wneud.'

Ac ydy, mae Dad yn gwybod yn union beth i'w wneud. Ar ôl i ni gyrraedd gartref ac esbonio'r sefyllfa, mae'n dweud wrth Elliot bod croeso iddo fe aros gyda ni tan bryd bynnag yr hoffai fe, ac yna aiff Dad draw i gael gair gyda rhieni Elliot. Er syndod i bawb, roedd mam Elliot wedi bod yn gofidio'n ofnadwy ar ôl darllen 'i nodyn ffarwél – wel, falle mai traethawd ffarwél oedd e gan 'i fod e'n bum tudalen A4 o hyd – felly dwedodd hi y byddai hi'n cael sgwrs ddifrifol gyda thad Elliot pan fyddai fe'n cyrraedd gartref.

Treuliwn y noson yn bwyta pitsa ac yn gwylio hen benodau o *Friends*. Bob hyn a hyn, ry'n ni'n troi at ein gilydd ac yn sibrwd, 'O iyffach, y milcshêcs!' cyn chwerthin yn afreolus. Mae'n braf cael normalrwydd fel hyn eto. Er hynny, alla i deimlo tristwch aflonydd yng ngwaelod 'y mola. All pitsa na chwerthin ddim cael gwared ar hwnnw.

Tua wyth o'r gloch, daw tad Elliot i'r tŷ, i gael sgwrs gydag e. Tra maen nhw yn y gegin, arhosaf – ar bigau'r drain – yn y stafell fyw. Ond chlywa i ddim lleisiau'n codi, ac maen nhw hyd yn oed yn chwerthin weithiau. Ymhen hir a hwyr, daw Elliot mas, gan wenu'n nerfus.

'Dwi'n mynd adre,' sibryda. 'Mae'n dweud y caf i gadw 'ngliniadur a'r ffôn.'

'Ond beth am y ...?' edrychaf yn ymholgar ar Elliot.

'Mae'n dweud 'i fod e am fynd i gael "cwnsela" –' mae Elliot yn meimio dyfynodau – 'i'w helpu i ddelio â fy "rhywioldeb".'

'Waw. O wel, o leia mae e'n trio.'

Mae Elliot yn chwerthin. 'Ydy. Druan bach ag e!' Mae'n rhoi cwtsh mawr i mi. 'Caru ti, Pen.'

'Caru ti hefyd.'

Ar ôl i Elliot fynd, gwnaf ddisgled o de camomil i fi fy hunan, a mynd â hi lan lofft. Am ddiwrnod! Meddyliaf 'nôl at sut ro'n i'n teimlo ddoe, ac ochneidiaf. Roedd Tom yn iawn; roedd hi'n wych wynebu'r byd eto a dweud fy nweud wrth Megan ac Ollie fel 'na. Edrychaf i lawr ar y llawr a'r anrheg Nadolig oddi wrth Ollie, sydd heb 'i hagor. Tybed beth brynodd e i fi? Codaf yr anrheg a rhwygo'r papur lapio. Y tu mewn, mae llun wedi'i fframio – o Ollie. Un o'r lluniau y tynnais i ohono ar y traeth. Alla i ddim stopio chwerthin. Pa fath o berson sy'n rhoi lluniau ohono fe'i hunan yn anrheg? Meddyliaf yn syth am Noah a'r anrhegion roddodd e i mi. Y Dywysoges Hydref, y llyfr ffotograffiaeth, y gân. Ro'n nhw i gyd yn berthnasol i fi, nid iddo fe – a dyna sut dylai anrhegion fod. Unwaith eto, mae poen ac anghrediniaeth yn 'y ngwasgu i. Roedd e'n edrych mor onest, mor garedig.

Taflaf lun Ollie i'r bin ac af draw at fy chwaraewr CDs. Dyw'r peth ddim yn gwneud synnwyr, ond does dim ots. Y ffaith yw, fe ddigwyddodd e, ac mae'n rhaid i fi ddelio â hynny. Tynnaf y CD o'r stereo a'i roi 'nôl yn y clawr, ynghyd â'r geiriau yn llawysgrifen Noah. Daliaf y clawr uwchben y bin. Ond, am ryw reswm, alla i 'mo'i ollwng, felly dyma'i roi e yn fy wardrob dan bentwr o ddillad.

Wrth wasgu'r CD i ben pella'r wardrob, mae fy llaw yn cyffwrdd â'r gliniadur. Alla i wir ddweud 'mod i'n wynebu'r byd os oes arna i ofn mynd ar-lein? Tynnaf y gliniadur mas ac edrych arno am eiliad. Dere, alli di wneud hyn, meddaf wrth fy hunan, gan feddwl am Ocean Strong.

Af â'r gliniadur at 'y ngwely a mewngofnodi i 'nghyfrif e-bost. Gan 'mod i wedi diffodd 'y nghyfrifon Twitter a Facebook a chau adran sylwadau'r blog, ychydig iawn o e-byst sydd yno. Ond mae un oddi wrth *Celeb Watch*. Mae fy stumog yn corddi wrth 'i agor.

Anfonwr: jack@celebwatch.com

At: merchar-lein22@gmail.com

Pwnc: CYFLE ARBENNIG AM GYFWELIAD – ECSGLIWSIF!

Shwmae!

Fel rwyt ti siŵr o fod yn gwybod, ry'n ni wedi bod yn trafod dy gyfeillgarwch gyda Noah Flynn ar ein gwefan yn ddiweddar a byddem wrth ein boddau taset ti'n rhannu dy ochr di o'r stori gyda'n 5.3 miliwn o ddarllenwyr. Am gyfweliad ecsgliwsif gyda Celeb Watch am dy berthynas â Noah Flynn byddem yn barod i dalu $20,000. Wrth gwrs, bydd y sylw ar ein safle yn codi dy broffil yn sylweddol, heb sôn am y potensial am noddwyr ar gyfer dy flog.

Syllaf ar y sgrin. Alla i ddim credu fy llygaid. Felly nawr maen nhw eisiau fy ochr i o'r stori, ar ôl dweud llwyth o gelwyddau amdana i? Ac maen nhw'n meddwl o ddifrif y byddwn i eisiau'u harian nhw ar ôl yr hyn maen nhw wedi'i wneud! Dwi ar fin teipio ateb ffyrnig iddyn nhw, ond wedyn caf syniad gwell. Dwi'n allgofnodi o f'ebost, ac yn mewngofnodi i'r blog.

4 Ionawr

O Stori Dylwyth Teg i Stori Arswyd

Helô,

Fel mae'r rhan fwyaf ohonoch chi'n gwybod bellach, siŵr o fod, dwi a'r blog yma wedi cael LLAWER o sylw ar-lein dros y dyddiau diwethaf.

Llawer o sylw negyddol.

Dros y dyddiau diwethaf, mae dieithriaid llwyr wedi bod yn postio celwyddau a negeseuon ymosodol amdana i dros y we.

Mae gwefannau clecs enwogion wedi bod yn sgrifennu erthyglau amdana i hefyd, heb drafferthu tsecio'u ffeithiau.

Dyw'r bobl hyn ddim yn fy nabod i.

Does yr un ohonoch chi'n fy nabod i.

Does yr un ohonoch chi'n gwybod y gwir am yr hyn a ddigwyddodd i fi go iawn.

Ac eto ry'ch chi i gyd yn meddwl bod gyda chi'r hawl i roi eich barn a galw enwau arna i.

Dwi wastad wedi bod yn gwbl onest ar y blog. Dyna oedd y pwynt – creu rhywle lle gallwn i fod yn fi fy hunan.

Dim ond y gwir dwi wedi'i sgrifennu yma.

Neu'r hyn ro'n i'n credu oedd y gwir: ges i 'nghamarwain.

Do'n i ddim yn gwybod pwy oedd Bachgen Brooklyn. Ro'n i'n gwybod mai Noah oedd 'i enw a'i fod e'n hoffi cerddoriaeth, ond do'n i ddim yn gwybod bod ganddo gytundeb recordio a do'n i'n bendant ddim yn gwybod 'i fod e mewn perthynas â rhywun arall.

Tasen i'n gwybod hynny, fyddwn i byth wedi dechrau perthynas gydag e.

Ddwedodd e gelwydd wrtha i.

Torrodd 'y nghalon.

Ac ar ben hyn oll, daeth rhywun i wybod am y blog, a datgelu pwy ydw i.

Pan ddigwyddodd hyn, ro'n i'n teimlo fel tase'r byd ar ben.

Ers amser maith, mae'r blog wedi bod yn lle diogel i fi – yr unig le y galla i siarad am 'y nheimladau dyfnaf heb gael 'y marnu.

Ond dros y dyddiau diwethaf dwi wedi sylweddoli bod y byd ar-lein yn gallu bod yn fas ac yn arwynebol iawn.

Mae'n fyd lle mae pobl yn credu'i bod hi'n iawn cuddio y tu ôl i'w sgriniau a'u ffugenwau a dweud pethau gwenwynllyd am berson nad ydyn nhw hyd yn oed yn 'i nabod.

Ac mae hyd yn oed gwefannau fel *Celeb Watch* yn credu'i bod hi'n iawn argraffu stori heb wirio'r ffeithiau'n gyntaf.

Heddiw, cysylltodd *Celeb Watch* â fi am y tro cyntaf ers iddyn nhw gyhoeddi'r stori amdana i.

Gofynnon nhw a fyddai gyda fi ddiddordeb mewn gwneud cyfweliad ecsgliwsif gyda nhw am 'y 'mherthynas gyda Noah Flynn'.

Ddwedon nhw y bydden nhw'n talu $20,000 i fi am fy stori.

Ddwedon nhw hefyd y byddai'n wych i godi proffil y blog.

Fel tasen i am i lwyth o gelwyddgwn godi proffil fy mlog.

Y gwir amdani yw, fyddwn i fyth yn gwerthu fy stori i unrhyw un, heb sôn am stori am rywun dwi'n 'i garu. Hyd yn oes os achosodd e lawer o boen i mi.

Felly, i orffen fy mlog olaf ar y safle hwn, mae gyda fi un peth arall i'w ddweud.

Bob tro y byddwch chi'n postio rhywbeth ar-lein, mae gyda chi ddewis.

Gallwch chi naill ai sgrifennu rhywbeth sy'n ychwanegu at lefelau hapusrwydd y byd – neu gallwch chi sgrifennu rhywbeth sy'n gostwng y lefelau hapusrwydd.

Pan ddechreuais i Merch Ar-lein, ceisio ychwanegu hapusrwydd oeddwn i.

Ac am sbel fach, roedd hynny'n gweithio.

Felly, y tro nesaf y byddwch chi ar fin postio sylw neu ddiweddariad neu rannu dolen, gofynnwch i'ch hunan: a fydd hwn yn ychwanegu at hapusrwydd y byd?

Ac os mai NA yw'r ateb, dilëwch eich sylw os gwelwch yn dda.

Mae digon o dristwch yn y byd yn barod. Does dim angen i chi ychwanegu ato.

Fydda i ddim yn blogio yma rhagor.

Ond i bawb a ychwanegodd at fy hapusrwydd tra bues i wrthi, diolch yn fawr iawn i chi – wna i byth eich anghofio chi ...

Penny Porter sef Merch Ar-lein xxx

Pennod Pedwar deg pedwar

Fore trannoeth, caf fy nihuno gan Elliot yn bwrw'r cod *Gaf i ddod draw?* ar y wal.

Curaf yr ateb *Cei*, rhwbiaf fy llygaid ac edrychaf ar 'y nghloc larwm.

Dim ond 6.30 a.m. yw hi. Mae 'nghalon yn suddo. Beth allai fod o'i le nawr? A minnau'n hanner cysgu, baglaf i lawr y staer i agor y drws iddo.

'Iawn, dwi'n gwybod ddwedaist ti nad oeddet ti byth yn mynd i flogio eto,' medd Elliot, gan wthio heibio i fi i mewn i'r cyntedd.

'Byth,' meddaf.

'Ie, byth bythoedd amen,' medd Elliot gan chwifio'i ffôn yn llawn cyffro. 'Ond dwi wir yn meddwl y dylet ti weld rhywbeth.'

Rhythaf arno. 'Oes 'da hyn rywbeth i'w wneud â Noah? Achos os oes e, yr ateb yw na, dim diolch.'

Mae Elliot yn gwenu. 'Wel mae gyda fe rywbeth i'w wneud â Noah, ond mae e mor dda. Wir.'

Ochneidiaf. 'Iawn, well iddo fe fod yn dda.' Tynnaf y ffôn oddi arno. Mae'r sgrin yn arddangos hysbysiadau Twitter Elliot.

'Mae gyda ti dy hashtag dy hunan!' medd Elliot, yn fyr 'i anadl.

'Beth?' Edrychaf ar y trydariadau. Mae'r hashtag #CaruTiMerchAr-lein ar ôl pob un.

'Hefyd, mae #DereNôlMerchAr-lein a #MerchAr-leinambyth,' medd Elliot yn falch. 'Ers i ti sgrifennu dy flog neithiwr, mae popeth wedi mynd yn boncyrs.'

Dechreuaf ddarllen y negeseuon. Maen nhw i gyd yn dweud pethau hyfryd am faint maen nhw'n gweld eisiau'r blog a sut y dylwn i anwybyddu pobl wenwynllyd. Yna gwelaf neges oddi wrth @MerchPegasus.

Mae'n flin 'da fi am dy farnu di. Plis dere'n ôl #MerchAr-leinambyth

Mae Elliot yn edrych arna i. 'On'd yw e'n wych?'

'Ydy. Nac ydy. Dwi ddim yn gwybod.' A'r gwir amdani yw, dwi ddim yn gwybod. Mae profiadau'r dyddiau diwethaf wedi codi ofn arna i. Dwi ddim yn siŵr a ydw i am fentro'n ôl i'r byd ar-lein – yn enwedig gan na fydd Merch Ar-lein yn anhysbys bellach.

'Ddwedaist ti fod y byd ar-lein yn ffug, ond mae rhywfaint ohono fe'n real,' medd Elliot. 'Mae dy flog di'n real.' Pwyntia at 'i hysbysiadau Twitter. 'Ac mae hwn yn real. Maen nhw'n dwlu arnat ti.'

Am weddill dydd Gwener a dydd Sadwrn, dwi'n pendroni ynglŷn â'r peth gorau i'w wneud gyda'r blog, ac yn cael diweddariadau cyson oddi wrth Elliot ar yr ymgyrch hashtag. Fore Sul, dwi'n dihuno'r un pryd â'r gwylanod a'u sgrechian. Yn y diwedd, penderfynaf wneud rhywbeth sy'n siŵr o glirio fy meddwl – mynd mas i dynnu lluniau. Gwelaf Dad yn y gegin wrth fynd mas.

'O, wyt ti'n mynd i rywle?' medd, gan edrych arna i'n syn.

'Ydw, ro'n i'n meddwl mynd i dynnu lluniau ar y traeth, tra mae e'n dal yn wag.' Estynnaf fanana o'r bowlen ffrwythau a'i stwffio i 'mhoced.

'Wyt ti'n gwybod tan bryd fyddi di mas?'

'Dim syniad. Tuag awr, falle dwy.'

Mae Dad yn gwgu. 'Iawn, ac wedyn, ti'n dod yn syth adre?'

'Ydw. Pam?'

'O, ro'n i jyst yn meddwl pryd ddylwn i ddechrau'r cinio rhost.' Diflanna wedyn y tu ôl i'w bapur.

Dwi ar fin troi i adael pan ddaw Mam i'r golwg. 'Penny! Pam wyt ti wedi codi mor gynnar?'

'Allwn i ddim cysgu.' Gwgaf arni. 'Pam wyt ti lan mor gynnar? Ti'n sylweddoli bod hi'n ddydd Sul?' Dyw Mam byth fel arfer yn codi cyn deg ar ddydd Sul; dyna'r unig ddiwrnod drwy'r wythnos y gall hi gysgu'n hwyr.

'Allwn i ddim cysgu chwaith.'

Codaf f'ysgwyddau. 'Iawn, wela i chi wedyn.'

'Pryd yn union mae "wedyn"? Ble ti'n mynd?' hola Mam.

'I'r traeth, i dynnu lluniau. Bydda i 'nôl erbyn canol dydd.'

'Iawn, wel gad i ni wybod os penderfyni di fynd i rywle arall,' medd Dad, gan bipo arnaf dros 'i bapur.

'Siŵr o wneud. Wela i chi wedyn.'

Dim ond ar ôl camu mas tu fas dwi'n sylweddoli'u bod nhw'n dal yn nerfus ers y pwl panig diwetha.

Anfonaf neges gyflym at Dad.

> Mynd i lawr i'r hen bier.

336

Falle y bydd e'n teimlo'n well o wybod yn union lle bydda i.

Mae'r traeth yn gwbl wag pan gyrhaedda i. Mae'n un o'r boreau Ionawr llwm hynny pan fo'r byd i gyd yn edrych fel tase rhywun wedi'i baentio'n llwyd. Dwi'n 'i hoffi e, er hynny. Dwi'n hoffi bod ar 'y mhen y'n hunan ar bwys y môr a theimlo fel tase'r traeth yn ardd breifat i mi. Eisteddaf yng nghysgod y creigiau a gwylio'r tonnau'n rowlio mas. Ac yn sydyn, mae tristwch yn treiddio drwydda i. Dwi fel tasen i wedi stopio meddwl am bethau eraill – Elliot, 'y mlog, yr ysgol, Megan ac Ollie – nes bod gwagle yn 'y mhen. Atgofion am Noah sy'n prysur lenwi'r gwagle nawr. Eisteddaf yno am oesoedd, yn meddwl am bopeth a ddigwyddodd. Dwi ddim yn teimlo'n grac nawr. Dwi jyst yn teimlo'n drist. Ymhen hir a hwyr, gorfodaf fy hunan i godi. Rhaid i mi ddechrau meddwl am rywbeth arall. Rhywbeth sydd ddim yn achosi poen. Codaf 'y nghamera ac af i lawr i'r hen bier.

Dwi'n dwlu ar yr hen bier yn Brighton. Gyda'i ffrâm ddu simsan yr olwg, mae'n edrych fel rhywbeth o hen ffilm arswyd. Ac mae'n edrych hyd yn oed yn fwy trawiadol heddiw gyda'r gwynt yn chwipio o'i gwmpas a'r tonnau'n taro'i goesau. Y tu ôl i fi, clywaf sŵn chwibanu uchel, fel rhywun yn chwibanu am gi. Af i lawr ar 'y nghwrcwd a defnyddio'r *zoom* i roi ffocws ar y pier, gan feddwl mor cŵl fyddai gweld amlinell welw ysbryd yn hofran o'i gwmpas.

Clywaf y chwibanu eto, yn hirach ac yn fwy pendant y tro hwn. Falle bod rhywun wedi colli ci neu falle bod y ci'n nofio yn y môr. Trof o 'nghwmpas ond wela i neb. Yna, gwelaf fflach o liw ar ben y cerrig mân lle 'ro'n i'n eistedd. Fflach frowngoch. Yn reddfol, trof y camera at y gwrthrych a symud y *zoom* i mewn.

'Beth yff . . . ?'

Blinciaf ac edrych 'nôl drwy'r lens. Mae'r Dywysoges Hydref yn eistedd ar y cerrig mân. Ond all hynny ddim bod yn wir. Gadewais hi gyda Bella yn Efrog Newydd. Dechreuaf gamu 'nôl dros y traeth, a'r cerrig yn crensian dan 'y nhraed. Mae'n rhaid bod rhyw esboniad. Mae'n rhaid 'mod i wedi gwneud camsyniad. Ond wrth i mi agosáu, dwi'n fwy siŵr mai hi yw hi. Alla i weld 'i ffrog felfed las a lliw gwyn hufennog 'i hwyneb a'i gwallt yn hofran yn y gwynt.

Pan dwi o fewn ychydig droedfeddi iddi, stopiaf gerdded ac edrych o gwmpas. Mae'n rhaid mai rhyw fath o dric yw hwn. Ond pwy sy'n chwarae'r tric? A pham? Ddaeth Mam a Dad â'r ddol adre gyda nhw? Ife nhw roddodd hi yno? Ond pam fydden nhw'n gwneud hynny? Dyw e ddim yn gwneud unrhyw synnwyr. Trof ac edrychaf ar hyd y traeth reit at y môr ond does neb yn y golwg o gwbl. Yna clywaf grensian ar y cerrig y tu ôl i mi. Trof yn gyflym.

'O iyffach!'

Mae Noah yn sefyll wrth y creigiau. Mae'n rhaid 'i fod e wedi bod ar 'i gwrcwd y tu ôl iddo. Mae'n gwisgo'i siaced ledr, jîns du a hen fŵts treuliedig, a hwd 'i grys chwys wedi'i dynnu dros 'i ben.

'Ddwedodd Bella wrtha i'i bod hi'n gweld d'eisiau di,' medd, gan amneidio at y Dywysoges Hydref.

Alla i ddim dweud gair. Dwi'n hollol siŵr mai rhyw weledigaeth ryfedd yw hyn i gyd. All hyn ddim bod yn real.

Mae Noah yn camu tuag ataf ac yn reddfol cymeraf gam yn ôl.

'Mae'n rhaid i fi siarad â ti,' medd, â thinc bryderus yn 'i lais.

'Ond – dwi ddim yn deall.' Daw awel gref i chwipio fy wyneb, gan ddihuno fy meddwl. 'Pam wnest ti – pam ddwedaist ti gelwydd wrtha i?'

Mae Noah yn edrych i lawr ar y cerrig. 'Mae'n flin 'da fi.

Ro'n i eisiau dweud y gwir wrthot ti ond do'n i ddim eisiau sbwylio popeth.'

Beth?! Nawr mae fy sioc yn troi'n ddicter. 'Ie, dwi'n siŵr y byddai dweud wrtha i bod gyda ti gariad wedi sbwylio pethau i raddau.'

Mae Noah yn stwffio'i ddwylo i bocedi'i jîns. 'Does gyda fi ddim cariad. Doedd gyda fi ddim cariad.'

'O Dduw Mawr.' Dwi'n teimlo'n grac nawr. 'Wyt ti wir wedi dod yr holl ffordd yma jyst i balu rhagor o gelwyddau?'

'Naddo ... dwi ... dwi ddim yn dweud celwydd.'

'Wyt! Dwi wedi gweld y cyfan ar-lein. Yr holl drydar a'r negeseuon a'r ...'

Mae'n torri ar 'y nhraws. 'Nonsens yw e i gyd.'

'Beth? Hyd yn oed negeseuon Twitter Leah Brown amdanat ti?'

'Ie! Yn enwedig rheina.'

Rhythaf arno. Sut all e fod mor ddigywilydd? Sut gall e ddweud celwydd eto? A sut gall e ddisgwyl i fi 'i gredu e?

'Beth wyt ti'n feddwl "yn enwedig rheina"?'

O'r diwedd, mae Noah yn edrych i fyw fy llygaid. 'Roedd 'i halbwm ddiwetha'n fflop llwyr. Roedd y cwmni recordiau'n poeni. Felly ar ôl i fi lofnodi cytundeb gyda nhw, dwedodd y bobl marchnata'u bod nhw eisiau creu rhyw fath o berthynas ffug rhyngom ni'n dau. Ddwedon nhw y byddai'n help i'r ddau ohonom ni i werthu ein recordiau. Do'n i ddim eisiau bwrw mlaen â'r peth ond ddwedon nhw mai'r cyfan oedd 'i angen oedd ychydig o luniau a negeseuon ar Twitter. Ond allwn i ddim gwneud hynny,' meddai. 'Roedd y cyfan yn teimlo mor ffug. Ro'n i'n casáu'r peth. Meddyliais i am wrthod y cynnig hyd yn oed, ond allwn i ddim; ro'n i wedi arwyddo cytundeb. Ro'n i wedi cael 'y nghloi i mewn. Felly feddyliais i, beth yw'r ots, do'n i ddim yn mynd mas gydag unrhyw un ta beth. Ac wedyn, dyma fi'n cwrdd â ti.'

Rhythaf arno, gan geisio dirnad popeth mae e newydd 'i ddweud.

'Felly dwyt ti a Leah ddim ...'

'Nac ydyn! Erioed wedi bod.'

'Felly dyw hi ddim yn torri'i chalon achos hyn i gyd?'

Mae Noah yn chwerthin. 'Na'dy. Roedd hi braidd yn grac i ddechrau achos bod yr holl sefyllfa'n gwneud iddi hi edrych yn dwp, ond wedyn dechreuodd 'i recordiau hi werthu fel slecs achos bod pawb yn teimlo trueni drosti hi, felly daeth hi dros y peth yn eitha clou.'

'Ond alla i ddim credu y byddai cwmni recordiau'n gofyn i ti wneud rhywbeth fel 'na.'

Mae Noah yn codi'i ysgwyddau. 'Dwi'n gwybod. Ond yn ôl y sôn, mae e'n digwydd o hyd.'

Mae 'nicter i'n dechrau pylu. 'Felly pam na ddwedaist ti wrtha i?'

Ochneidia Noah. 'Ro'n i'n moyn dweud. Ac roedd Sadie Lee'n pledio arna i wneud, ond roedd ofn arna i.'

'Ofn beth?'

'Ofn dy golli di.' Mae'n edrych mas ar y môr. 'Pwy fyddai'n moyn mynd mas gyda bachgen sy'n mynd mas gyda chariad ffug? Ac mae hi mor anodd dod o hyd i rywun ... sydd ddim jyst eisiau bod yn enwog hefyd.'

Alla i ddim stopio chwerthin nawr, ac wrth i fi chwerthin, gallaf deimlo gobaith yn blaguro. Mae Noah yma. Yn Brighton. Ar y traeth, ychydig droedfeddi oddi wrtha i. Does gyda fe ddim cariad. Dyw e ddim yn mynd mas gyda Leah Brown. Fuodd e erioed yn mynd mas gyda hi. Ond ...

'Pam oeddet ti mor grac â fi? Pam newidiaist ti dy rif ffôn?'

Dechreua symud o'r naill droed i'r llall. 'Ro'n i'n meddwl dy fod ti wedi gwerthu stori amdana i. Ro'n i'n meddwl dy fod ti wedi gwneud y cyfan i gael cyhoeddusrwydd ar gyfer dy flog di.'

'Ond do'n i ddim hyd yn oed yn gwybod pwy oeddet ti. Does braidd neb wedi clywed amdanat ti ym Mhrydain – heblaw am 'y mrawd, ond wedyn mae e'n hoffi pob math o gerddoriaeth ryfedd.'

'Diolch!'

'Na, trio dweud o'n i ...'

Mae Noah yn gwenu. Ac mae gweld y pantiau bach 'na yn 'i fochau'n gwneud i'r pilipalod gyffroi yn 'y mola. 'Mae'n iawn. Do'n i ddim yn siŵr beth i'w gredu ac es i braidd yn benwan. Ac wedyn dechreuon nhw ddweud 'mod i wedi cael problemau meddyliol ar ôl fy rhieni ... a datgelu fy hoff lefydd i gyd. Dwi'n berson preifat iawn. Ro'n i'n teimlo fel tasen i dan warchae.'

'Dwi'n gwybod sut deimlad yw hynny.'

Mae Noah yn edrych yn bryderus. 'Sut wyt ti wedi bod yn delio â'r peth?'

'Iawn. Wel, iawn unwaith i mi fynd ar *detox* y we.'

Chwardda. 'Felly mae'n rhaid nad wyt ti wedi gweld fy fideo newydd ar YouTube?'

Ysgydwaf 'y mhen.

'Dere 'ma, ac fe ddangosa i'r fideo i ti, os hoffet ti?'

Yn sydyn, daw pwl o swildod ofnadwy drosof i. Mae Noah yma. Mae e yma, mewn cig a gwaed. A does dim byd fel ro'n i'n 'i feddwl. Mae popeth yn iawn. Dwi'n meddwl. Eisteddwn i lawr y tu ôl i garped o gerrig mân ac mae Noah yn tynnu'i ffôn o'i boced. Mae'n clicio ar fideo YouTube ac yn pwyso'r botwm chwarae. Daw llun pitw bach ohono ar y sgrin.

'Mae 'na bob math o nonsens wedi cael 'i sgrifennu amdana

i'n ddiweddar,' medd Noah Fideo, 'a gan nad ydw i'n rhy hoff o Twitter a'r dwli yna fe wna i gadw at y fideos. Y gân yma fydd y sengl gyntaf ar yr albwm newydd. "Merch yr Hydref" yw 'i henw hi – cân am yr unig ferch dwi erioed wedi'i charu.'

Ac yna, mae'n dechrau canu'r gân. 'Y nghân i.

Wrth f'ochr, mae Noah yn pesychu ac yn symud yn aflonydd ar y cerrig. 'Mae'n wir ddrwg 'da fi na wnes i ddweud wrthot ti,' medd yn dawel.

'Mae'n iawn.'

'Ti o ddifri?' Mae'n troi i edrych arna i.

Edrychaf yn ôl arno. 'Ydw.'

'Pan ddarllenais i dy flog diwetha, ro'n i'n teimlo fel cymaint o ffŵl.'

'Beth wyt ti'n feddwl?'

'Am feddwl y byddet ti byth yn gwerthu stori amdana i. Pan aeth popeth yn wallgo, dechreuais i ofni'r gwaethaf a do'n i ddim yn meddwl yn gall.'

Nodiaf. 'Finnau hefyd.'

'Felly.'

'Felly.'

Mae'n rhoi'i law ar fy llaw. Mae'n teimlo mor dwym a chryf.

'Allwn i ddechrau eto?'

'Fel ffrindiau?'

Ysgydwa'i ben. 'Na, fel digwyddiadau sbardunol.'

Chwarddaf. 'Ie.'

Mae Noah yn gwenu arna i. 'Achos, ti'n gwybod, dwi ddim yn dweud "Dwi'n dy hoffi di gymaint dwi'n meddwl falle mai cariad yw'r teimlad" wrth bob merch.'

'Ddim hyd yn oed wrth Leah Brown?' meddaf, gan wenu 'nôl arno.

'Byth wrth Leah Brown!'

Mae'n symud yn nes ataf. 'Ga i dy gusanu di?'

'Cei. Byddai hynny'n ... hyfryd.'

Mae Noah yn rhoi fy wyneb yn 'i ddwylo. 'Waw, ry'ch chi ferched Prydain mor gwrtais.'

Cusanwn, ond mae'r gusan yn swil a phetrusgar.

'Sut ddest ti 'ma?' holaf.

'Hedfan.'

'Na, i'r traeth.'

'O. Ces i lifft gan dy dad.'

'O iyffach, o'n nhw'n gwybod dy fod ti'n dod?'

Nodia Noah. 'Wrth gwrs. Ond addawon nhw gadw'r cyfan yn gyfrinach – yn syrpréis.'

'Roedd e'n bendant yn syrpréis!'

Mae Noah yn edrych arna i'n nerfus. 'Maen nhw'n gwybod beth ddigwyddodd. Ddwedais i wrth Sadie Lee am beidio â dweud wrthyn nhw i ddechrau. Ond wedyn, ar ôl i fi bwyllo a sylweddoli beth oedd wedi digwydd, ffoniais i dy dad i ofyn am gael dy weld di, a daeth y cyfan mas. Mae'n flin 'da fi – ro'n i'n meddwl y byddet ti wedi dweud wrthyn nhw.'

'Mae'n iawn. Mae popeth yn iawn nawr, on'd yw e?' Edrychaf arno, ac mae'n nodio'i ben.

'Beth am i ni gerdded am ychydig?' medd.

'Iawn, byddai hynny'n neis.' Ond wrth i mi godi, dwi'n colli 'nghydbwysedd ac yn llithro. Dwi'n disgyn – bendramwnwgl, dros y cerrig. Tasen i wedi bwriadu i'r peth fod yn stỳnt mewn ffilm antur, byddai'n wych. Ond yng nghyd-destun stori ramant, mae'n hollol hurt.

'Ti'n iawn?' hola Noah yn syn.

Codaf yn sigledig ar 'y nhraed, a'm wyneb yn fflamgoch.

'Roedd hwnna'n anhygoel. Dwi eisiau trio.' Mae Noah yn camu 'nôl cyn hyrddio'i hunan dros y cerrig. Mae'n taro yn f'erbyn, ac ry'n ni'n dau'n cwympo'n bentwr anniben ar y traeth.

Wrth i ni chwerthin yn afreolus, galla i deimlo gwaddod olaf y tensiwn rhyngom ni'n diflannu.

'Dwi wedi gweld d'eisiau di'n ofnadwy, fy Nigwyddiad Sbardunol,' sibryda.

Ac wrth i ni gusanu nawr, dyw'r gusan ddim yn swil o gwbl. Wrth i ni gusanu nawr, mae'n teimlo fel tasen i'n dod adref.

✴ Diolchiadau ✴

Hoffwn i ddiolch i bawb yn Penguin am fy helpu i lunio fy nofel gyntaf, yn enwedig Amy Alward a Siobhan Curham a fu gyda fi bob cam o'r ffordd.

Cariad mawr i fy rheolwr Dom Smales (Dombledore), sef y dyn mwyaf cefnogol a charedig erioed. Helpodd fi i ddod yn fenyw fwy hyderus, a bu'n gefn i fi drwy'r siwrne hon, drwy'r amryw bethau da a thrwy ambell beth gwael.

Hoffwn hefyd ddiolch i Maddie Chester a Natalie Loukianos, fy rheolwr talent a'm cynhyrchydd talent, sydd wedi cadw golwg ar fy holl ddedleins mewn ffordd ofalgar a chyfeillgar (hyd yn oed pan ocddwn yn ddiog ac yn anhrefnus iawn).

Rhaid diolch hefyd i Alfie Deyes am ymdopi â'r holl nosweithiau y bues i'n sgrifennu ac yn ailddarllen y llyfr hwn, drosodd a throsodd, ac am y cwtshys pan oeddwn i'n teimlo dan straen.

Hoffwn hefyd grybwyll fy nheulu – Dad, Mam, Broseph, fy nwy Fam-gu a fy Nhad-cu cariadus, sydd wedi bod yn hynod gefnogol ac yn parchu fy holl benderfyniadau â gwên ar 'u hwynebau. Gobeithio 'mod i wedi'u gwneud nhw i gyd yn falch iawn ohona i.

Dwi hefyd am gydnabod fy ffrindiau, hen a newydd, ar-lein ac oddi ar-lein. Mae pob un ohonyn nhw'n f'ysbrydoli i bob dydd i barhau i wneud y pethau dwi'n dwlu arnyn nhw, a dwi mor falch o'u cael nhw yn fy mywyd.

Hoffwn i ddiolch i fy ffrind Louise am gadw gwên fawr ar fy wyneb am bedair blynedd wrth i ni fynd trwy'r siwrne hon law yn llaw, trwy'r hwyl a sbri ond hefyd drwy'r adegau anodd.

Mae llawer iawn o bobl wedi dod at 'i gilydd i'm helpu ar y siwrne hon ac fe wnaf i roi cwtsh i bob un ohonoch rywbryd a dweud wrthoch chi pa mor wych ydych chi (hyd yn oed os cymerith hynny amser hir iawn).

CARIAD MAWR,

Zoe Sugg